2048 – The Rejuvenated State

Michael Oren

2048 THE REJUVENATED STATE

Israel 2048
The Toby Press

2048 – The Rejuvenated State

First English Edition, 2023

The Toby Press LLC
POB 8531, New Milford, CT 06776–8531, USA
& POB 2455, London W1A 5WY, England
www.tobypress.com

ISBN 978-965-526-352-7, *paperback*

Printed and bound in Israel

Contents

Introduction ix

The Israeli State 1

The Nation-State of the Jewish People 3

The State of the Jews 9

The Sovereign State 15

Israel's New Deal 21

All Israelis Are Mutually Responsible 25

The State of the Book 27

Judges in Israel 31

The State of Gender Equality 35

In Defense of the Israel Defense Forces 41

A State of Security 45

Israel Among the Nations 51

The State of Prosperity and Dignity 57

The Healthy State 63
Yamma, Kedma, Tzafona, vaNegba 67
Land and State 71
The Sustainable State 81
The Democratic State 85
The Righteous State 91
Responsibility, Vision, and Will 95

Acknowledgments 99
Israel 2048 – The Movement 101
About the Author 103

Jerusalem
October 30, 2022

Dear Dr. Michael Oren

Israel 2048 Initiative

I congratulate you and your partners in the *Israel 2048* initiative, which seeks to lay the foundations for the image of the State of Israel toward the second century of its existence, and to shape its contours, in a variety of aspects.

The ambitious and important project you lead is characterized by far-reaching thinking and conation to formulate common denominators for a variety of segments of the Israeli public; not an easy task, and one which is worthy of great respect, and is essential for Israel's multifaceted society. As a country that devoted a significant portion of its first decades primarily to existential and survival issues, there is no doubt that we should wholeheartedly welcome any effort to formulate a long-term vision which will define the contours of Israel.

In laying the foundation to the contours of our identity and our existence, lies the ability to turn our gaze high and far, to rise above the current reality and formulate the components that will define Israel as it enters the second century of its existence. From ancient times, the motif of vision has characterized the Jewish people, the same foresight and anticipation for the future. Many of the words delivered by the prophets of Israel were such in nature or even by name, in which they lay the foundations for a just and moral society, and outlined the chronicles of the end of days. One of the most dramatic of these is the "Vision of the Valley of Dry Bones" in the book of Ezekiel, which describes the resurrection of an almost extinct people and seems to be depicting our own day and age.

Many thinkers throughout the ages, including supporters of the Zionist movement and contemporary ones, have dealt quite a bit with "outline plans" for the Jewish people and the State of Israel, each with his or her own understanding and world view. So even if it would be a little presumptuous to outline a unified and common vision for Israel, the effort to formulate it is essential.

I hope that your initiative will contribute to the creation of a proper and respectful discourse, from which we will produce a collaboration between the different sections of society, despite the differences and disagreements, and that we will stand together, not only in times of crisis but also for our common future.

Godspeed!

Sincerely,
Isaac Herzog
President of Israel

Introduction

The State of Israel represents a historic irony. While its founders aspired to normalize the Jewish people and to create "a state like any other state," they in fact established the most unique nation in the world. There is no other country remotely like it.

Israel is one of the very few countries never to have known a moment of non-democratic governance, though it has never enjoyed a second of peace. It is the only democracy with a citizen's army that has repeatedly proven its will and ability to fight. It is the only modern state that invests equally in innovation as it does in faith-based studies, balancing technology and tradition. It is a state with the highest birth rate in the industrialized world, and the only country to expand its original population twenty-fold in seventy years, largely through refugee absorption. Territorially miniscule, more than half of it desert, Israel is a multiracial, multiethnic, multireligious and multilingual country. By all measures, the state should have dissolved long ago, if not from internal divisions then from relentless external threats, yet it not only survives but thrives.

According to any international criteria – per capita GDP, average longevity, citizen satisfaction, artistic creativity, economic growth, universal health care, higher education, environmental protection, military capabilities, free press, effective judiciary, water reclamation, energy export, bilateral diplomatic ties – Israel is miraculous.

But beyond its monumental achievements, Israel is an idea. It is the realization of a 4,000-year-old vision of establishing Jewish sovereignty in the Land of Israel, of defending, nurturing, and transforming it into a light among nations. It is the product of incalculable sacrifice on the part of the pioneers, the soldiers, the farmers, educators, engineers, and industrialists who forged it, often at the cost of their lives, and of Jewish philanthropists around the world. It is the coin dropped in the *pushke* by a Hebrew school student in New York and the tree planted by a retired bookkeeper in Manchester. Above all, though, Israel is the result of debate.

The sixty years separating the first Zionist settlements in the Land of Israel and Israel's independence in 1948 were characterized by intense discussions about the nature of the future state. Would it be a "normal" country distinguished only by its Jewish majority, or a country whose ideals and institutions are inherently Jewish? Would it be the national home of all Jews everywhere, including the Diaspora, or a state solely of its citizens? Will it be socialist or free market, an autocracy or a democracy, secular or religious? Far from merely rhetorical, these debates helped forge the educational, material, and military foundations from which Israel arose. They envisioned a sovereign homeland in which Jews could practice their faith in freedom and fulfill their national destiny. More than by force of arms, the Jewish state was created through the power of words.

Emerging a mere three years after the murder of one-third of the Jewish people, that state proved to be one of the most resilient in history. It absorbed immigrants in numbers vastly exceeding its original population, created a vibrant democracy, economy, and artistic culture, and fought off successive attempts to destroy it. Israel did all this not despite the discussions that preceded its establishment, but because of them. Thanks largely to that forethought, the state that many doubted would live to see its first birthday will likely celebrate its hundredth.

Yet, well before that date, Israel faces challenges that threaten much of its success, if not its long-term survival. It is the only state in the world in which more than a quarter of its parliamentarians refuse to sing the national anthem or to salute the flag. The only state with universal conscription in which more than half the population does not serve. Israel, alone among the nation-states, claims to represent a global diaspora and to expect its loyalty but without honoring the religious affiliations of many of its members. And Israel is the world's only nation routinely denied the right to defend itself and even its right to exist.

Meanwhile, the quality of pre-university education in Israel has plummeted as the income gap has grown to rival those of America, Mexico, and Chile. While the Israeli center – Greater Tel Aviv – flourishes, many peripheral communities stagnate. More than twenty percent of the country are Arabs, mostly Muslims, who, despite the social and economic progress of recent decades, cannot fully participate in the Israeli experience. Others belong to minorities – Ethiopians, Mizrachim (Jews from Central Asia and Middle Eastern countries), and Druze – which often feel disenfranchised.

Israel suffers from severe brain drain, the emigration of both individuals and knowledge, and is outsourcing its most valuable asset, the Israeli mind, to foreign companies. State institutions in Israel suffer from a widespread credibility crisis, with the courts and police no longer fully respected, and politicians viewed as ineffective at best and, at worse, corrupt. Situated in a land holy to over half of humanity, Israel is subjected to an unparalleled scrutiny; its slightest misstep makes headlines. And while Israel is not the only country in the world to rule over another people, that control potentially endangers Israel's identity as a Jewish, democratic, and internationally respected state.

The coming years will decide whether Israel can overcome these massive challenges, whether the Jewish state was merely an inspired but ephemeral project. Will Israel remain as deeply rooted as Egypt, Russia, and Japan, or it will be relegated to history's long list of transient countries, along with Yugoslavia, Tripolitania, and the Soviet Union? These are among the most pressing long-range questions confronting Israeli leaders today. And yet, due to their daily demands, to fear of controversy, or simply a lack of imagination, these leaders rarely articulate a vision of Israel's future.

What should Israel look like on its one hundreth birthday? How should Israeli society be reorganized to assure equal opportunity for individuals and prosperity for all? What must be the state's relationship with its citizens, Arab and Jewish alike, as well as with its army, its national institutions, and the Diaspora? Which policies must Israel adopt to position itself influentially in international affairs and preserve its technological edge? How, moreover, can Israel grow into a more just, moral, and ultimately more Jewish state?

These are the questions which we must be addressing now, in the twenty-five years before Israel's centennial. As in the pre-state period, we must encourage debate and initiate conversations about our future, especially among young people. We must tap into the same grit and creativity that made Israel the miracle that it is while eschewing the extreme shortsightedness that has come to characterize Israeli decision-making and the deepening popular indifference to tomorrow. Unlike the decades before 1948, though, when planning was often theoretical and abstract, those preceding 2048 must be aimed at attaining concrete goals. Defining those objectives and proposing the realistic means for achieving them is the purpose of *2048 – The Rejuvenated State.*

The initiative originated in the Prime Minister's Office where I served as Deputy Minister (2016–2019) and proposed establishing a state commission to examine Israel's future. Unfortunately, fearing the controversial nature of some of the panels' findings, the office ultimately balked. Nevertheless, together with former Jewish Agency Chairman Natan Sharansky, I convened a forum on Israel-Diaspora relations at the Hartman Institute in Jerusalem. But the need for a more comprehensive discussion of Israel's long-term goals remained acute, as evidenced by the four elections of 2019–2021 and the agonizing Coronavirus crisis. Israel was shown to be utterly unprepared politically, legally, logistically for the monumental challenges of today, much less those of tomorrow.

2048 – The Rejuvenated State aims to fill that gaping vacuum. More important than convincing Israelis of all its analyses and recommendations, it seeks to engage them in a conversation which is tragically not taking place but must begin at once. Though predicated on the belief that a Jewish people should and does exist and possesses the right to self-determination in our ancestral homeland, it is not a philosophical exercise. It does not strive to define the nature of the Jewish state but to designate the ways in which Israelis can continue living with their contradictions and with greater harmony, prosperity, security, and purpose. It is an examination of the policies Israel needs to adopt in order to ensure its future as a country in which the vast majority of Jews still believe, will be willing to fight for, and want to live. It is designed, ultimately, to spur young Israelis and Diaspora Jews to become activists and establish movements for critical change. *Israel 2048* is a blueprint for an Israel that will not only survive but thrive through its next one hundred years.

Drawing on more than forty years' experience in governance, the military, and foreign service, and with the perspective of an historian who has lived throughout the country and abroad,

I will identify the most critical issues that Israelis need to discuss. I will propose the measures which, however difficult, are vital to Israel's fate. This is my vision for *2048 – The Rejuvenated State.*

The Israeli State

Though deeply fractured along religious, ethnic, linguistic, and racial lines, Israeli society nevertheless coheres. The reasons for this are many, not the least of which is the presence of external threats as well as the existence of democratic institutions for mediating disputes. Another source of unity, however, is what is popularly known as Israeliness.

Israeliness describes a set of shared experiences – eating falafel, say, or visiting a health clinic. Israel is also a family country, and love of family is common to all of Israel's ethnic and religious communities. Yet the definition of Israeliness has also proved malleable. Once focused almost exclusively on the established Ashkenazi elite, Israeliness has come to embrace – and in many ways, prefer – the Mizrachi culture associated with the middle and working class. The Druze and Circassians, once peripheral to the Israeli story, have now been enshrined at its core. Haredim who previously spoke only Yiddish now converse in colloquial Hebrew while Israeli Arabic has become peppered with Hebrew expressions and slang. Israeliness has the power to penetrate.

We must augment that power. It is Israel's fundamental interest to foster a sense of belonging. This can be achieved through many ways, some of them discussed in greater detail below, while respecting ethnic and religious diversity. They include a national campaign, "I am an Israeli," conducted through school texts, the media, and popular culture, to identify and strengthen those aspects of Israeli life that unite us. It includes inter-community dialogues and projects backed by the state and certified NGOs. It includes truly universal national service and greater representation for minorities in government agencies. And it means broadening the Israeli story to include the maximum number of citizens.

Being the nation-state of the Jewish people and also the state of all of its people is not, as often portrayed, a contradiction. Many nation-states have minorities that are fiercely patriotic. By contrast, the failure to expand and strengthen Israeli identity will weaken the state's ability to defend itself and preserve its technological edge. And it will save Israel from the fate of the crusader kingdoms to which our enemies often compare us, that dissolved into the surrounding cultures. Success means that Israel can not only cohere but remain a model of reconciling diversity with solidarity, a society respectful of differences but united around an inclusive Israeliness.

The Nation-State of the Jewish People

In 2018, the Knesset passed a bill defining Israel as the nation-state of the Jewish people. Critics of the law, both in Israel and abroad, condemned it as a racist act that denied national rights to non-Jewish Israelis and downgraded the official status of Arabic. Adding a line guaranteeing the equality and civil rights of all Israelis would not have weakened the law but, even without such a reference, it could not be called racist. It was, rather, a tautological law reiterating the obvious. Israel is the nation-state of the Jewish people, a country which grants the right of self-determination solely to Jews. Together with the great number of laws establishing Israel as a democracy, the nation-state law filled a lacuna by reaffirming Israel's Jewish identity as well.

No, the main fault of the law was not its contents but rather Israel's failure to live up to them. The same state that defines itself as the nation-state of the Jewish people not only in Israel but worldwide does not recognize the legitimacy of the Judaism practiced by the majority of American Jews. The absurdity – indeed, the obscenity – of the situation was underscored by the aftermath of the massacre of Jewish worshippers in Pittsburgh's Tree of Life synagogue on October 18, 2018, six months after the bill's passage. While expressing solidarity with the victims, several Israeli ministers and the Chief Rabbinate refused to call the Tree of Life a synagogue. The place where Jews were killed while praying as Jews had, in the words of the Jewish nation-state, merely "a profound Jewish flavor."

The affront was compounded by ingratitude. Contributions and investments from Diaspora Jews account for some 6.5% of Israel's annual GDP – roughly equivalent to its defense budget – and have contributed massively to building Israel's educational, medical, cultural, and financial infrastructure. The names of Diaspora, and especially American, philanthropists adorn everything from schools to hospitals and ambulances in Israel to the recreational facilities on IDF bases. There are thirty-four Jewish Members of Congress – the Senate has a minyan – almost all of whom support Israel energetically though none are Orthodox. American Jews are a vital component in the U.S.-Israel alliance.

Why, then, would Israel risk weakening those bonds? Why, with scarcely more Jews in the world today than there were before the Holocaust and increasing numbers of them assimilating, would the Jewish nation-state alienate itself from so many? The situation is strategically dangerous and morally wrong.

Israel in 2048 must have a radically different relationship with World Jewry. It must redefine Jewish identity in national terms, emphasizing peoplehood over observance. Those who define themselves as members of our people and recognize Israel as our legitimate nation-state must be embraced by Israel as Jews. Israel, in turn, must recognize the legitimacy of the mainstream

Jewish movements. It must institute an independent conversion process, open to both Israelis and foreigners that includes Jewish studies but which stresses national identity. Israel must cease regarding Diaspora Jewish life as fundamentally illegitimate – *shlilat hagolah* – just as the Diaspora must recognize Israel as a primary vehicle for Jewish continuity.

With that, Israel must embark on a mission to save the maximum number of Jews from assimilation. A national campaign must be mounted to bring 10,000 young, secular Jews from the Diaspora to Israel each year, to provide them with stipends, jobs, and other incentives and enable them to settle permanently. Eligibility for the program will be determined by answering two basic questions, the first positively and the second in the negative. Is the candidate Jewish and is he or she likely to have Jewish grandchildren?

At the same time, Israelis must be reminded of the moral, economic, and strategic advantages of large-scale aliya. Such a reminder was not necessary in the past and especially during the 1990s when Israel absorbed nearly a million Jews from the former Soviet Bloc. Those olim – perhaps the world's most educated population per capita and educated exclusively at another country's expense – transformed Israeli society and contributed massively to its technological revolution. Three decades later, however, when great numbers of Jews considered leaving France and its rising levels of anti-Semitism, Israel was far less receptive. The country was already too crowded, many Israelis argued, with too few jobs and housing opportunities. As a result, the bulk of French Jews chose to move to Britain, Canada, and the United States instead. Israel missed an historic opportunity. For that reason, as anti-Semitism continues to rise and instability plagues Eastern Europe, Israelis must recall the immense benefits they received from tens of thousands of new immigrants. Future infusions of Jews from the world over will make Israel stronger, wealthier, and more vibrant. It will also reenforce Israel's ties with the Diaspora.

Strengthening those relations, finally, necessitates an overhaul of the so-called national institutions governing them. The World Zionist Organization, the Jewish National Fund (Keren Kayemet), Keren Hayesod, and their overarching body, the Jewish Agency were all created to facilitate Israel's establishment. After 1948, however, their original raison d'être morphed into promoting and assisting aliya, disseminating Zionist education, and building Diaspora-Israel ties. Over time, unfortunately, these organizations became bloated, often redundant, and, many believe, politically corrupt.

In 2000, for example, the WZO had four departments dealing with the Diaspora and today it has fourteen; its budget, meanwhile, has quadrupled. All of the institutions have education departments that are essentially doing the same thing. Though ostensibly non-political, the organizations have become deeply politicized, their staffs serving as sinecures for senior party members. Widespread among the Israeli public is the sense that the national institutions have long outlived their purpose and that their principal tasks – immigration, forestation, and the development of the periphery – should be assumed by the government.

The Israeli majority is not wrong. There is no reason why the bulk of the land in Israel, representing trillions of shekels in assets, should be controlled by the Keren Kayemet and not the citizens of Israel. And there is no reason why the donations of Diaspora Jews should pay for political appointees, often utterly unqualified, rather than programs that ensure Jewish continuity.

As a new immigrant to Israel, a lone soldier, an emissary to Soviet Jews, a board member of Birthright/Taglit and the Overseas Mission Institute (Machon l'Shlichut), I have had extensive – and overwhelmingly positive – experiences with the Jewish Agency. But I have also seen its wastage and cronyism up close. Still, the baby should not be thrown out with the bathwater. Rather than eliminating the national institutions, they must be merged and fundamentally reformed.

By 2048, there should be one national institution responsible for encouraging aliya from abroad – something the government cannot do – and enabling interaction between Israel and all Diaspora Jews, irrespective of their religious and ideological backgrounds. Programs such as Birthright/Taglit and Masa, which bring Diaspora youth to Israel, must be expanded, together with greater opportunities for Israeli young people to meet their Diaspora counterparts. By 2048, Israeli and Diaspora Jews must share a sense of common identity and destiny, an awareness of the fact that, regardless of where we live, we belong to a single people.

The State of the Jews

There has always been a question surrounding the title of Theodor Herzl's foundational pamphlet, *Der Judenstaat*. Did the father of Zionism mean the State of the Jews or, rather, the Jewish state? A country with a majority Jewish population in which the Jews could determine their own fate or a nation that was intrinsically, indelibly, Jewish?

The Israel of 2048 must be both. By that date, the sizeable majority of the world's Jews will live here, speak Hebrew, salute a Magen David flag, and follow the Jewish calendar. The problem arises only with the second interpretation. How Jewish does the state have to be in order to be not just *a* but *the* Jewish state? Who defines what is Jewish?

Unlike numerous democratic nation-states in the world – Denmark, for example, or Great Britain – Israel does not have an official religion. And yet, for all practical purposes, Orthodox Judaism and its institutions are recognized and even budgeted by the state and endowed with far-ranging powers. In life-cycle matters (birth, marriage, divorce, death), conversion, *kashrut* (kosher certification), and immigration these are monopolistic. So, too, is the Orthodox (Haredi) control over Jewish holy places, above all the Kotel. More than half of all Ultra-Orthodox men do not work and do not serve in the army. Instead, they receive subsidies – paid for by Israeli taxes – to continue studying Torah.

The ramifications of this situation are massive. Though it helps preserve the Jewish people and its traditions, the status quo alienates a great many Israelis from Judaism and its state-sponsored establishment. It creates deepening rifts between Israel and the Diaspora and mitigates Israel's ability to remain economically and technologically competitive. And it demoralizes and weakens the public which is required to shoulder the increasingly large burden, financial and military, of the Haredim.

Twenty years ago, as a fellow at a Zionist thinktank, I engaged in a brisk debate over whether the state's relationship with the Haredim posed an opportunity or an existential threat. I argued the latter. It seemed to me then, as it still does now, that the exponential expansion of a population that produced nothing materially but only drained the state, that shared none of its liberal and democratic values and denied children even the most basic modern education, would eventually cause Israel's collapse. The country would neither be able to defend itself nor maintain a viable economy. The sovereignty of its government would not be recognized by a large and rapidly expanding share of the population. Rather than continue to bear this outrageous burden, a great many Israelis would simply leave. "The situation is national suicide," I said.

This slow death, moreover, was funded by the state which paid Orthodox students in the religious schools (yeshivot) that left them utterly unprepared to work in the outside world and totally dependent on their rabbis and the government hand-outs they receive.

In response, some of my colleagues countered that the Haredim were not a threat but an opportunity – a highly intelligent and disciplined population which, if smartly and sensitively approached, could make tremendous contributions. Some of their predictions proved correct. More than half of Ultra-Orthodox men are currently employed and growing numbers serve in the IDF. But those statics are misleading. The Haredi birth rate still outstrips the growth of the Haredi work force, and the actual number of Haredi soldiers has been shown to be exaggerated. Haredi employees, moreover, especially women, often work only part-time and earn significantly less than other Israelis. "The Ultra-Orthodox philosophy is that you have to be unemployed in order to study – and that will not change," said Prof. Nissim Lion of Bar-Ilan University. "Poverty will not affect it, on the contrary – poverty only increases spirituality." Some 60% of Haredi children live below the poverty line. We are still on route to self-destruction.

That catastrophe must and can be averted. The first step, as mentioned above, is to insist that Haredi schools provide a core curriculum of English, science, and math. A class in civics, inculcating democratic ideas and familiarity with the state, is also crucial. Frameworks must also be made for teaching computer and engineering skills and incentivizing entrepreneurs to make Haredi-friendly workplaces. Alternative modes of national service, not just military, must be found in which the Haredim can serve the state – and their own communities – proudly.

None of this can be accomplished through coercion. Proposed legislation penalizing Haredim and their schools for draft-evasion will surely backfire and result in large-scale unrest and incarceration. Instead, the state must make an historic effort to engage Ultra-Orthodox leaders in a dialogue based on mutual respect and the assurance that the Jewish state has no desire to undermine the Haredi way of life but only to preserve it for future generations through integration into the mainstream.

A far more difficult task involves limiting the powers of the Chief Rabbinate. Once headed by more liberal national-religious rabbis, the institution is now dominated by the Haredim. It refuses to recognize the Jewishness of large numbers of Israeli and Diaspora Jews and rejects the conversions conducted by any rabbis, even the Orthodox, not included on a Haredi list. Unable to wed in Israel, couples of mixed religious backgrounds, as well as those unwilling to undergo a Rabbinate-approved ceremony, get married abroad. Still, divorce is only possible through the Rabbinate. So, too, are burial services and certification for *kashrut,* both of which have been accused of corruption.

The answer lies in breaking this monopoly and opening Jewish life in Israel to other non-Haredi streams. Jewish couples should, for example, be able to choose which form of marriage ceremony – Orthodox, Conservative, Reform – they prefer, just as they can later chose which *mohel, dayan,* or any other religious functionary, including *hevreh kaddisha* (burial society). Though civil marriage should remain a goal, it must be approached with sensitivity to the Muslim, Druze, and Christian communities that will oppose it. Civil marriage exists nowhere in the Middle East.

Additionally, the state must set up a national process through which many tens of thousands of Israelis – most of them immigrants from Russia and Eastern Europe – can convert in a humane way that also respects Jewish law. It must create dignified spaces for those who do not convert but fall in the defense of the state to be buried with honor. The state must also ensure a proper place for non-Orthodox prayer at the Holy Sites. And the state must take back full control over the immigration process, reviving the original Law of Return and its criteria for determining who is a Jew: a person born of a Jewish mother and who remains a Jew, irrespective of how she or he practices that Judaism.

None of this will be easy. The Haredi control over life-cycle events represents an enormous source of income for that community. That money, in turn, helps perpetuate the self-defeating system of Haredi dependence on welfare and the rabbis who keep them unskilled. Paternalistic though it may sound, ending the Rabbinate's stranglehold will further compel the Haredim to seek secular education and well-paying work. It will aid them during national crises such as the Coronavirus, which claimed the lives of a disproportionate number of uninformed and misguided Haredim. It will, moreover, help save the state from spiritual and financial breakdown.

This is not in any way to advocate for attempting to alter the Haredi lifestyle or to force anyone committed to it to be less observant. On the contrary, by assuring the sustainability of that community and the state on which it depends, these measures will guarantee a vibrant Haredi future. Having a sizeable section of its population dedicated to study and prayer, often at the price of self-imposed poverty, should be a point of pride for the Jewish state. But it must not come at the cost of the state's very existence.

By working to make Israel more the State of the Jews, Israel will simultaneously make Israel a more Jewish state. It will strengthen itself economically, socially, militarily, and morally. A century after it first came to fruition, Herzl's vision will be achieved.

The Sovereign State

The tragic death of forty-five Jewish worshippers on Mount Meron during the 2021 Lag B'Omer gathering was the result of many factors: political pressure to remove crowd restrictions, police incompetence, inadequate infrastructure. Nobody, it turned out, oversaw the event. Nobody – not the politicians nor the police – dared interfere in what has been essentially an Ultra-Orthodox state-within-a-state that drains resources from Israel but gives nothing back in return; that provides minimal education to its young people and keeps them dependent on a leadership that sees itself as independent from, and more legitimate than, the democratically elected government. The ultimate tragedy of Meron was that it was symptomatic of a far more pervasive – and potentially existential – meltdown of Israeli sovereignty.

Sovereignty, as the dictionary defines it, is a "supreme and independent power or authority in government as possessed or claimed by a state." According to that definition, Israel is not a sovereign nation. It does not exercise supreme power over large sections of its territory and major segments of its population. Rather, as I wrote in a 2007 *Commentary* article, "Israel is hemorrhaging sovereignty."

Take, for example, the Negev, accounting for 62% of Israel's territory. The Bedouin population, once nomadic and now almost entirely sedentary, numbers roughly 230,000, double what it was in 2000. I lived in the Negev for five years and watched as the landscape literally disappeared beneath squatters. This natural increase, the world's highest, is the result of advanced Israeli care and the virtual elimination of a once-notorious infant mortality rate. It is also the product of the polygamy practiced by nearly one-fifth of all Bedouin males. The tradition is radically anti-feminist and frequently cruel, with many wives purchased like chattel, forced to conduct hard labor, and bear seven children or more. With four wives, a Bedouin male need never work but only collect child subsidies from the government. For this reason, in 1977, the Knesset passed a bill outlawing polygamy and then, for the next forty-five years, ignored it.

By failing to apply its laws, Israel has not only eroded a once-overwhelming Jewish majority in the Negev but also undermined its long-term security. Nearly a third of all the Bedouin live in illegal villages – more than 80,000 structures – which Israel has done relatively little to demolish. Together with authorized towns and cities, these create an almost unbroken swath between Gaza and the Hebron hills, essentially bisecting the Negev.

The immense danger posed by this situation was evident early in 2022, when thousands of Bedouin rioted against the planting of Jewish National Fund trees – a quintessential Zionist project – in the central Negev. Arabic posts claiming the desert belonged to the Bedouin, and calling on them to defend it, proliferated the internet. The government's plan to connect illegal Bedouin settlements to the electrical grid threatened to undermine the very notion of Israeli sovereignty and equality before the law.

Such developments would be sufficiently alarming without the twin processes of "Palestinization" and Islamic radicalism that have pervaded the Bedouin community. Taking advantage of Israeli indifference, both Hamas and the PLO have constructed mosques and madrassas throughout the Bedouin communities and provided the teachers, many of them Israeli Arabs from the north, who radicalize Bedouin youth. Thirty years ago, as a reservist serving in Hebron, I entered a Hamas-affiliated religious school only to find it crammed with Bedouin children from the Negev. When asked why they were studying there and not at home, the young boys replied that only there did they received proper schooling and food. It's scarcely surprising that, according to the Internal Security Service, Bedouin involvement in terrorist attacks such as that which killed four Israelis in Beersheva in March, 2022 is rising.

The solution lies in part with measures I've already recommended, among them better educating and integrating the Bedouin into Israeli society. Issuing far greater numbers of building permits for Bedouin will also help, as will a national effort to develop the Negev and encourage Jews to move there (see below). But none of these efforts will succeed unless Israel first and forcibly exerts sovereignty over all its people and its land.

The failure to do so is glaring not only among the Bedouin of the south but also the Arabs of the north. It has long surpassed the Jewish population and in some areas, such as the Lower Galilee, by as much as 25%. Illegal land seizure and construction is rampant as is the depredation of livestock owned by Jews. As recently as 2019, a poll showed that a third of all Arab residents of the north – a third of country's landmass – supported autonomy from the state.

The center of the country, though, offers the best – and most frightening – example of Israel's unwillingness to apply its sovereignty over Arab areas. Abu Ghosh will always be remembered as the Arabic-speaking village that sided with Israel in its War of Independence and which continues to send its young men to serve in the IDF. I've been to funerals in Abu Ghosh for soldiers who fell in battle. No less unique is the geographical position of Abu Ghosh atop a ridge that overlooks Ben-Gurion Airport as well as Highway 1, the major route connecting Tel Aviv and Jerusalem. That high point is now home to many dozens of new houses which are too expensive for the villagers to afford, but which have been purchased by affluent Palestinians holding East Jerusalem residency cards and even by Gazans acting through middlemen. These Palestinians will soon dominate what is arguably the most strategically vital point in the entire state, one that could be used to Israel's great disadvantage in crisis-time. The original residents of Abu Ghosh have repeatedly petitioned Israeli leaders to halt this dangerous process, but without success.

The hemorrhaging of Israeli sovereignty is not confined to Arab communities, as we've seen, but is endemic to Israel's relationship with its Ultra-Orthodox communities. These Haredim, as they are known collectively, account for nearly 13% of Israel's total population, and yet they pay less than a third of the taxes paid by other Israelis. With a Haredi birth rate almost twice that of secular Israelis – by 2048, half of all Israeli schoolchildren will be Haredi – that percentage is doomed to shrink. The country will become economically, if not technologically and militarily, unsustainable.

The state's failure to assert its authority on the Mount Meron festival was adumbrated repeatedly during the Coronavirus crisis. Refusing to follow the government's instructions for fighting the pandemic, obedient to their rabbis instead, thousands of Haredim gathered for prayer, weddings, Torah study, and funerals, rapidly infecting themselves as well as others outside their communities. The authorities hesitated to enforce the lockdown on Haredi institutions, with catastrophic results. Though some 60%

of all Corona-related hospitalizations were Ultra-Orthodox, the entire nation had to be shut down. The cost to the state in terms of medical care and continued unemployment was incalculable. The cost in human life was criminal.

Finally, there can be no durable sovereignty without enforcement and Israel's police force is far from up to the job. Miniscule salaries combined with long workdays (and nights) have contributed to a chronic dearth of policewomen and men. Public confidence in the police, already declining in the Jewish population, has plummeted among the Arabs – to 31% among Jews versus 13% among Arabs. Occupied with fighting terror, especially in Jerusalem, Israeli police often have little time to battle crime. The absence of qualified personnel has led to the police to back off from enforcing anti-squatting and illegal building laws, with disastrous results both in the Galilee and the Negev. The enforcement of the COVID restrictions in Haredi institutions was only partially successful at best. Most egregiously, the yearly murder rate among Israeli Arabs – accounting for 70% of all the country's homicides – has doubled over the past decade, surpassing 100. Police commanders have told the government that they simply lack the manpower to confiscate the 400,000 illegal firearms hidden in Arab communities. Ultimately, the difference between sovereignty and anarchy hinges on Israel's commitment to making police service a viable career choice and to expanding its ranks to include more Arab and possibly even Haredi officers.

For Israel, becoming a truly sovereign state is not merely an aspiration but a matter of survival. Failure to apply our laws and extend our control over all areas and populations will inexorably lead to losing them. The recent success of the municipality and police in stemming illegal building in East Jerusalem proves that this can be done. And we must do it, if we are to celebrate Israel's centennial.

Israel's New Deal

Though a narrow but growing majority of Israeli Arabs now express pride at being Israeli, the overwhelming majority of Jewish Israelis view them as a threat. The perception is reinforced by Israeli Arab leaders, secular and religious, who refuse to recognize the state's legitimacy and openly support terror.

And yet, comprising 21% of Israel's population, Israeli Arabs are integral to Israel's future. They are upwardly mobile and increasingly powerful. Ra'am, an Arab Islamic party, was part of the 2021–2022 government coalition. Arab schoolteachers are, comparatively, more highly certified than their Jewish counterparts and Christian Arabs are on average better educated and more affluent than Israeli Jews. During the Corona crisis, the courageous role fulfilled by Arab physicians and nurses proved crucial. Is there a way, we must ask, for Israeli Arabs to be seen not as a danger but as an opportunity? Can Jewish Israelis ever embrace their Arab neighbors as full-fledged countrywomen and men?

The answer is yes, but only if Israel makes a strategic policy decision that I call The New Deal. Simply put, it means that the state will not merely condemn discrimination and inequality but publicly declare war on it. This means robustly fighting racism in the classroom and workplace, in the media, and in politics. It means promoting Arabic language education in Jewish schools and Hebrew language instruction in Arab schools while integrating the faculties of both. It means enforcing the law and vastly increasing the police presence in Arab communities, removing the guns from the hands of criminals, and fighting the drug trade. It means investing in infrastructure in Arab cities and villages, building additional schools and introducing industry, and providing the financial wherewithal for thriving small businesses. It means setting as a national goal the full social, economic, and educational integration of Israeli Arabs into mainstream Israeli society by 2048.

But that is only one side of the New Deal. The other requires Israeli Arabs to accept their minority role in a Jewish nation-state and view themselves as citizens of that state not only with equal rights but duties. It does not mean that Israeli Arabs have to give up their Palestinian identity and their right to express solidarity with Palestinians throughout the Middle East – no more than an American Jew has to surrender love for Israel in order to be loyally American. Yet it does mean condemning terror, supporting Israel's efforts to defend itself, and rejecting anti-Israeli boycotts. It means obeying Israeli laws outlawing polygamy, smuggling, and unauthorized building.

Becoming fully Israeli also means national service. This can begin with service within the Arab community itself, enhancing security and the quality of life, but military roles should not be ruled out. The old excuse that Arabs cannot be asked to fight Arabs ended with the Arab Spring. There is no reason why Israeli Arabs cannot defend their state against ISIS, Syria, or Iran. British Jews salute the Union Jack that has not only one but three crosses on it and historically have fought and died for that flag. Israeli Arabs can feel the same way toward the Magen David.

The New Deal is, in fact, already happening and need only be accelerated. In contrast to the past, when Israeli Arabs protested against the presence of police in their villages, now they protest in favor of a greater police presence. And, as the recent elections showed, Arab politicians are harnessing their newfound power not to delegitimize the system but to influence it. These trends offer opportunities that must not be missed and which, if catalyzed by policy, can make Israel 2048 a truly cohesive state.

All Israelis Are Mutually Responsible

Kol *Yisrael arevim ze b'ze* – the talmudic injunction for all Jews to assume responsibility for their co-religionists' welfare. It is a powerful concept which, when translated into sovereign terms, enjoins all Israelis to take responsibility for their fellow citizens, Jewish and non-Jewish alike.

This principle, enshrined in Israel's national health-care system, ideally should apply to society as a whole. Challenging this effort, though, is Israel's transformation from a largely agrarian state with relatively little stratification into a high-tech powerhouse with one of the world's widest social gaps. A mere 20% of the population now pays 92% of the country's taxes, and that percentage is dwindling. Nearly a million and a half children now live beneath the poverty line in Israel.

This is an impossible situation for a Jewish state. While free market capitalism is essential for expanding Israel's economic power – and its military strength – it must be balanced with social policies and safety nets for those unable to experience the new Israeli dream. In the Jewish state, one cannot simply step over the homeless in the street.

Achieving that balance will require Israel, on the one hand, to continue deregulating and eliminating the bureaucracy that stunts economic growth, while on the other, earmarking part of those profits to provide development opportunities for all. This will include building additional high-tech centers outside of Greater Tel Aviv and establishing technical vocational schools (see below). It will also necessitate revising the payment of subsidies to large families – Jewish and Arab – that relieve the parents of these families of the need to work. Muslim women and Ultra-Orthodox men must be incentivized and trained to enter the workforce (see below) and guaranteed a livable minimum wage.

Israel must not become a welfare state but neither can it be a heartless state. Ultimately, the vision of a thriving yet humane Israel can only be achieved by planning now for our economic, educational, and health-care future.

The State of the Book

The generation that built Israel made education a priority. With drastically limited budgets, it created seven world-class universities and research institutions. Today, with a GDP several times larger than it was fifty years ago and a population that has more than tripled, Israel's education system is failing to keep pace with the state's expansion and falling below many of the standards of developing countries.

While studies show that Israel is the third-most educated state in the world, with nearly half the population acquiring some level of adult education, the educational level of the general population has been plummeting. Israel is now ranked 39th in the world in the sciences and math. And while Israel exceeds the OECD average for the percentage of GDP spent on education and for the number of children in pre-school programs, it falls far below OECD standards in its per capita expenditure for education, teachers' salaries, and the number of students per classroom. The state has four separate educational systems – secular, national-religious, Haredi, and Arab – though experts say the number is closer to nine. According to Prof. Dan Ben David of the Shoresh Institute, "Israel is the only first world country in which more than 30% of the country receives less than a third world education. It is the only first world country that deprives part of its population of a core curriculum."

Prophecy is not required to predict that these trends will steadily undermine Israel's technological and economic edge and increasingly weaken its defense. A closer look at the bleak picture shows that two rapidly-growing populations – Ultra-Orthodox and Bedouin – receive the minimal, if any, education necessary to integrate them into the workforce. Tens of thousands of young people are annually condemned to a life of poverty, unproductiveness, and dependence on hand-outs from the state.

To reverse this process, Israel must cease viewing education merely in pedagogical and budgetary terms. The perspective, rather, must be strategic. Investing in the school system, adequately compensating teachers, reducing class size, and assuring that all students receive a basic secular education, are all vital to Israel's long-term viability. Haredi youth must receive instruction in English, science, and math. Quality education must be accorded to Bedouin children, some 5,000 of whom are not in school at all. Without a solid, standardized, and state-monitored curriculum, the income gap will deepen in Israel and erode its social foundation.

Israel must also revamp its system of higher education. To fill its worsening shortage of engineers and computer technicians, Israel must adopt the German model of one- and two-year vocational programs. The goal will be to expand the current 9% of the population currently employed in high-tech to over 50% by 2048.

Beyond even its strategic ramifications, education is a moral issue for Israel. Just as we must live up to our claim to be the nation-state of the Jewish people, so, too, must the state of the People of the Book continue to earn that title. Education has always been a Jewish value. It must be the hallmark of the Jewish state.

Judges in Israel

Menachem Begin's famous remark, "There are judges in Jerusalem," has come to symbolize Israel's commitment to remaining a state of law. That pledge can only be fulfilled by ensuring an independent judiciary, a legal system which is at once above and reflective of the people. That system is today endangered.

The Supreme Court has come to be viewed by large segments of Israeli society as alien and even hostile. A widening gap has opened between the bench and the Knesset, with legislators proposing laws to bypass or override the Court's rulings. Such laws will vitiate judicial review, one of the mainstays of any democracy.

Much of the blame for this perilous situation lies in the manner with which Supreme Court judges are picked. Unlike any country in the world, with the exceptions of India and Thailand, Israel's highest adjudicators are selected with virtually no input from the people. In the United States, voters have not only one but two opportunities to influence their Supreme Court's composition (voting for the President and the Senate), which is consequently always a major electoral issue. But in Israel it is never mentioned, for the simple reason that Israelis have virtually no say.

Israeli judges are chosen through a complex process involving two government ministers, representatives of the lawyers' guild, and – most astonishingly – sitting Supreme Court justices themselves. This gives a majority vote to the jurists over elected officials. Quite naturally, the judges and lawyers choose those successors closest to their own worldviews. The result is a Supreme Court which, legally speaking, remains in the same place it was twenty or even thirty years ago. Israeli public opinion, meanwhile, has shifted – in recent decades, significantly rightward – as reflected in the Knesset. Conflicts between the two institutions, rare a generation ago, have become commonplace. Their legislation repeatedly overturned, parliamentarians began asking the judges "who elected you?" and asserting that the MKs, alone, represented the people's will.

Further deepening the gulf was the activist approach adopted by the Court since the 1990s and the presidency of Aaron Barak. Under the banner of "everything is judicable," the Court has ruled on issues as diverse as the placement of the Security Barrier and whether the government can lawfully retain the remains of slain terrorists (it can't). Barak also gave precedence to Israel's character as a democratic state over its status as a Jewish state. The Katzir case of 2000, in which the judges found in favor of an Arab family prohibited from buying a house on a Zionist-funded moshav, remains a landmark. This accelerated the Court's alienation from an increasingly nationalistic and religiously observant Knesset.

Clearly, the Israel of 2048 must pull Israel back from the legal brink. This can only be achieved by totally reforming the selection process for judges. The American example may be impractical for a society as diverse and potentially fractured as Israel's – the Court might never have an Arab or a Haredi judge. On the other hand, the European model in which fifty percent of the judges are chosen by parliament, closer reflects Israel's needs. The goal is to allow the Knesset to choose eight of the Court's fifteen justices, giving them a decisive voice, while allowing representatives of the legal establishment to select the remaining seven. It is the only way to preserve judicial review and to uphold the Court's role of protecting both the rights of the minorities as well as the majority.

Finally, the Court's purview must be circumscribed. Not everything is judicable and especially not vital national security issues which reside almost entirely with the government and the defense establishment. To save itself, the Court will have to limit itself to areas of a purely legal nature. There must be judges in the Jerusalem of 2048, but they must be part of – not removed from – the people, and know what they can and cannot judge.

The State of Gender Equality

Growing up in America of the 1960s and 70s, Israel looked to me like the paragon of women's rights. There were the photographs of short-skirted women soldiers marching proudly with their Uzis, the kibbutz women in their *kova tembels* working the fields, and women who appeared self-confident to the point of brashness. There was Golda Meir. Israel looked like a feminist forerunner. Only when I came here, first as a volunteer and then as an immigrant, did I begin to see the deep discrepancy between the myth surrounding Israeli women and their far less than egalitarian reality.

Though the IDF was one of the only armies in the world to draft women, it strictly limited them to non-combat roles, many of them clerical. Sexual exploitation by male superiors was commonplace. Similarly, on the kibbutz, relatively few women worked in the fields but rather remained in the communal kitchens and children's houses. And if Israeli women were outspoken, their candor did not translate into equal career opportunities and pay. Golda might have been prime minister, but she was only one of three women in her 56-seat party. Beneath these disparities lurked even darker injustices such as polygamy, female sex trafficking, and honor killings.

Since then, Israel has indeed made significant advancements toward gender equality. Starting in 1987, women soldiers were allowed into certain combat roles, including – after 1995 – pilots. In 2000, the Security Service Law was amended to enable women to serve in any military unit for which they are physically qualified, and the following year, the separate Women's Corps command was abolished. Today, there are indeed women pilots, missile boat commanders, border police and infantry soldiers. But there are not yet women serving in combat roles in the regular infantry brigades or commando units or on submarines. The U.S. Army and Marines, by contrast, are gender-integrated, as are all branches of the U.S. Navy.

Politically, too, women have registered major strides. The percentage of women Knesset Members has steadily climbed, from 8% in 1997 to 25% today. A woman has served as Knesset Speaker, as Governor of the Bank of Israel, and, twice, as President of the Supreme Court. Still, the percentage of women in the Knesset falls far behind that of the Swedish, Norwegian, and Rwandan parliaments. There has yet to be a woman head of the Mossad or the Internal Security Services (Shabak) or a woman Minister of Defense. Women cannot serve as Knesset Members for any of the Ultra-Orthodox parties.

More pervasively than in the army or in politics, the disparity between Israeli women and men exists in the workplace. Equality there was guaranteed by law as early as 1954 and strengthened by a list of subsequent acts culminating in the 2008 bill to encourage the integration and advancement of women in the workplace. According to the Adva Center, the average monthly wage of an Israeli woman is less than 70% of a man's wage. Between college-educated men and women the gap is even wider. Though women have traditionally dominated the banking sector, the percentage of women on the boards of major banks is under 20% – less than 25% for all corporate boards. Only 16.5% of the heads of Israeli investment funds are women, and a mere 9.4% of startup founders. And while the number of women studying technology-related fields has risen 64% in the last decade, they continue to account for only 30% of the high-tech workforce. *The Economist* ranked Israel an abysmal 22 out of 29 countries in female board representation. Only one in five directors of companies listed on the Israel Stock Exchange is a woman.

Legislation is currently being considered to rectify this imbalance, but disparities will no doubt persist. Laws, similar to those that already exist in Scandinavia, are now being tabled to require corporations to maintain at least a 60–40 male-to-female ratio on their boards. But Israel must also emulate Scandinavia in ensuring equal parental leave for fathers and mothers. The lack of childcare is one of the top three reasons for income and power disparities between women and men.

Meanwhile, outside of employment, women continue to suffer inequality if not injustice. This is certainly the case with the country's two largest traditional groups, Haredi and Arab.

In the Ultra-Orthodox communities, such unfairness arises – paradoxically – from the *over*-employment of women. While roughly half of all Haredi men are engaged in full-time Torah studies, their wives are expected to support them financially. Three-quarters of Haredi women work. Their salaries, though, are only 66% of those of non-Haredi women; this despite sharp increases in the number of Haredi college students, especially in computer-related fields. Combined with an average birthrate of 6.6 children per family – three times the secular rate – and an almost exclusive responsibility for housework and cooking, this places an increasingly unbearable burden on Haredi woman.

Employment levels of Arab women have also risen significantly in recent years, along with college enrolment. Massive maltreatment nevertheless exists among Israel's Bedouin population in the form of polygamy. While the demographic and strategic aspects of this practice are discussed elsewhere, its horrendous impact on Bedouin women must foremost be spotlighted.

Islam permits a man to marry four wives – a right which three-quarters of the males practicing polygamy avail themselves. An investigation conducted by Israel Channel 7 News found that 70% of Bedouin women are married forcibly and live under the constant threat of polygamy. They suffer far higher levels of abuse and violence and are unable to divorce their husbands without forfeiting their children, who are believed to belong to their father and tribe.

As well as political and professional inequality, cultural and religious restrictions, women in Israel are also afflicted by a scourge of societal evils such as family violence, female sex trafficking, genital mutilation, and the marriage of minors. Each year sees the recurrence of the so-called honor killings in which an Arab woman accused of sexual improprieties is murdered by a male family member. All these acts are illegal under Israeli law but many of those ordinances are either inadequately enforced or easily sidestepped. Honor killers have traditionally received relatively light sentences. Other injustices are actually sanctioned by the law. Israeli women seeking a divorce must work through the Chief Rabbinate, which reserves the right to grant a divorce only to the husband. Refused by their spouses, hundreds of Israeli women become "chained" (*agunot*), unable to remarry and to receive alimony and child support.

In the religious sectors, women are increasingly excluded from public spaces and events. Their images on billboards are defaced. Such discrimination is outlawed by a list of Knesset bills and Supreme Court decisions, all of which are flagrantly ignored. Of the exclusion incidents monitored by the Israeli Women's Network, 24% were the responsibility of government bodies and an outrageous 62% occurred under the auspices of local authorities. As ambassador I listened with horror and shame as then Secretary of State Hilary Clinton, commenting on the growing incidence of Haredi men spitting on women, compared Israel to Iran.

The statistics of maimed, murdered, "chained," and socially excluded women make for bleak reading, especially in light of the gender equality image projected by Israel in its earlier years. At the same time, there should be no diminishing the impact of anti-harassment legislation which, beginning in 1998, has notably altered behavior in the private and governmental sectors, along with the shaming – in some cases sentencing – of sexual predators. Israel, alone among the Western-style democracies, has imprisoned a sitting president for rape. Law enforcement has made serious efforts to crack down on honor killings and sex trafficking. There remains, nevertheless, immense room for improvement.

This is also the case with LGBT rights, about which any discussion of gender equality would be incomplete. Here, too, Israel once projected an image as a pioneer of gay rights, home to the largest Pride Parade in Asia. Over the years, though, the Western world has caught up to Israel and surpassed it, while opponents of Israel have accused it of "pink washing" – using pro-LGBT legislation to disguise anti-Palestinian policies. To counter these accusations and fulfill its liberal ideals, Israel must be brought up to Western standards. It must afford same-sex couples the same ability to adopt as heterosexual couples and allowing gay mothers to declare their partners as co-parents. Same-sex marriage poses a thornier challenge given the absence of civil wedding ceremonies but, as discussed above, part of the issue can be addressed by permitting Reform and Conversative ceremonies.

Israel, I'm always reminded, is an act both in and of progress, and in the field of gender equality, much progress has been, and remains to be, made. The goal is to ensure that Israel begins its second century with its women citizens fully represented in the business sector, in government, and the military. It must be a state that relentlessly fights sexual harassment and public exclusion, and that eliminates the scourges of "chained" and genitally mutilated women. It must treat the killing of women to preserve their family's honor as exactly what it is, premeditated murder, punishable by life imprisonment. Israel must live up to its earlier image, as a country where all of it citizens, male and female alike, can realize their full potential and receive equal compensation and feel fully protected from abuse.

In Defense of the Israel Defense Forces

The Israel Defense Forces represent one of Israel's crowning achievements. The second largest citizens' army in the world (after South Korea), more than twice as large (together with its reserves) as the French and British armies combined, it is widely revered for its innovative prowess and *esprit de corps*. Beyond protecting the country from multiple and relentless threats, though, the IDF has proved essential in absorbing new immigrants, forging a sense of social cohesion, rescuing disaster victims, and instilling Israeli values in all of its soldiers, irrespective of their religious, racial or ethnic background. Those principles are especially embodied by the reserve units that historically spearheaded Israel's wars, which brought not only maturity and restraint but also a deeply ethical outlook to the battlefield.

All those virtues are now being questioned. In recent years the rise of voices, including those of former senior officers, calling for transforming the IDF into a professional army not unlike that of the United States has been heard. With more than half of the population either exempt from or shirking service, and with fewer conscripts volunteering for combat units, they assert that the citizens' army has become a myth. Instead of a universal draft which is at best selective and at worst prejudicial, the IDF should enlist willing recruits and pay them a respectable wage. And with only 25% of the eligible veterans reporting for periodic service, the reserve army, too, should be eliminated. A recent Israel Democracy Institute poll showed that, for the first time, a majority of Israelis favor getting rid of the draft.

The results would almost certainly prove disastrous. Within a generation, the ranks of the IDF would be filled by minorities and the socially disadvantaged, and its officer corps staffed largely by graduates of national-religious schools. Moreover, the morale and fighting ability of such troops would become, in comparison to today's highly motivated draftees, dangerously reduced. Battles would be fought not by reservists with ten or even twenty years' experience, but by untried soldiers barely out of basic training. The check on military adventurism posed by an Israeli public invested with its parents and children will all but disappear.

Also eliminated would be the IDF's historic role in absorbing immigrants, in settling the land, and uniting diverse segments of society. The army would also cease being an incubator for producing computer experts, engineers, and other technicians. Anybody who believes that Israel can privatize its military and remain the world's leader in innovation is, quite simply, delusional.

Rather than transform the IDF, I maintain, Israel must reinforce its commitment to national service. This means investing heavily in educating Israeli youth about the virtues and benefits of such service. It means broadening the opportunities for all Israelis – religious Jews, Arabs, women and men – to devote at least two years to the betterment of their communities. Those who recoil from carrying guns must be able to wield a rake in a JNF forest, assist the elderly, or help operate a soup kitchen. They could work for the betterment of their own communities. And instead of dismantling reserve units, Israel must rebuild them and open them to veterans of civilian and humanitarian projects.

Transforming the IDF also means redressing its officer and NCO pensions. These are provided at age 45 – twenty years before the average Israeli civilian – and account for more than 15% of the defense budget. The pensions are higher than those received by retired military personnel elsewhere in the world and 5.3 times greater than those granted to civil servants in Israel. Teachers, for example, and health system employees, most of whom retire in their sixties, receive NIS 7,900 and NIS 8,000 per month, respectively; former NCOs and officers are paid NIS 15,200 and NIS 19,400. Together with their greater life expectancy and the skills they acquired during army service, IDF professionals can look forward to an affluent life well into their eighties.

Of course, there is a persistent security need to incentivize talented individuals to remain in the military and forgo the benefits of a civilian high-tech job. Likewise, there is also a need to continue to reward combat commanders who still risk their lives and spend only minimal time with their families. But the current costs of IDF pensions comes at the expense of health, education, and welfare services, and further erodes public confidence in the armed forces.

The answer lies in devising attractive packages – not only increased pay but free college degrees – to technicians and other vital personnel. It means streamlining the army pension plans, eliminating the Chief-of-Staff bonuses which increase the benefits of almost all retirees by nearly 20%. It means exploring the possibility that the IDF, like all Israeli universities, will share in the profits of technologies its soldiers develop.

Finally, there is the challenge of the social gap and the ways it is reflected – and deepened – in the IDF. Increasingly, the children of affluent families, many of whom enjoyed significant educational advantages, are being inducted into the intelligence corps. There, they acquire the computer and engineering skills which, while vital for Israel's security, enable them to emerge from the army directly into high-paying technical jobs. Combat soldiers, by contrast, many of them from the periphery, learn little that can contribute to their later careers. The result is a widening socioeconomic disparity between those who serve in intelligence and those who bear arms.

Rectifying this imbalance will require providing combat unit veterans with the means to "catch up" with those who sat behind computers. Concentrated, tuition-free courses must be made available, along with internships and mentoring. Again, the answer lies not in professionalizing the intelligence corps and combat arms, but in leveling the educational and vocational playing field for all who serve.

The IDF must remain the defender of our borders, the repository of our values, and the crucible for forging a cohesive Israeli society. The answer to the challenges facing the IDF lies not in reducing it to a voluntary franchise but in expanding it into a civic duty mandatory for all. The answer lies in preserving and enhancing the army's status throughout Israeli society.

A State of Security

More than housing, health care, and education, more than even the cost of living, Israelis care about security. That is what every poll taken by all the political parties show and no wonder. A country that has not known a minute of genuine peace since its establishment, bordered by enemies seeking its destruction, and periodically facing threats inconceivable in any other modern society, would understandably be obsessed with security. But what kind of security? To what diplomatic, and strategic extent? And at what cost?

Security can be defined in many ways – educational, financial, even psychological. All are critical to our national resilience. Israelis, though, have a narrower, more personal definition: what keeps our children safe. The threats, too, are manifest. Rockets, suicide bombers, unconventional weapons and cyber-attacks. Previous sections have explored the measures necessary to ensure

Israel's strength and vitality in 2048. This is how Israel can also be, by its citizens' definition, a state of security.

The obvious step is to maintain Israel's military edge. This includes not only ground, air, and naval power, but increasingly as the century progresses, cyber capabilities. It includes continued advances in weapons technology – unmanned, aerospace, and laser – and anti-missile defense. All this requires a significant share of Israel's national budget, perhaps beyond the current 5.9%. Without a fundamental transformation of the Middle East, such expenditures will be more than justified.

But all the planes and tanks in the world will be of little value to Israel unless it enjoys the time and space to operate them. That is the point made in the section on foreign policy. To be truly secure, Israel must cease viewing that field as peripheral for our defense. It must understand that many of our enemies no longer consider Lebanon or Gaza as the main battlefields, but rather the television and computer screens that can portray Israeli soldiers as war criminals and the international courts in which they will be tried. The goal is not only to kill Israelis but, more importantly, to get Israel to kill the civilian population our enemies use as shields. To this end, they will manipulate the media, fabricate news, and generate the public outcry that will push foreign leaders to condemn Israel in global forums. Rather than a military strategy, they have military tactics that serve the journalistic, diplomatic, and legal objective of denying Israel the right to defend itself and, ultimately, the right to exist.

Israel must devote the resources necessary to deflecting such attacks and train the appropriate personnel. But in addition to strengthening its defenses, Israel must also act as it did in previous wars, pre-emptively. Our objective must be not to go to war in the first place by persuading our enemies of the prohibitive costs. This can be achieved through various means collectively defined by the word "deterrence."

Concern for maintaining Israel's power of deterrence was paramount in the opening decades of the state. Israel went to war twice, in 1956 and 1967, when our primary enemy, Egypt, had yet to fire a shot. In both conflicts, Israeli leaders concluded that failure to strike would convince all of Israel's adversaries that the Jewish state could be threatened with impunity. That would lead to terror strikes or even massive attacks that could overwhelm Israeli forces.

Those forces have expanded exponentially since then, but Israel's deterrent power has concurrently diminished. Terrorists fire thousands of rockets across our borders, paralyzing and jeopardizing Israeli life, safe in the knowledge that Israel has grown ultra-sensitive to the loss of its soldiers, the cost to its civilian population, and the backlash of global opinion. Iran, openly vowing to annihilate Israel, attacks us through its regional proxies confident that Israel will not retaliate against Iran itself. Such perceptions could lead the Ayatollahs to conclude that Israel will remain passive while they break out and produce hundreds of nuclear bombs.

How, then, can Israel restore its deterrence? One way, certainly, is to return to the time when Israel's military actions were never apparent in advance. When asked by the Israeli government in the early 1950s how best to preserve its deterrence, the eminent Middle East specialist J.C. Hurewitz said that "as a vulnerable country without allies, you must never be predictable." Israel has grown predictable, enabling our enemies to attack us and precisely calculate our response. This pattern must be broken and replaced by a policy of instilling uncertainty – and fear – in all of its foes.

Another, and more controversial path, is to revisit our strategic alliance with the United States. That relationship, with its roots in the 1973 Yom Kippur War, has expanded into billions of dollars in annual military aid as well as a Congressional commitment to preserve Israel's qualitative military edge (QME). The latter, enabling Israel "to defend itself, by itself, against a Middle Eastern adversary or combination of adversaries," is uniquely far-reaching.

But already today, and certainly by mid-century, the efficacy of this arrangement must be questioned. Is it truly in Israel's best interest to be perceived as dependent for its defense on the United States?

It is, certainly, in America's interest. The aid, almost all of which must be spent in the U.S. and on formally approved items, subsidizes the American arms industry. It is politically popular with most constituencies. But it also creates the impression of leverage, enabling critics of Israel to threaten to reduce or eliminate aid in order to coerce concessions. Once accounting for a major share of our national budget, the U.S. aid now represents less than one-fifth. Nevertheless, it perpetuates the perception that Israel remains militarily dependent on a foreign power. That is not an image that Israel can afford to project.

That image is particularly problematic at a time when the United States is retreating strategically from most of the world. More than its monetary value, the aid symbolized America's commitment to stand by its allies and safeguard global peace. The diminishing of that historic role, most notably in the Middle East, reduces the psychological import of the aid.

Similar objections must be raised to the signing of a U.S.-Israel defense treaty. Such an agreement will give Israel little beyond the QME pledges it already receives from Congress while not fully committing the United States and possibly tying Israel's hands. One need only recall America's failure to live up to its pledges to defend South Vietnam during North Vietnam's 1975 invasion or its veto of Israeli preemption, two years earlier, in the Yom Kippur War. Likewise, more recently, one can also recall America's 2021 withdrawal from Afghanistan. Rather than risk revisiting such scenarios, Israel must work to convince our enemies that we will indeed defend ourselves by ourselves and not rely on any other country for help.

Older than more than half the nation-members of the UN and with a population nearly twice the size of Denmark's or of

Norway's, Israel must be able to stand on its own strategic feet. This does not mean that Israel should discard its strategic relationship with the United States or in any way cease appreciating its support. No other nation so shares our values and honors our spiritual ties. No other country is home to such a large and powerful Jewish community. And no other nation – still – rivals America's power. Israel must always be able to count on the U.S. for diplomatic backing and logistical resupply, especially in wartime.

By 2048, though, Israel must be militarily independent. Those seeking to harm or destroy us must know that Israel will respond to any aggression freely, forcibly, and in ways that none of them can anticipate. Together with the latitude provided by our diplomats, backed morally and logistically by the United States, the IDF can ensure Israel's security, a state that is both respected and feared.

Israel Among the Nations

The Zionist movement launched by Herzl was essentially a foreign policy initiative aimed at sultans and kaisers and other world leaders. It drew on a tradition as old as Judaism itself and our forebears' need to navigate between warring empires. The covenant between God and the Jewish people incorporates concepts and language from ancient treaties. The Bible itself can be seen as primer for how – and how not – to conduct foreign affairs.

This legacy was harnessed by Israel's founders to secure recognition and legitimacy for the Jewish state and, after its establishment, help ensure its survival. Like our ancestors in the Bible, Israeli leaders had to steer carefully between hostile blocs and maintain strategic alliances. In recent years, the effort to destroy Israel has morphed from an exclusively military to a largely legal campaign designed to delegitimize the Jewish state and strangle it with sanctions. Why then should Israel downplay the importance – and often dismiss – the role of foreign relations?

The reason is the presence of a parallel tradition, one of Zionist distaste for the Diasporic court (*shtatlan*) Jew combined with the premium Israelis place on self-reliance. The school of thought was best summarized by David Ben-Gurion's famous quip, "Umm Shmum" (roughly "The United Nations – who cares?") When, as ambassador to the United States, I first informed IDF and Mossad commanders of the campaign to boycott and sanction Israel, their reaction was, "No worry. The main thing is that we remain strong." As if tanks and planes could defend the state from a popular movement seeking to pass laws denying us, first, the right to use those armaments, and later the right to exist.

In the contest between the two traditions, the biblical regard for foreign policy and the current contempt, the latter has won out. The foreign ministry has been stripped of many of its responsibilities and its budget repeatedly slashed. Much of Israel's foreign policy is today conducted through the National Security Council, the IDF, and the Mossad, by individuals lacking any diplomatic background. Norway, with none of the legal and diplomatic challenges Israel faces, spends twelve times as much on its foreign relations. The Palestinian Authority maintains 120 legations abroad. Israel has 96, with several of those slated for closure.

Ironically, the decision to cut back on Israel's representation abroad comes at a time of unprecedented international interest in expanding ties with the Jewish state. Once, in the years after Israel's twenty-fifth anniversary, the country was completely isolated. No peace with Jordan and Egypt, unremitting hostility from China, India, the twelve-nation Soviet Bloc, and embassies in only five of the twenty-four African capitals. Relations with most of Central and South America were strained at best. Today, fifty years later, all of those countries, plus the four Arab signatories to the Abraham Accords, are closely linked with Israel. Never before has our diplomatic portfolio been more diversified. Never before has our foreign policy horizon been wider. And yet, at the same time, rarely has there been a more urgent need for an effective, creative, and activist Israeli diplomacy.

The reason is that now, as in millennia past, Israel must navigate between empires. With the United States – Israel's preeminent ally virtually since its founding – withdrawing from the Middle East and elsewhere in the world, and other powers rushing to fill the vacuum, Israel finds itself facing new superpower challenges. Far beyond the hazards posed by Russian forces stationed near our northern border, there is the looming challenge of China.

This is the China that has built some thirty-five ports around the world, including at the entrance to the Red Sea, and is reportedly planning to construct two on the Persian Gulf. The same China now dominates Africa economically while rapidly expanding its global naval outreach. Analysts also predict that China, alone, has the ability to rebuild Syria, a project estimated to cost some $300 billion. And this is the China that has modernized Israel's two major ports, laid Tel Aviv's subway system, and undertaken dozens of major construction projects countrywide. The skylines of virtually all Israeli cities are marked with cranes bearing Chinese signs. Less visible are Chinese takeovers of Israeli high-tech companies and the opening of Chinese cultural and technological centers at Israeli universities.

China is certainly not a hostile country – anti-Semitism is essentially unknown there – but it is increasingly regarded as such by the United States. American officials have repeatedly warned their Israeli counterparts that, if China rebuilds Haifa port, the U.S. Sixth Fleet will no longer pay ports-of-call visits there. Washington has repeatedly worked to prevent the sale of Israeli military technology to China, to the point of triggering diplomatic crises with Jerusalem. Our ally's position is that Israel cannot have its American pie and Chinese rice cake, too. Ultimately, we must choose.

And so, Israel must navigate. It must counterbalance its strategic, economic, and ideological links with America with its burgeoning interests with China, to take stock of America's retreat from the Middle East with China's very rapid entry, and to grapple with China's close relations with Iran, North Korea, and other enemy states. All the while, Israel must not lose sight of the parallel foreign policy goal of preserving our right to defend ourselves and, beyond that, our right to exist as a sovereign Jewish state.

The means for ensuring those rights are discussed elsewhere in this piece (see, "A State of Security"), but it bears repeating that failure to address the very real threat posed daily to Israel's legitimacy could seriously endanger our security and ultimately even our existence. That threat must be fought by all possible means, including, of course, foreign policy. And foreign policy was and will remain the principal purview of the foreign ministry.

Yet it is precisely that ministry whose budget and responsibilities have been so radically reduced. Reversing this trend requires better educating Israelis about the impact of foreign affairs on their daily lives. Diplomacy is not merely the poor stepchild of security, they must learn, but an essential tool for safeguarding their homes and prosperity. Diplomats do not "sip cocktails," as the popular myth holds, but work long hours for little pay and even risk their lives to represent and defend Israel in an often-hostile world. They provide the time and space necessary for our soldiers to fight and defend them from legal repercussions.

The foreign ministry must also be reformed. An institution infamous for inefficiency and mindless bureaucracy, it must be streamlined and modernized. Gone must be the days when diplomats could exchange some 120 cables to purchase – this actually happened – a teakettle. So, too, the ministry must be purged of the cronyism that consistently led to inappropriate and even damaging postings abroad and chronic leaks to the press. Early in my term in Washington, I briefed several foreign ministry departments, including the most classified unit, and read everything I said in the next day's newspapers. Israel's ambassador to the United States never spoke to the foreign ministry again for the next five years!

Generally, the ministry must be made to reflect twenty-first-century realities. No longer can the embassy in Washington have a full-time diplomat in charge of international organizations, but not a single political attaché analyzing elections in America. No longer can a mid-level diplomat serve as Israel's sole liaison to 1.4 billion Christians. The old division of departments according to geography (Asian Desk, European Desk) no longer corresponds to a world linked by the internet and economic globalization. Ambassadors and their staffs must be chosen solely on their qualifications, by a committee free of foreign ministry influence, and instantly dismissed for leaks. The ministry, in short, must be deconstructed and rebuilt in ways that can regain the public's confidence.

The road turn restoring the foreign ministry to the exalted position it held in the early years of the state, and, more broadly, reviving the Jewish people's respect for diplomacy, is long and challenging. It is a path that must be taken, if Israel is to position itself successfully in the twenty-first-century world, navigating between competing powers, and defending itself against delegitimization. Israel can be a light unto nations but only by projecting and protecting the beam.

The State of Prosperity and Dignity

Traveling around the United States and Europe, I frequently met young Israelis, many of them highly educated, who were permanently living abroad. Their justification was remarkably uniform. Not the security and the political situation nor even career opportunities spurred their decision. Rather, it was the absence of an economic future – to afford a house, a car, and adequately provide for their children. Life in Israel, they said, had no dignity. More than the conflict with the Palestinians or the threat from Iran, more than the schisms between right and left and religious and secular, the greatest long-term threat to Israel's existence – so I concluded – was the economy.

This realization is extraordinary in view of Israel's history and the country I first encountered fifty years ago. From a socialist, agrarian, and far less stratified, society, Israel morphed into a largely free market, high-tech society with a fifth of the population living in poverty. In the previous decade, alone, the average household income nearly doubled, and per capita GDP well surpassed that of France, Italy, and Japan. With 6.2 trillion cubic feet of gas reserves, Israel is expected to reap tens of billions of dollars in energy savings, tax revenues, and exports. A world leader in innovation, home to over 550 international technology companies and more start-ups than in all of Western Europe, Israel stands to earn countless billions in the coming years. Unemployment, recovering from the Coronavirus crisis, is low.

Why, then, with all these dazzling indicators, is Israel ranked dead last in the OECD in productivity while at the same time leading the list in the weekly number of work hours? Why is the productivity gap between Israel and other developed countries only growing wider? Why is the cost of living in Israel 10% higher than in the United States and in a quarter of the thirty-six OECD countries, with Tel Aviv ranked as the world's most expensive city? Why is the shopping basket the world's most expensive after Japan's, with the same box of cornflakes that sells in Poland for $2 costing Israelis $6? How can the popular Israeli product Bamba be cheaper in Los Angeles than in Haifa?

There are several answers to the questions, some of which have already been addressed. Productivity is deeply influenced by the two traditional populations, both exhibiting low educational and training levels and the refusal of most Ultra-Orthodox men and most Arab women to work. Productivity is also impacted by the high taxes in Israel, necessitated by its huge defense budget and universal health-care costs, which disincentivize production. Long work hours, on the other hand, is a feature of Israeli culture. France, by comparison, with one of the shortest work weeks in Europe, tops the charts in productivity. And then there is the infamous Israeli bureaucracy. The many hours Israelis waste waiting in line at government offices could easily be spent producing something.

There are no magic fixes here. The cost of living in Israel cannot be reduced without breaking up the one hundred monopolies – the largest number in the West – that dominate our economy. This especially applies to the importers who grossly inflate the price of cornflakes and thousands of other commodities. The banking sector, almost completely controlled by five banks that charge Israelis for services that are free in the United States, must also be opened to competition. Similar cartels gouge prices in the real estate, insurance, and communications markets. Civil society can help fight this scourge, as in 2011, when consumers successfully boycotted the makers of cottage cheese and other dairy products. In the end, though, there is no alternative to effective anti-trust legislation backed by the government and enacted by the Knesset.

Prices are also jacked up by far-reaching regulatory policies in all economic sectors except high-tech, in the bureaucratic barriers to opening a business (among the world's toughest), and the massive tariffs placed on a great many goods. Dismally, Israel ranks 28th in the world in terms of maximizing operational fees and 85th in terms of honoring business contracts. Duties on automobiles, as every Israeli knows, constitute a staggering 85% of the car's cost. Again, there will be no relief from these restraints on Israel's growth – and no hope for millions of its citizens – without concerted government action to deregulate and reduce tariffs that are far more harmful than protective.

Eliminating bureaucracy is another essential step toward Israel's future economic growth. As Israel's representative to the D5 Data Forum Consortium, I saw first-hand how countries such as South Korea, the UK, New Zealand and, especially, Estonia have succeeded in digitalizing virtually all government services. In Israel, by contrast, only 55% of citizen information is shared between ministries. By making most, if not all, our citizen-to-government interactions online, we will save innumerable work hours and decrease aggravation.

Israel must also invest more extensively in its technological edge. While the country leads the world in terms of per capita national investment in innovation, it is slipping in terms of the percentage of high-tech workers employed by native companies. These can hardly compete with the international giants – Apple, Microsoft, Intel – in terms of employee compensation. The result is an internal hemorrhaging of knowledge in which all of Israel's investment in producing an engineer, beginning in kindergarten and ending in college, flows out of the country and cannot be retrieved. Domestic firms, meanwhile, are starved for first-rate technical talent. To stem the flow, the government must incentivize engineers and other skilled personnel to work within Israeli companies. At the same time, the state must encourage Israeli firms to resist the urge to exit and to remain national brands – Israel's equivalent to Finland's Nokia.

Many other measures can be taken, from providing free pre-school education for the children of working mothers to instituting a real five-day work week. Training programs in the Arab and Haredi sectors must be vastly expanded and immigration restrictions lifted for non-Jewish engineers and technicians from abroad. As a Knesset Member, I tabled a law allowing grandparents, many of whom are working people in their forties and fifties, to take off sick days to care for their ill grandchildren so that their more-productive parents would not miss work. Even a small step such as that could, I learned, substantively impact the economy.

The steepest challenge, though, and the one that young Israelis care most about, is housing. This was the primary issue addressed by the political party I joined in 2015 and which I represented in the Knesset. Housing, I discovered, is not one but dozens of problems. It begins with Israel's skyrocketing birth rate and continues with the high cost of building materials, the dearth of skilled workers, endless bureaucratic obstacles, and the limited amount of land, almost all of it state-owned. Monetary policy also played a role in elevating the cost of an average apartment an agonizing 120% in less than a decade.

Again, there is no cookie-cutter solution. While the rate of inflated prices can be slowed, more land distributed, and construction times reduced, Israel's housing crisis is likely to continue. Israel will still be short of tens of thousands of apartments per year, each costing a greater share of the consumers' annual income. The only answer, ultimately, is to alter the way Israelis think about housing. Home ownership is an important part of Israeli identity, particularly for young couples, an indicator of status, and a major source of individual wealth. All that changes, however, by adopting the renter model popular in Germany and in other European countries. In stark contrast to housing costs, rentals in Israel are significantly below both the OECD and American averages. Israelis must be encouraged to rent rather than buy. Doing so will not only stimulate other areas of the economy but, by decreasing demand, lower housing prices. Serious incentives must be offered for renting or buying apartments in the Galilee and the Negev.

Many Israelis denied the ability to make a decent living, to provide food and shelter for their families, will ultimately leave. That is precisely the population that pays its taxes and serves in the IDF. If the 10% of the workforce that is employed in high-tech and the 4% in health care and research were to immigrate, the country would no longer be financially viable or able to defend itself. Averting that existential prospect will require historic changes in economic policy – phasing out child and religious studies subsidies while reducing tariffs and taxes, breaking up monopolies and expanding vocational training, investing in mass transportation, and deregulation. The list of reforms is daunting, but all are necessary in order to ensure that the Israel of 2048 is a prosperous state, according its citizens dignity.

The Healthy State

I write this section at the height of the COVID-19 scourge, secluded in my home. Relative to other states in the world, Israel is reputed to have handled the crisis well, quickly locking down the population, quarantining the sick, voiding public gatherings, and shuttering non-essential businesses. But the economic and social costs have been excruciating. More than a million Israelis have been rendered unemployed and many more traumatized. Recovery may take years.

Official sources justify these draconian measures by the need to save lives, which is fully understandable. But they also warn that Israeli hospitals could easily be overwhelmed, which is not. As a Member of Knesset (2015–2019), I visited hospitals throughout the country, in urban and rural areas, north and south, serving poor populations and the affluent. In all, I found the same situation: underfunded hospitals chronically short of medical staff and operating at or beyond capacity. Even during healthy periods, wards were routinely over-packed with patient beds often lining the corridors. Every hospital administrator I met made the identical prediction: without swift and massive intervention, the entire system will collapse.

A glance at the statistics explains why. Israel significantly lags behind other OECD countries in the per capita number of beds, doctors, and nurses. Little wonder that the mortality rate from infections has doubled over the past twenty years, exceeding the OECD average by 73%. Per capita health spending also falls below the mean OECD levels.

The severity of the situation is often masked by the quality of the health care available in Israel, its universal health-care system and national data base, and the excellence of its medical personnel. Hospitals are paragons of co-existence, with Arab and Jewish physicians working side-by-side in numbers proportionate to their communities' size. Most impressively, Israel is listed among the leading nations in terms of longevity – 82.6 years, eighth in the world – though this ranking is also expected to fall.

The picture emerges of a system which, despite its emphasis on excellence and assuring care for all, cannot keep pace with international standards or the expanding needs of the state. A principal reason is population growth which, at more than 2% annually, is triple that of the OECD average. Through its family subsidies, Israel incentivizes this rapid birth-rate but fails to enlarge its health services commensurately. The result is a dangerous 94% hospital occupancy with an accelerating decline in the relative number of care givers. There are only five medical schools in Israel, annually graduating less than seven doctors per thousand inhabitants – the second lowest among industrialized states.

But in addition to these critical shortfalls, Israel's system suffers from an even more chronic malady. In place of a centralized network of state-sponsored and supervised facilities, Israeli hospitals are divided into a dizzying array of categories – government-owned

(19), health-care fund-owned (12), and the remainder (13) run by private companies, religious groups, and NGOs. The state makes little adjustment for the needs of the populations served, which vary markedly according to ethnicity, education, and income levels. The consequent wastage and shortages are staggering.

To grapple successfully with future crises – and reach its hundredth anniversary as a healthy state – Israel must address these defects now. It must immediately build and certify two new medical schools along with programs for training nurses and medical technicians. It must increase the total number of beds from 35,000 to 50,000.

Such measures will prove palliative, though, without an overhaul of the entire hospital system. All must be brought under a single national authority answerable to the ministry of health, streamlined and calibrated to meet the needs of each section of the population. The management structure must be standardized, its operations coordinated to eliminate redundancy. Whether in Kiryat Shemona or Ashdod, a patient must receive the same quality care and, if required, the same conditions of hospitalization. One state, one system, working efficiently, transparently, and with compassion.

And Israel must prepare now for future emergencies by stockpiling ventilators, protective gear, and medicines. Inter-ministerial contingency plans for pandemics and other natural disasters must be drafted. Draconian measures may again be necessary, but only to save lives and not a system on its deathbed. On the contrary, adequate health care for Israelis will help ensure that no cure will be more damaging than the disease.

Yamma, Kedma, Tzafona, vaNegba

So began the biblical phrase and classic Hassidic song later embraced by the Zionist movement – "seaward, eastward, northward, and southward." This was the vision of the Jewish people that returned to its homeland and fully settled it. But while the Jewish people have returned, the land remains largely and dangerously unsettled.

Rather than expanding in every direction, Israelis have crowded into the country's center – Greater Tel Aviv (Gush Dan). There, some 45% of Israel's population lives on 17.5% of the territory outside of Judea, Samaria, and the Golan Heights. It is one of the most densely populated areas of the world, far outstripping Gaza and even Hong Kong. The bulk of Israeli industry is concentrated there, and the vast majority of its technological workforce. It is Israel's financial and cultural hub, home to two major universities and a growing number of private colleges. The Kiriya – Israel's equivalent to the Pentagon – and Israel's major airport are both located in Greater Tel Aviv.

The hazards of this concentration have been explored above, in the challenges posed by the dwindling Jewish populations of the Galilee and the Negev. But there is also the strategic vulnerability of placing so many Israeli "eggs" – demographic, economic, technological, academic, logistical, and military – in one geographical basket. Our enemies know this well. Instead of aiming at border towns as in the past, terrorists now point their rockets at Greater Tel Aviv.

Condensing so many Israelis, especially those who can afford private cars and commute, has resulted in endless traffic jams. Over the past forty years, traffic density in Israel has more than tripled and is today 3.5 times higher than the OECD average – four times that of the United States. The worsening pileups heighten the stress levels among the already-tense Israeli public and, in terms of lost production hours, cost the Israeli economy more than NIS 40 billion per year.

Perhaps most damagingly, the burgeoning of Greater Tel Aviv also leads residents of the "periphery," both north and south, to feel abandoned. The sense of grievance is deepened by the ethnic divide, with roots going back to the 1950s, between the preponderantly Mizrachi periphery and the predominantly Ashkenazi Tel Aviv. During times of conflict, especially, the periphery's population have claimed – not without some justification – that the state only reacts when Greater Tel Aviv is targeted.

The answer to this crisis lies in returning to the original Zionist vision. Specifically, it requires the state to establish at least three new metropolitan centers – one in the north, two in the Negev – each with a sustainable industrial base. It means expanding Beersheva and revitalizing Haifa and developing the depressed, but strategically located, cities of Lod and Ramle. It means incentivizing companies as well as individuals to leave Greater Tel Aviv for the periphery, building additional airports, relocating the Kiriya, and investing heavily in infrastructure. It's not enough merely to construct apartments; schools, hospitals, and community institutions also need to be built. It means, above all, laying the modern roads and high-speed rail systems necessary to connect even the remotest towns to the regional hubs.

Only a national decision to distribute Israel's population and resources more equitably will ensure Israel's economic, social, and strategic viability in 2048. This cannot be achieved by prioritizing Greater Tel Aviv or the settlements of Judea and Samaria, but only by assuring that every region receives the resources it needs to develop and thrive. Toward the sea and the desert, to the north and the east, the state must expand, and not only in song but in reality.

Land and State

The Land of Israel, every last millimeter of it, belongs to the State of Israel. It belongs to the Jewish state because it belongs to the Jewish people. Our nationhood is predicated on it. Our right to the Land is based on history, on international law, and, above all, on faith. And it is indivisible. We cannot say that we own Herzliya and Haifa, neither of which appears in the Bible, but not Hebron and Bet El, which do. Three thousand years of Jewish devotion to our home does not permit us to decide, for whatever diplomatic exigency, to disown it.

This has been a guiding principle of the Zionist movement since its nineteenth-century inception. It is the reason that the international community recognized the whole of Palestine, including what is today Gaza, the West Bank, and Jordan, as the Jewish patrimony. It is the reason why the Arabic names of many Palestinian cities serve as palimpsests for the original Hebrew. It is not accidental that Jordan, the Hashemite Arab Kingdom, takes its name from the Bible.

As the Jewish state we are duty-bound to defend and settle our land. In Jewish terms, the high-rise contractor in Rishon Lezion and the caravan-dwelling settler on the Samarian hill have exactly the same justification. Those Israelis who refer to the occupation of Judea by Jews are guilty of a tautology, for a people cannot occupy its own homeland. Those who refer to the annexation of Judea are equally to blame, for a people cannot annex its own homeland. On the contrary, living in and extending our law over the entire Land of Israel is our national and moral imperative.

That right is unassailable in the mostly unpopulated areas of Judea and Samaria and, especially, in the Golan Heights. Traditionally regarded as part of the Land of Israel, home to a third of its ancient synagogues, vital to our security and possessing immense economic potential, the Golan remains tragically undeveloped. Though more than a half-century has passed since Israeli liberated it, and forty years since Israel placed the Heights under its laws, the Golan is today home to a mere 22,000 Jews. The failure to settle this crucial territory, equal in size to 4.5% of pre-1967 Israel, is inexcusable in either Zionist or Jewish terms. It is particularly glaring in light of America's recognition of Israeli sovereignty over the Golan. And, as history has repeatedly taught us, failure to settle parts of the land leads to international pressure to relinquish it.

But – and this but is gigantic – there is a difference between maintaining and even hallowing a right and blindly asserting it. While it is always smart to build a high-rise in Rishon Lezion or a new Golan city, it is not always wise to place a caravan on every Samaritan hillside. Along with devotion to the Land, Zionism also reveres the physical preservation of the Jewish people and the security of our state. If, by settling and extending Israeli law over areas inhabited by millions of Palestinians, we jeopardize the state's future, we are as guilty as those who forfeit claim to the

Land. By 2048, we could live in an Israel embracing the whole of *Eretz Yisrael*, but an Israel that is no longer democratic or, if it is, no longer a Jewish state.

The demographic threat to a nation-state based on maintaining a single-nation majority is irrefutable. So, too, is the price Israel pays in terms of its economy and foreign relations. But recognizing the presence of another people with claims to the Land is more than just a strategic necessity. There is a strong moral component to our relations with the Palestinians. While Israel, as I've said, cannot occupy its own land, it can occupy another people. That occupation, contrary to the image often promoted by the media, is far from brutal, as clear from any visit to downtown Ramallah or Nablus. Nevertheless, that occupation is morally draining. It divides our electorate and places our soldiers in ethically challenging, and often debilitating, situations. It inserts a gnawing doubt into the justness of our cause.

Yet even that moral difficulty is mitigated by the Palestinians' serial failures to seize two-state offers, their deep reverence for terror, and their identity based almost entirely on negating ours. They are indeed a broken people, scattered across the Middle East and kept dependent on tainted international agencies. Their own leaders, corrupt and unelected, have stolen billions of aid dollars from them and led them down disastrous paths. And, yes, they have suffered. But, by comparison, the Jewish people, spread not only over the region but the world and emerging from the massacre of a third of their number, accepted the UN's offer of a rump state devoid of resources, established a democratic state and defended it against incalculable odds, and created a miniature superpower.

There is little evidence that, even if offered a state, the Palestinians would be able to sustain it. Not even in Gaza, territorially tiny and hermetically sealed, has Hamas been able to preserve its exclusive rule. And while lionizing those who kill Jews, the Palestinians of the West Bank and Gaza war against each other, all the while caring nothing for the thousands of Palestinians displaced and massacred by the Syrian regime. This is the opposite of the dictum of mutual responsibility which is the core of Israel's cohesiveness. "Israel's problem is not that the Palestinians are not a people," I once told a U.S. secretary of state. "Our problem is that they're not *enough* of a people."

And yet we cannot allow the Palestinians' divisiveness and addiction to victimhood to destroy our vision of a democratic Israel. Yes, we must always assert our right to all the land – mirroring the Palestinians' own assertion – but, no, we do not have to actualize that right in ways that are self-defeating. We must strive to preserve to the maximum extent the territorial integrity of our land without sacrificing our demographic and moral integrity as the Jewish state. Rarely over the course of three thousand years did the Jews control the entirety of *Eretz Yisrael,* but this never diminished our right. So must it be in 2048 as well.

The Two-State Situation

In 2015, I published a *Wall Street Journal* op-ed called "The Two-State Situation." The article assailed the peace process for pursuing the seventeenth century "Westphalian model" of direct talks between leaders, formal treaties, and permanent borders which no longer worked in Westphalia anymore, much less in the Middle East. In our region, contrastingly, agreements are indirect and informal and based on implicit understandings. More inappropriately, the peace process asked both sides, the Israeli and Palestinian, to make impossible concessions. Israel was asked to redivide Jerusalem and concede most of the Jordan Valley, to uproot tens of thousands of settlers, and outsource its security to the Palestinians. And the Palestinians were required to give up their demand for refugee return, their support for terrorists in Israeli jails, and recognize Israel as the legitimate nation-state of the Jewish people.

Instead of hueing to an alien no-win formula, I argued, negotiators must adopt a strategy indigenous to the Middle East and based on what both sides can do rather than what they can never contemplate.

Much has happened since 2015, most stunningly the Abraham Accords which Israel signed with Bahrain, Morocco, Sudan, and the United Arab Emirates. These agreements utterly upended widely-held assumptions about the peace process – that Israel had to pay for peace with territory, had to uproot settlements, and redivide Jerusalem – and created a new paradigm to be emulated by all future agreements. Rather than hoping that normalization will flow from peace – forlornly, in the case of Egypt and Jordan – peace will ensue for normalization.

Though bitterly condemned by the Palestinians, the accords also provided the best opportunity yet for peace between them and Israel. By showing how they will be punished rather than incentivized by leaving the negotiating table, by demonstrating that time is not on their side and that the Middle East will move ahead without them, the Palestinians are more than ever likely to engage. The question then will remain: engage toward what? What is the nature and scope of any workable, durable, and legitimate arrangement?

My answers to this question have not been altered by the passage of time. Just the opposite – participation in the last round of peace talks with the Palestinians, involvement in high-level diplomacy regarding Judea, Samaria, and Gaza, and access to classified information on the Palestinian issue, have all reinforced my views. I have come to learn, for example, the conflict is less about status and borders than it is about identity. Rejecting recognition of a Jewish people with historic claims to the land, for example, is as essential to Palestinian identity as a united Jerusalem is to Israelis. Many claims cannot ever be reconciled so they must be either side-stepped or refashioned. There is no evidence, today or in the past, of the Palestinians' ability to sustain a nation-state or even lay the institutional foundations for creating one. There is no evidence that Palestinians will ever subscribe to the American and Israeli concept of "two states for two peoples," as they do not recognize the Jewish people's existence. Such mutual recognition is essential to a durable peace. Without it, one state – the Palestinian – will be legitimate, while the other, Israel, will be transient and devoid of historical roots. The result will be endless irredenta.

And even if a Palestinian state could be established, it would quickly fall apart – to Hamas at best or, at worst, to ISIS or Iran. Even if he signed the deal, the unelected Palestinian Authority (PA) President Mahmoud Abbas would have little power to implement it and, once Israeli forces withdrew, would be assassinated.

Then, as now, I believed that the answers lay not in an unattainable two-state solution but in acknowledging the two-state situation that already exists. There is already a Palestinian state with a government that collects taxes and maintains a police force and which could, if its leaders agreed, hold elections. Its flag flies clearly to the east of Israel's Highway 6. That state, moreover, is recognized by some 135 countries and dozens of international agencies. I've even considered the ramifications of an Israeli recognition of Palestine. Either way, the entire debate over two or one states is moot. The only questions relate to the extent of that state's sovereignty, Israel's ability to defend itself, and the formality – or implicitness – of any agreements.

The answers, once again, arise from the reality on the ground. Over 400,000 Israelis live in communities in Judea and Samaria and more than 300,000 – the majority of the city's Jewish population – in East Jerusalem. Some 85% of Israeli settlements are concentrated in Area C, as defined by the 1990s Oslo Accords, which contains relatively few Palestinians. Areas A and B, both under Palestinian administration, are off-limits to Israeli civilians. Even in Hebron, Judaism's second-holiest city, the Jewish settlement is miniscule. But Israel does maintain security control over all of Judea and Samaria, including the airspace and bandwidth, and reserves the right to pursue terrorists even in A and B. The Palestinians, for their part, exercise extensive autonomy in their areas, with minimal interference from, or even the presence of, Israelis. And though it does not have a capital in downtown East Jerusalem, the PA effectively rules the neighborhoods outside of the city's security boundary, containing 80,000 Palestinians.

Meanwhile, some 170,000 Palestinian workers enter Israel daily and 30,000 work on settlements. Israelis and Palestinians are environmentally and commercially linked. Most of Israel's construction stone and paper products, for example, come from Hebron. This is a two-state reality that has proven stable through successive attempts by Hamas to destroy it with a third Intifada. Israelis who speak of "divorcing" the Palestinians are unaware of the self-inflicted damage it would cause or the great benefits of our de facto co-existence. It is a reality on which Israelis and Palestinians, with the help of the United States and many Arab countries, can build.

Of course, this Palestinian state would not conform to the Weberian definition of a sovereign nation that holds a monopoly over force and extends its authority over all its population and territory. But, then again, even under the maximalist peace plans of the Clinton and Obama administrations, the Palestinian state was never going to be completely sovereign. It was never going to possess an army or the ability to sign defense treaties with foreign regimes. Rather, the Palestinian state was always envisaged as an autonomous body with some sovereign trappings but confined territorially and unable to threaten its neighbors. Similarly, the Palestinian state was never going to be contiguous but divided between Israel and Gaza, the two sections linked by rail, as well as by a large concentration of West Bank Palestinians connected via tunnels.

Such structures already connect Jewish Jerusalem with the Etzion Bloc settlements, running peacefully under Palestinian Bethlehem.

That was the vision put forward in my *Wall Street Journal* article, of a secure Israel living side-by-side with a demilitarized, autonomous, Palestinian state based on existing territorial realities and enjoying massive financial support from outside. Though many specific agreements – on water reclamation or export licenses – could be signed, the major understandings would remain unwritten and tacitly backed by influential Arab states. It would enable those nations to fuse their immeasurable resources with Israeli technology, transforming the region and even the world, and to join with Israel in an open alliance against Iran. And it would provide the Palestinians with economic dignity and a diplomatic horizon. It was an interim arrangement that could become permanent but which, until it did, fostered economic development, cooperation, and peace.

The 2019 Peace to Prosperity Plan incorporated, not surprisingly, many of these concepts. Early in the drafting process, I presented the "two-state situation" idea to the White House. Retained was the notion of a demilitarized Palestinian state based largely on demographic realities and exercising a large degree of autonomy. The state would be contiguous except for several tunnel and overpass links and, once Hamas was disarmed, connected by rail to Gaza. And the state would have its capital in one of the outlying East Jerusalem neighborhoods. Israel would retain complete security control over Judea and Samaria, including the Jordan Valley, and would not have to uproot any settlements. Jerusalem and the holy places such as the Machpelah Cave and Rachel's Tomb would remain under Israeli sovereignty.

The U.S. diplomatic team also seemed to internalize my advice not to focus too much on what would be acceptable to the Palestinians. They hold the world's record for rejecting peace plans, including the two-state formulas offered them by the British (1937), the UN (1947), Israel (2000 and 2008), and the United States (2000 and 2001), most often with violence. Even if Tel Aviv were conceded, I ventured, they would balk. Their leaders lacked the legitimacy to sign, much less to implement, such agreements, and would only use their positions to veto any final status proposal. Instead, I suggested, architects of the plan should aim at the Israeli public and the Sunni Arab world. Getting both those elements on board would empower the United States to implement its plan in a way that the Palestinians would at first rebuff but gradually, implicitly, accept.

Some of the plan's provisions, though, went beyond the "two-state situation" and felicitously so. The plan called for compensating the Palestinian state with pieces of pre-1967 Israel – the very territorial swaps Israel rejected during the Obama years. It assumed that the PA would someday return to Gaza, a development opposed by many Israeli policymakers I'd worked with. Most encouragingly, the plan spoke of an infusion of $50 billion into the Palestinian economy, creating countless jobs and modern infrastructure. On the other hand, the plan retained some fifteen Israeli settlements located within the Palestinians' border and suggested ways that other communities might be relocated, in some cases only a few miles away.

But the greatest departure from the "two-state situation" lay in the plan's formality and commitment to a final status. Once again, the parties were expected to sit at the table and sign on to documents and maps. The Arab states would also be present, their leaders lined up before the cameras. The Palestinians would have to give up the "right" of refugee return, cease supporting jailed terrorists, and recognize Israel as the Jewish state. Israel, on other hand, would be able to annex most of Area C and the entire Jordan Valley. Since the Palestinians would never agree to the former, Israel would proceed with the latter, gaining land but not peace with the Sunni states which were almost certain to object.

The nature of Middle East politics and diplomacy are unlikely to change by 2048. Neither are the politics, culture, and historical outlooks of Israelis and Palestinians. Though a well-funded and influential peace establishment may still exist in Washington, on campuses, and the media, still claiming that "everyone knows what the final status arrangement looks like," in fact nobody ever has or will. Rather, the only realistic course is one that adapts itself to the region, is negotiated discretely and implemented quietly, its main agreements remaining unwritten. It builds on the status quo instead of dismantling it, strengthens co-existence without hampering it. And it gives the Palestinians the same opportunity the Zionists once had of building a state gradually, sustainably, over decades. On its one hundredth birthday, hopefully, Israel can look proudly on a two-state situation that meets its security needs, enhances its international standing, while preserving its democratic and Jewish identity.

The Sustainable State

It was always a point of pride to say that Israel was the only country in the world to enter the 21st century with more trees than it did the 20th. and that Israel had the greatest percentage of its territory designated as national parks and nature reserves. Zionism, we believed, was environmentally friendly. All that may still be true, but Israel is also a littered country – many of our trails are strewn with garbage – and a country of deteriorating air quality. Our beaches and sea cliffs are receding due to climate change and our forests are annually ravaged by fires. The Jordan River is now little more than a stream and the Dead Sea is on route to being truly dead, its water levels falling a full meter every year. The Middle East is heating up faster than other regions of the world, and with temperatures set to rise by nearly two degrees Celsius by the year 2048, the Jewish state could almost become uninhabitable. Importantly, Israel had acceded to the Paris Climate Accord and has committed to eliminate the use of fossil fuels shortly after our one hundredth birthday. Numerous civil society organizations work to raise awareness about the dangers posed to our environment and to promote policies for sustainability. But vastly more must be done and urgently.

Israel must explore new ways of managing its waste. According to former Knesset Member Alon Tal, Israelis produce far more garbage than Europeans and yet, in contrast to most other OECD countries which employ thermal systems for waste removal, Israel remains virtually entirely dependent on landfills. Apart from the hazards the practice poses to aquifers, landfills also take up a significant amount of Israel's highly limited space. As the rate of waste production increases, the areas designated for landfills will soon be exhausted. Thermal alternatives must be adopted. Recycling, though it exists, is still in its infancy in Israel. Nondegradable waste can be made into construction material and plant matter into compost. Plastic products, still ubiquitous in the Jewish state, must be phased out. Nothing must be thrown into the Mediterranean.

An equally vexing challenge is posed by methane, a greenhouse gas ten times more powerful than carbon dioxide, responsible for 20% of global warming. Israel will bear a disproportionate share of the responsibility for this damage due to its extraction and sale of natural gas, which contains high levels of methane. While it is economically unrealistic to expect Israel to cut back on its sea drilling, Israel can do much to reduce methane leaks. It can also invest more heavily in alternative energy sources, especially solar, and build the infrastructure necessary for storing that energy. The development of mass transportation and efficient autonomous cars will also help reduce harmful greenhouse gas emissions.

The challenges to Israel's environment remain daunting but, in the face of them, we cannot remain passive. The public must be educated about the steps needed to preserve Israel's beaches and coastal cliffs and to keep our national parks clean. An initiative similar to the *Every Litter Bit Hurts* campaign mounted in the

United States in the 1960s will shame anyone throwing trash in anything other than bins. Channels leading from the Mediterranean and Red Seas – the so-called Med-Dead and Red-Dead canals – can help replenish the Dead Sea. So, too, can increasing the flow of desalinized water into the Sea of Galilee and the Jordan River. While we cannot determine the policies of our polluting neighbors to the north and south, we can materially impact the quality of Israel's land, seaside, air, and water bodies and safeguard their health well into our second century.

The Democratic State

Just over thirty years ago, at the time of the fall of Soviet Bloc, the conventional wisdom was that in the great struggle between Communism and liberal democracy, the latter had decisively won. Now that is not at all certain. Authoritarian governments and dictatorial-democratic hybrids often appear better equipped to manage the vicissitudes of human affairs and natural disasters, while appealing to popular emotions. This is true in countries across the world where liberal democracies increasingly find themselves on the defensive and the assumptions of 1989 no longer hold.

In Israel, too, democracy has been shaken by political assaults against its judicial and legislative pillars. Such attacks are especially jarring to a democratic system which, historically, rests on weak foundations. Unlike the governments of Great Britain or the United States, the products of 800 years of democratic thought, democracy in Israel was *creation ex nihilo,* arising from virtually nothing. Except for the relatively small number of immigrants from English-speaking countries and Western Europe, most Israelis came from Middle Eastern and Eastern European backgrounds devoid of democratic traditions. And while Jewish history contains pro-democratic institutions from the Sanhedrin to the communal Kehillot, Orthodoxy has long fallen under rabbinic authoritarianism. Less than an enlightened virtue, democracy began in pre-state Israel as a political imperative, the only way that an ideologically factious community could unite around national goals. Not a spur, but a harness.

And yet, over the decades, democracy has taken root, surviving wars and crises that have overwhelmed even the most mature republics. Voter participation levels in Israel, even during the serial elections of 2019–2020, are among the world's highest, and with more NGOs per capita than any other country, the civil society is vibrant. In the Knesset, I participated in hearings that would have been unthinkable in the U.S. Congress – on homophobia in the health-care system, for example, or the need to sensitize teenagers to transsexuality. The respectable room right next to my office was the Knesset mosque.

But I also heard relentless Right and Left-wing members accuse one another of threatening Israeli democracy and the Supreme Court condemned for allegedly mounting a coup. At this writing, hundreds of thousands of demonstrators have protested the prime minister's alleged anti-democratic rule while equal numbers have defended him against what they see as a police and judiciary putsch. To listen to Israel's flagrantly free press or sit in its elected parliament is to hear how the democratic limb it rests on is daily being sawed.

One is also exposed to a glaring lack of knowledge of how democracies work. Claims that a law ousting Knesset Members guilty of treason or establishing Hebrew as the national language were undemocratic were demonstrably false (see the U.S. Constitution, Article I, Section 5, Clause 2 and Congressional proponents of the English Language Unity Act). Also untrue was the insistence that the state was democratically bound to support the arts and especially those hyperbolically critical of the state. Few Knesset Members seemed to understand that democracy is not an abstract concept but a concrete system grounded in a basic loyalty. More than a few failed to grasp the adage attributed to Abraham Lincoln that "democracy is not a suicide pact."

Nevertheless, however shallow or misunderstood, democracy is one of Israel's towering achievements. Despite near-constant upheavals and the presence of large and respected armed forces, not once, even briefly, has that democracy collapsed. The Knesset passes more pieces of legislation than virtually any other parliament in the world. It is exceedingly accessible to the public, its sessions televised round-the-clock, and its halls crowded with visitors of all ages. Still, no less than in the state's formative period, democracy in Israel remains a strategic necessity. It generates space for irreconcilable factions to loudly air their grievances and even to cooperate, reaching across multiple aisles. It creates shared ideals with powerful allies, above all, the United States. Democracy is Israel's secret weapon for unifying a headstrong, irascible nation and rallying it to our defense.

But, like any other democratic system, Israel's is deeply flawed. Its score on the Freedom House rating is a mere 76/100, far from Sweden and Norway's 100 and on a par with Namibia and Brazil. On civil liberties, it numbers 43 out of 60, alongside Hungary and Serbia. Israel's ranking is lowered by its security needs and its complicated relationship with the Palestinians, but even without those impediments, Israeli democracy suffers from several structural defects.

The first relates to the longevity or, rather, the lack of it, of Israel's governing bodies. Since 1948, Israel has had twenty-three Knessets and thirty-four governments, almost none of them lasting their allotted four years. The system is expensive – elections cost an estimated NIS 4 billion – and destabilizing, but also counter to effective governance. Speaking from experience, it takes years for a Knesset Member to begin to understand legislative politics. This was reasonable in the past when roughly a quarter of the Knesset Members were replaced with each election, but today it is closer to one-half. It is the equivalent of sending sixty out of 120 soldiers into combat without a day's training. The election and fall of two Knessets in 2019–2020 underscored the need for electoral reform erecting formidable obstacles to snap elections. Similar provisions will raise the threshold of votes, currently 3.25%, necessary to win a single Knesset seat. This will reduce the number of small parties and, with them, the undignified horse-trading that precedes each coalition.

Inversely, as Israel extends the terms of its governments and Knessets, it must limit those of the sitting prime minister. As George Washington and the framers of the twenty-second Amendment, recognized, political leaders who remain too long in power are likely to accrue too much of it. They will not make the hard decisions that only a leader not facing elections can take. A counter argument holds that, just as a patient would choose a brain surgeon with fifteen years' experience over one that had none, so, too, would citizens who care for their families' safety prefer a seasoned leader to a political rookie. While there is logic to this argument, one must also resist the urge to qualify democracy with expediency. Yes, there is a risk in limiting a prime minister to two four-year terms, but a greater strategic danger in a prime minister who weakens democracy by serving interminably.

Reforms must also address the way all Israeli officials, the prime minister as well, are elected. Instead of the current practice of voting for lists of candidates, some chosen through primaries and others by their party's head, Israeli voters must be able to vote for all the candidates individually, as in Great Britain. The prime minister would also be elected directly, as in the late 1990s, but this time along with all ministers and Knesset Members. A more comprehensive reform, and one that is frequently championed by NGOs, calls for the creation of a bicameral Knesset, with half of its members selected from nation-wide lists and the other elected by districts. Again, this is closer to the British system in which citizens have recourse to representatives of their national party as well their local MP.

The deepest and most critical reform, though, must be of the separation of powers. In contrast to the American system of co-equal branches of government, each acting to check and balance the others, the Israeli system is awry. Rather than serving as a counterweight to the government, the Knesset only passes legislation approved by or originating with the government, and votes in block for laws determined in advance by the coalition agreement. A recent bill relating to the Corona crisis even allowed the government to enact legislation unilaterally, bypassing the Knesset entirely. So might begin the slippery slope to autocratic rule.

The situation is both dangerous and absurd. Before entering the Knesset plenum each week, I was told exactly how to vote and what disciplinary action – suspension from committees, for example – I would suffer if I didn't. In this sense, being a Knesset Member required no skills other than the ability to distinguish the green "Yes" square on the computer screen from a the red "No," and to maintain an extended finger. More demeaning was the chronic lack of Knesset Members who are not ministers or deputy ministers, neither of whom can belong to committees. Before becoming a deputy myself, I joined other back benchers in dashing from committee to committee, clueless as to their names and issues, and being instructed how to vote as I ran.

To end this sham, the Knesset must achieve a large degree of independence from the government. Since the latter derives its power from the former, the reform can only be achieved by direct elections for all and for the full enactment of the "Norwegian Law" that allows ministers to resign from the Knesset and concentrate on their ministries. Legislation must be passed that protects parliamentarians who vote with their conscience from party or government sanctions. The Knesset must be able to stand up to and at times overrule the government, rather than merely rubberstamping it.

All the reforms I've recommended, including those relating to the judiciary, could be enshrined in an Israeli constitution. That has been the position of many of my academic colleagues who long ago concluded that the current system of basic laws, similar to Great Britain's, no longer meets Israel's kaleidoscopic needs. I have strongly objected to this idea and still do today.

Israeli democracy survives, I argued, precisely because no such constitution exists. The requisites of a society so diverse, so politically, religiously and ethnically at odds, can only be addressed through the incremental basic laws. I once likened the situation to the jeep I drove in the army, always over bumpy terrain. If the tire bolts were over-torqued, I recalled, the axles would break. So it is in Israel where a rigid constitution would not have the suppleness necessary to cover our jagged political landscape. For example, any constitution mandating all Israeli schools to fly the Magen David would be met with widespread resistance, even violence. While in order to survive, Israel must apply its laws to all its citizens, it must also do so intelligently and sensitively – with a "legal jeep," as it were, tough enough to traverse all territories but with wheels rolling flexibly.

Democracy in Israel is vital to our defense, our social coherence, and resilience. But it is also a hallowed value. While the debate still rages whether the state should be more democratic and Jewish or vice-versa, I have always held that a Jewish state must, by definition, be democratic. That the same democratic ideals – curbs on absolute power, caring for the weak and the poor, the pursuit of justice – which America's founders transplanted from the Bible sprouted from our national soil. By 2048, those roots should be deeper and stronger still. The question is not whether Israel should be a democratic or a Jewish state but rather how can it become more of both.

The Righteous State

Once, while waiting to be interviewed on a news program about separate issues, I chatted with the former commander of the anti-corruption unit of the Israel police. "Is Israel more corrupt than other Western-style states," I asked him, "and, if so, why?" His answer was an unequivocal "yes," but his explanation less legal than historical. Confined for centuries in ghettos and shtetls, the Jews survived by cheating the gentiles. "There are not many gentiles here," the officer explained, "so the Jews just cheat one-another."

Another reason often proffered is the influence of the corruption-prone cultures of the Middle East and Eastern Europe. But that would not account for the graft and embezzlement convictions of a finance minister or the indictment of a sitting prime minister on three counts of bribery, fraud, and breach of trust – all three native-born Ashkenazis. High-level law enforcement figures and judges have also been tried for financial and sexual offenses. Whatever the cause, Israel appears to be rife with corruption.

That appearance is backed by numbers. In comparison with other Western-style democracies, Israel ranks unimpressively on the corruption scale, on a par with Portugal, Poland, and Lithuania. The 2021 Transparency International Corruption Perception Index gave Israel its lowest-ever grade, 59 out of 100. A third of Israelis view the judiciary as corrupt and a staggering 50% distrust the police. Public trust in government, less than 30%, is half of what it was in 2013, while faith in political parties has fallen to an all-time low, a mere 14%.

A new nadir in that confidence was recently reached with the election of the thirty-fifth government with its thirty-six ministers and sixteen deputy ministers – the most in Israel's history. Since ministers and deputies cannot advance laws or vote in committee, these appointments effectively strip the Knesset of much of its legislative powers. The rotation, after eighteen months, of the prime minister and other key cabinet positions, necessitated fundamental changes to Israel's basic laws while creating two separate governments. The appointment of ministers and high-level diplomats without even a semblance of qualifications further undermines the efficacy of those posts. All this at the cost of hundreds of millions of shekels at a time of economic catastrophe. The last vestige of what Ben-Gurion called *mamlachtiyut* – acting in a state-like manner – has vanished.

The erosion of public morality and confidence represents a paramount danger to the state. Of all the existential challenges confronting Israel daily, corruption may be the deadliest, for it weakens our ability to withstand the rest. Restoring that resilience will not be easy, but neither are a great many of the measures recommended here. And as with all those transformations, it begins with recognizing the problem for what it is – a threat to Israel's future.

The effort begins with legislation to clarify vague concepts such as "breach of trust," and to prohibit convicted politicians from running for public office or indicted politicians from remaining in it. It continues with a national campaign to educate Israelis on the many forms of corruption and their consequences. And, for office holders, it means clearly demarking moral and legal red lines. I have fulfilled several diplomatic and political roles, but not once was I briefed on the limitations of receiving and giving gifts, for example, or the range of conflicts of interest.

In all these initiatives there is a crucial role for Israel's president. Though that office, too, has been marred by corruption – one president was forced out of office by allegations of bribe-taking and another imprisoned for rape – it is still respected by the overwhelming majority of Israelis, Jews and Arabs alike. The president could convene gatherings of religious, cultural, and business leaders to discuss ways of fighting corruption and deepening the public's awareness of its damage.

Here is another scourge – much like the Coronavirus – that potentially can bring us together and for a long-term common good. Israel in 2048 can be a healthier state both physically and politically. Needed now are concrete steps to ensure the probity of our lawmakers and enforcers, and the emergence of leaders more esteemed by the citizens they serve.

Responsibility, Vision, and Will

For many years and by many audiences, I was frequently asked to define Zionism. My response was often surprising – one word, "responsibility." Zionism means, simply, Jews taking responsibility for themselves, for their infrastructure, their health and education, and defense. Israel, I always added, is the only nation where Jews can assume that responsibility as a free and sovereign people.

Israel in recent years has been abnegating that responsibility. Instead of addressing critical issues such as the decline of our hospitals, the deterioration of our schools, or the breakdown of trust in our institutions, we have preferred to focus on the latest coalition crisis or the controversial remarks of this or that minister. Doing so, though, represents a betrayal of all those who went before us, who sacrificed so much to establish and enrich the state and protect it from harm.

We must once again accept responsibility. The dimension and number of challenges facing Israel before its one hundredth birthday can surely seem insurmountable, and the changes needed to overcome them immense. It would be unrealistic to think that any one politician or even government could alter the state's relationship with the Ultra-Orthodox and Arab segments of the population, for example, develop the periphery, and rebuild our foreign relations. Such transformations may take years and will certainly be strenuously opposed. But none of these hurdles can be overcome unless we first face up to them and decide determinately to act.

Taking responsibility is the first step. The second is defining our vision. How do we want to solve Israel's problems and what should the state look like twenty-five years from now? Vision is what inspired a Viennese journalist to transform the scribblings in his notebook into an international movement respected by international leaders and recognized by much of the world. Vision led Israeli prime ministers to irrigate the Negev with Galilee water and to forge peace with former enemies. Vision is now needed if we are to truly fulfill our responsibilities and begin to implement solutions.

And the third, and most crucial, component is will. Sheer will enabled Israel to absorb nearly a million Soviet Jews, to airlift the Ethiopian Jewish community, and to establish on sand dunes the world's first Hebrew-speaking city. Will emboldened Ben-Gurion, at a time when foreign leaders and even his own commanders assured him that doing so would be suicide, to declare Israel's independence. Israel stands as an unparalleled testament to the indomitable power of will.

Assuming responsibility, clarifying a vision, and applying our will – these are the keys to making Israel a more judicious, cohesive, sovereign, and secure state, a more Jewish and democratic state, and to restoring *mamlachtiyut*. Israel must not only be preserved but fundamentally, resolutely, fixed. Israel must be rejuvenated. Our history gives us innumerable reasons for optimism. The future amply holds out hope. By acting now, decisively and together, Israel in 2048 will be fully prepared to face – and embrace – its second hundred years.

Acknowledgments

Our manifesto would not have been possible without the partnership and vision of our *Israel 2048* pioneers, including: The Dahan Philanthropies, the Kraft Family, the Paul E. Singer Foundation, Edward Misrahi, Yitz Applbaum, Ryan Gilbert, David-Jacques & Dr. Jessica Farahi, Ilya Sukhar, Leslie & Raphael Edelman, Benjamin & Susan Shapell Foundation, and others. We also thank EMET for their support.

We thank Natan Sharansky and Yossi Klein Halevi for encouraging Ambassador Oren to write the manifesto.

We also acknowledge our founders:

In Israel: Alan Gill, Michael Granoff, Isaac Hassan, Yossi Klein Halevi, Netta Korin, Rachel Moore, Eli Ovits, Gil Troy and others.

In the USA: Mark Cohen, Omri & Jackie Dahan, Warren Mazer, RVW Wealth and others.

Our talented research team led by Yuval Peretz and assisted by Stephanie Manopla, Benjamin Ross and Saar Neri. Our publisher, *The* Toby Press LLC, and especially Matthew Miller, Aryeh Grossman, David Silverstein, Carolyn Budow Ben David, Efrat Gross, Tomi Mager, and Tani Bayer, and our translators Nadav Almog (Hebrew) and Sagir International Translations (Arabic).

Israel 2048 – The Movement

This manifesto serves to raise awareness of critical issues facing our common future. It also forms the basis for civil society and policy-orientated discussions. Join the conversation by hosting a townhall meeting, sharing our manifesto with others, and supporting our mission. Find out more at: www.israelin2048.com

About the Author

Statesman, historian, and parliamentarian, Ambassador Michael Oren has devoted his life to serving Israel and the Jewish people around the world.

As a Member of Knesset and Deputy Minister in the Prime Minister's Office, he interacted with foreign leaders and defended Israel in the media. He spearheaded efforts to strengthen Israel-Diaspora relations, to develop the Golan Heights, and to fight BDS. As Chairman of a classified subcommittee, he dealt with some of Israel's most sensitive security issues.

Prior to that, for nearly five years, Oren served as Israel's ambassador to the United States. He was instrumental in obtaining U.S. defense aid, especially for the Iron Dome system, and American loan guarantees for Israel's economy. He built bridges with diverse communities across the nation, wrote dozens of op-eds and conducted hundreds of media interviews, fortifying the U.S.-Israel alliance.

A graduate of Princeton and Columbia, Dr. Oren was a visiting professor at Harvard, Yale, and Georgetown. He holds four honorary doctorates and was awarded the Statesman of the Year Medal by the Washington Institute for Near East Policy and the Dr. Martin Luther King Legacy Prize for International Service. His last three books – *Six Days of War, Power, Faith, and Fantasy,* and *Ally: My Journal Across the American-Israel Divide* – were all New York Times bestsellers. He received the Los Angeles Times History Book of the Year Award, a National Humanities prize, and the National Jewish Book Award.

Frequently interviewed by the U.S. and international press, he has appeared on Stephen Colbert, Bill Maher, 60 Minutes, the View, and much more. He was the Middle East analyst for CBS and CNN.

Raised in New Jersey, Michael Oren made aliya in the 1970s, was an emissary to Jewish refuseniks in the Soviet Union and won two gold medals in the Maccabiah Games. In the Israel Defense Forces, he served as a lone soldier in the paratroopers and as an IDF spokesman, participating in several wars and reaching the rank of major. He established the Lone Soldier caucus in the Knesset.

Michael Oren was named by *NPR* as one of the best college commencement speakers ever, by *Politico* as one of the fifty most influential thinkers in America, by the *Forward* as one of the five most influential Jews in America, and by the *Jerusalem Post* as one of the ten most influential Jews worldwide.

His most recent book is *The Night Archer and Other Stories* which has been nominated for the National Jewish Book Award. Michael is the father of three and grandfather of five and lives in Jaffa.

2048 - המדינה הייחודית

מייקל אורן

2048
המדינה הייהודית
الدولة المتجددة

מאנגלית: נדב אלמוג

תוכן העניינים

הקדמה .... ט

המדינה הישראלית ....טו
מדינת הלאום של העם היהודי .... יז
מדינת היהודים.....................כא
המדינה הריבונית .... כז
העסקה החדשה של ישראל..........לג
כל ישראל ערבים זה לזה ....לז
מדינת הספר.......................לט
שופטים בישראל................... מא
מדינת השוויון המגדרי.............. מה
להגנתו של צבא ההגנה לישראל.......נא
מדינת ביטחון......................נה
ישראל בין האומות ....סא
מדינה של שגשוג וכבוד............סז
המדינה הבריאה ....עג

ימה, קדמה, צפונה ונגבה . . . . עז
ארץ ומדינה . . . . .פא
מציאות שתי המדינות . . . . .פה
מדינה בת קיימא .צא
המדינה הדמוקרטית . . . . .צה
המדינה הישרה .קא
אחריות, חזון ורצון . . . . .קה

תודות . . . . קז
ישראל 2048 – התנועה . . . . קט
על הסופר – השגריר מייקל אורן . . . . קיא

נשיא המדינה

رئيس الدولة

THE PRESIDENT

ירושלים, ב׳ בחשון תשפ״ג
27 באוקטובר 2022

לכבוד
ד״ר מייקל אורן
יוזמת ״ישראל 2048״

אני מחזק את ידיך ואת שותפיך ליוזמת ״ישראל 2048״, המבקשת להניח יסודות לדמותה של מדינת ישראל לקראת המאה השנייה לקיומה ולהתוות את קווי המתאר שלה, בשלל היבטים.

הפרויקט השאפתני והחשוב, בהובלתך, מתאפיין בחשיבה מרחיקת ראות ובחתירה לגיבוש מכנים משותפים למגוון חלקי הציבור בישראל; משימה לא פשוטה הראויה לכל הערכה, והחיונית לחברה הישראלית רבת הגוונים כאוויר לנשימה. כמדינה שהקדישה חלק ניכר מהעשורים הראשונים לקיומה בעיקר לנושאים קיומיים והישרדותיים, אין ספק שעלינו לברך בכל פה על כל מאמץ לגיבושו של חזון ארוך טווח שיַבנה את קווי המתאר של ישראל.

בהנחת תשתית לקווי המתאר של זהותנו ושל קיומנו, טמונה היכולת להפנות את מבטנו הרחק וגבוה, להתרומם מעל המציאות העכשווית ולגבש את המרכיבים שיאפיינו את ישראל שלאחר המאה הראשונה לכינונה. מני קדם ליווה את העם היהודי מוטיב החזון, אותה הרחָקת ראות וציפייה עתידית. רבים מהדברים שנשאו נביאי ישראל היו כאלה באופיים או אף בשמם, בהם הציבו נדבכים לחברה צודקת ומוסרית ושרטטו את קורות אחרית הימים. אחד הדרמטיים בהם הוא ״חזון העצמות היבשות״ ביחזקאל, המתאר את תחייתו של עם שכמעט ונכחד, ודומה שכאילו נכתב על ימינו אנו.

הוגים רבים במרוצת הדורות, ובכללם נושאי דגל התנועה הציונית ובני זמננו, עסקו לא מעט ב״תוכניות מתאר״ לעם היהודי ולמדינת ישראל, איש איש כהבנתו ותפיסת עולמו. כך שאף אם יהיה זה מעט יומרני לשרטט חזון אחיד ומשותף לישראל, המאמץ לגיבושו - חיוני.

אני מייחל לכך, שיוזמתכם תתרום לגיבושו של שיח ראוי ומכבד, שמתוכו נצמיח שילוב ידיים בין חלקי החברה, על אף השוני וחילוקי הדעות, וכי נעמוד שְכם אל שכם לא רק בעתות חירום אלא נשכיל להתלכד למען עתידנו המשותף.

עלו והצליחו!

בברכה, ידידך

יצחק הרצוג
נשיא המדינה

הקדמה

מדינת ישראל מייצגת אירוניה היסטורית. בעוד מייסדיה שאפו לנרמל את העם היהודי וליצור "מדינה ככל המדינות", הם למעשה הקימו את האומה הייחודית ביותר בעולם. אין מדינה דומה לה אפילו במקצת.

ישראל היא אחת המדינות הבודדות שמעולם לא ידעו רגע של שלטון לא דמוקרטי, למרות שמעולם לא נהנתה משנייה אחת של שלום. זוהי הדמוקרטיה היחידה עם צבא אזרחי, שהוכיחה שוב ושוב את רצונה ויכולתה להילחם. זוהי המדינה המודרנית היחידה שמשקיעה בחדשנות באותה מידה שהיא משקיעה בלימודים המבוססים על אמונה, ובכך יוצרת איזון בין טכנולוגיה ומסורת. זוהי המדינה עם שיעור הילודה הגבוה בעולם המתועש, והמדינה היחידה שהרחיבה את אוכלוסייתה המקורית פי 20 בתוך שבעים שנה, בעיקר באמצעות קליטת פליטים. זוהי מדינה זעירה, יותר ממחציתה מִדבר, אך תושביה הם מגזעים שונים, ממוצאים אתניים שונים, מאמינים בדתות שונות ומדברים מספר שפות. מכל הבחינות, המדינה הייתה צריכה להתפרק מזמן, אם לא ממחלוקות פנימיות, אז מאיומים חיצוניים בלתי פוסקים. ובכל זאת, לא זאת בלבד שהיא שורדת, היא משגשגת. לפי כל קנה מידה בין־לאומי – תוצר לנפש, אריכות ימים ממוצעת, שביעות רצון אזרחית, יצירתיות אומנותית,

צמיחה כלכלית, שירותי בריאות זמינים לכול, השכלה גבוהה, הגנה על הסביבה, יכולות צבאיות, עיתונות חופשית, רשות שופטת יעילה, השבחת מים, יצוא אנרגיה, קשרים דיפלומטיים דו־צדדיים – ישראל היא מדינה מופלאה.

אבל מעבר להישגיה הכבירים, ישראל היא רעיון. היא הגשמה של חזון בן 4,000 שנה לבסס ריבונות יהודית בארץ ישראל. חזון של הגנה, טיפוח והפיכה של המדינה לאור בין העמים. ישראל היא תוצר של הקרבה בלתי ניתנת לשיעור מצד החלוצים, החיילים, החקלאים, המחנכים, המהנדסים והתעשיינים שעיצבו אותה, לעיתים קרובות במחיר חייהם. היא גם תוצר של נדבנים יהודים ברחבי העולם. יצירתה של ישראל התאפשרה בזכות המטבע שהטיל תלמיד בקופה בבית ספר עברי בניו יורק, והעץ שניטע על ידי מנהל החשבונות בדימוס במנצ׳סטר. אך מעל לכול, ישראל היא תוצאה של ויכוח.

שישים השנים המפרידות בין ההתיישבות הציונית הראשונה בארץ ישראל לבין עצמאותה של ישראל ב־1948 התאפיינו בדיונים אינטנסיביים על מהותה של המדינה העתידית. האם זו תהיה מדינה ״נורמלית״, המובחנת רק על ידי הרוב של תושביה היהודיים, או מדינה שהאידיאלים והמוסדות שלה הם יהודיים מטבעם? האם המדינה תהיה הבית הלאומי של כל היהודים בכל מקום, כולל התפוצות, או מדינה של אזרחיה בלבד? האם היא תהיה סוציאליסטית או תדגול בשוק חופשי? האם תהיה אוטוקרטיה או דמוקרטיה, חילונית או דתית? דיונים אלו לא היו תיאורטיים בלבד. הם סייעו לעצב את היסודות החינוכיים, הכלכליים והצבאיים שמהם צמחה ישראל. הם חזו מולדת ריבונית שבה יהודים יוכלו לממש את אמונתם בחופשיות ולהגשים את ייעודם הלאומי. יותר מאשר בכוח הזרוע, המדינה היהודית נוצרה באמצעות כוחן של מילים.

שלוש שנים בלבד לאחר רצח שליש מהעם היהודי, המדינה הזו התגלתה כאחת העמידות ביותר בהיסטוריה. היא קלטה מהגרים במספרים גבוהים בהרבה מאוכלוסייתה המקורית, יצרה דמוקרטיה תוססת, כלכלה ותרבות אומנותית, ובלמה ניסיונות חוזרים ונשנים

להשמידה. ישראל עשתה זאת לא למרות הדיונים שקדמו להקמתה, אלא בזכותם. הודות למחשבה זו על העתיד, המדינה, שרבים הטילו ספק כי תזכה לראות את יום הולדתה הראשון, תחגוג ככל הנראה את יום הולדתה המאה.

עם זאת, הרבה לפני שנת ה־100 שלה, ישראל מתמודדת עם אתגרים המאיימים על חלק ניכר מהצלחתה, אם לא על עצם הישרדותה לטווח הארוך. זוהי המדינה היחידה בעולם שבה יותר מרבע מחברי הפרלמנט שלה מסרבים לשיר את ההמנון הלאומי, או להצדיע לדגל. זוהי המדינה היחידה עם גיוס חובה, שבה יותר ממחצית האוכלוסייה אינה משרתת בצבא. ישראל, היחידה בקרב מדינות הלאום, טוענת שהיא מייצגת ציבור נרחב בתפוצות, ומצפה לנאמנות, מבלי לכבד את ההשתייכות הדתית של רבים מחבריה. בנוסף, ישראל היא גם המדינה היחידה בעולם, שנשללת ממנה באופן שגרתי הזכות להגן על עצמה ואף הזכות להתקיים.

איכות ההשכלה הקדם־אוניברסיטאית בישראל צנחה ככל שהפער בהכנסות גדל והחל להתחרות בפערים הקיימים באמריקה, מקסיקו וצ׳ילה. בעוד המרכז הישראלי – תל אביב רבתי – פורח, קהילות פריפריאליות רבות נשארות מאחור. יותר מ־20 אחוז מהמדינה הם ערבים, רובם מוסלמים. למרות ההכרזות על ההתקדמות החברתית והכלכלית של העשורים האחרונים, הם לא יכולים להשתתף באופן מלא בחוויה הישראלית. אחרים הינם מיעוטים – אתיופים, מזרחים (יהודים ממרכז ומזרח התיכון) ודרוזים – שלעיתים קרובות חשים חסרי זכויות.

ישראל סובלת מבריחת מוחות חמורה, עזיבה של יחידים וידע, ומיקור חוץ של הנכס היקר ביותר שלה, המוח הישראלי, לחברות זרות. מוסדות המדינה בישראל סובלים ממשבר אמון נרחב – בתי המשפט והמשטרה כבר אינם זוכים לכבוד מלא, ופוליטיקאים נתפסים כלא יעילים במקרה הטוב ומושחתים במקרה הרע. ישראל, הממוקמת באזור שקדוש ליותר ממחצית האנושות, נתונה לבחינה מדוקדקת שאין כדוגמתה; הצעד השגוי הקל ביותר שלה עולה לכותרות. ובעוד

שישראל אינה המדינה היחידה בעולם ששולטת בעם אחר, שליטה זו עלולה לסכן את זהותה כמדינה יהודית, דמוקרטית ומכובדת בין־לאומית.

השנים הקרובות יכריעו, האם ישראל יכולה להתגבר על האתגרים העצומים הללו, או שהמדינה היהודית הייתה בסך הכול פרויקט מעורר השראה אך בר חלוף? האם ישראל תישאר מושרשת עמוק כמו מצרים, רוסיה ויפן, או שתצטרף לרשימה הארוכה של המדינות שחלפו מן העולם, כגון: יוגוסלביה, טריפוליטניה וברית המועצות? אלה הן דוגמאות לשאלות הבוערות ביותר לטווח הארוך, העומדות בפני מנהיגי ישראל כיום. ועדיין, בשל דרישות היום־יום, חשש למחלוקת, או פשוט חוסר דמיון, מנהיגים אלה ממעטים להציג חזון לעתידה של המדינה.

איך צריכה ישראל להיראות ביום הולדתה ה־100? כיצד על החברה הישראלית להתארגן מחדש כדי להבטיח שוויון הזדמנויות ליחידים ושגשוג לכולם? מהו אופי היחסים שצריך להיות למדינה עם אזרחיה הערבים והיהודים כאחד, כמו גם עם צבאה, מוסדותיה הלאומיים והתפוצות? איזו מדיניות על ישראל לאמץ כדי למצב את עצמה כמשפיעה על נושאים בין־לאומיים ולשמר את היתרון הטכנולוגי שלה? ויתר על כן, כיצד יכולה ישראל לגדול לכדי מדינה צודקת יותר, מוסרית יותר ובסופו של דבר יהודית יותר?

אלה השאלות שעליהן עלינו לענות כעת, ב־25 השנים שלפני שנת ה־100 של ישראל. כמו בתקופה שלפני קום המדינה, עלינו לעודד דיון וליזום שיחות על עתידנו, במיוחד בקרב צעירים. עלינו לנצל את אותן נחישות ויצירתיות שהפכו את ישראל לנס שהיא. מנגד, עלינו להימנע מקוצר הראייה הקיצוני שמאפיין את קבלת ההחלטות הישראלית ואת האדישות העממית המעמיקה בנושא עתידנו. בעשורים שקדמו ל־1948, התכנון היה לעיתים תיאורטי ומופשט. לעומתו התוכניות לקראת 2048 חייבות להיות מכוונות להשגת יעדים קונקרטיים. הגדרת יעדים אלה והצעת האמצעים הריאליים להשגתם הן מטרותיה של ישראל – 2048 – המדינה המתחדשת.

מקורה של היוזמה במשרד ראש הממשלה, שם כיהנתי כסגן שר (2019-2016), והצעתי להקים ועדה ממלכתית לבחינת עתידה של ישראל. למרבה הצער, מחשש לאופי השנוי במחלוקת של חלק מממצאי הפאנלים, המשרד בסופו של דבר נרתע. עם זאת, יחד עם יו״ר הסוכנות היהודית לשעבר, נתן שרנסקי, כינסתי פורום בנושא יחסי ישראל־תפוצות במכון הרטמן בירושלים. אולם הצורך בדיון מקיף יותר ביעדים ארוכי הטווח של ישראל נותר בעינו, כפי שמעידות ארבע מערכות הבחירות של 2021-2019 ומשבר הקורונה המייסר. ישראל הוצגה כלא מוכנה כלל מבחינה פוליטית, משפטית ולוגיסטית לאתגרים המונומנטליים של ימינו, קל וחומר לאלו של המחר.

״2048 – המדינה הייהודית״ שואפת למלא את הפער הזה. יותר משהיוזמה שואפת לשכנע את הישראלים בכל הניתוחים וההמלצות שלה, היא מבקשת לערב אותם בשיח, שבאופן טרגי אינו מתקיים, אך חייב להתחיל מיד. אף על פי שהשיח מבוסס על האמונה שעם יהודי צריך להתקיים ואכן קיים, וכי יש לו זכות להגדרה עצמית במולדת אבותיו, אין זה תרגיל פילוסופי. השיח לא שואף להגדיר את אופייה של המדינה היהודית, אלא למצוא את הדרכים שבהן ישראלים יוכלו להמשיך לחיות לצד הסתירות שלהם, וזאת בהרמוניה גדולה יותר, שגשוג, ביטחון ותכלית. זוהי בחינת המדיניות שישראל צריכה לאמץ, כדי להבטיח את עתידה כמדינה שבה הרוב המכריע של היהודים עדיין מאמינים, יהיו מוכנים להילחם עליה וירצו לחיות בה. הוא מיועד, לבסוף, להניע צעירים ישראלים ויהודי תפוצות להיות פעילים ולהקים תנועות עבור שינוי מהותי. ישראל – 2048 היא תוכנית לישראל שלא רק תשרוד, אלא תשגשג במאה השנים הבאות שלה.

בהסתמך על ניסיון של יותר מארבעים שנה בממשל, בצבא ובשירות החוץ, ומנקודת מבט של היסטוריון שחי ברחבי הארץ ומחוצה לה, אזהה את הנושאים הקריטיים ביותר שהישראלים צריכים לדון בהם, ואציע את הצעדים החיוניים לגורלה של ישראל, קשים ככל שיהיו. זהו החזון שלי ל״2048 – המדינה הייהודית״.

המדינה הישראלית

על אף היותה מפולגת סביב נושאים דתיים, אתניים, לשוניים וגזעיים, החברה הישראלית מתלכדת. ישנן סיבות רבות לכך, מהן איומים חיצוניים לצד קיומם של מוסדות דמוקרטיים ליישוב מחלוקות. עם זאת, מקור נוסף לאחדות הוא מה שמכונה "הישראליות".

הישראליות היא סדרה של חוויות משותפות – אכילת פלאפל, למשל, או ביקור במרפאה. ישראל היא גם מדינה משפחתית, ואהבת המשפחה משותפת לכל הקהילות האתניות והדתיות בה. אך גם ההגדרה של הישראליות התגלתה כגמישה. בעוד שבעבר התמקדה כמעט אך ורק באליטה האשכנזית המבוססת, הישראליות החלה לאמץ – ובמובנים רבים, להעדיף – את התרבות המזרחית, המזוהה עם מעמד הביניים ומעמד הפועלים. הדרוזים והצ'רקסים, שפעם היו בשולי הסיפור הישראלי, עוגנו כעת בליבו. חרדים שדיברו בעבר רק יידיש, משוחחים כעת בעברית יום־יומית, בעוד שהערבית הישראלית תובלה בביטויים ובסלנג בעברית. לישראליות יש הכוח לחדור.

אנו חייבים להגדיל את הכוח הזה. האינטרס הבסיסי של ישראל הוא לטפח תחושת שייכות. ניתן להשיג זאת בדרכים רבות, חלקן יוצגו בפירוט רב יותר בהמשך, תוך כיבוד המגוון האתני והדתי. הן כוללות קמפיין לאומי, "אני ישראלי", שיועבר באמצעות טקסטים

לימודיים בבית הספר, בתקשורת ובתרבות הפופולרית, כדי לזהות ולחזק את אותם היבטים של החיים הישראליים המאחדים אותנו; דיאלוגים בין־קהילתיים ופרויקטים המגובים על ידי המדינה וארגונים לא ממשלתיים מוסמכים; שירות לאומי אוניברסלי וייצוג גדול יותר למיעוטים בסוכנויות ממשלתיות. המשמעות היא הרחבת הסיפור הישראלי כך שיכלול את המספר המרבי של אזרחים.

בניגוד למה שמוצג לעיתים קרובות, היותה של ישראל מדינת הלאום של העם היהודי וגם מדינת כל העם שלה, אינה סתירה. במדינות לאום רבות יש מיעוטים פטריוטיים ביותר. לעומת זאת, כישלון להרחיב ולחזק את הזהות הישראלית, יחליש את יכולתה של המדינה להגן על עצמה ולשמר את היתרון הטכנולוגי שלה. חיזוק זהות זו יציל את ישראל מגורלן של הממלכות הצלבניות, שאליהן אויבינו משווים אותנו לעיתים קרובות, שהתמוססו לתרבויות שמסביב. הצלחה פירושה שישראל יכולה לא רק להתלכד, אלא להישאר מודל לפיוס בין מגוון תרבותי ובין סולידריות. חברה שמכבדת את ההבדלים, אך מאוחדת סביב ישראליות כוללת.

מדינת הלאום של העם היהודי

בשנת 2018 העבירה הכנסת הצעת חוק המגדירה את ישראל כמדינת הלאום של העם היהודי. מבקרי החוק, בארץ ובעולם, גינו אותו וטענו שמדובר במעשה גזעני ששלל זכויות לאומיות של ישראלים לא־יהודים והוריד את מעמדה הרשמי של השפה הערבית. הוספת שורה המבטיחה שוויון וזכויות אזרח של כל הישראלים לא הייתה מחלישה את החוק, אך גם ללא התייחסות כזו, לא ניתן לכנותו גזעני. היה זה, ליתר דיוק, חוק טאוטולוגי שחזר על המובן מאליו. ישראל היא מדינת הלאום של העם היהודי, מדינה המעניקה את הזכות להגדרה עצמית אך ורק ליהודים. לצד מספר רב של חוקים המבססים את ישראל כדמוקרטיה, חוק הלאום מילא לקונה על ידי אישור מחדש של זהותה היהודית של ישראל גם כן.

הבעיה העיקרית של החוק לא הייתה תוכנו של החוק, אלא חוסר היכולת של ישראל לעמוד בו. אותה מדינה המגדירה את עצמה כמדינת הלאום של העם היהודי, לא רק בישראל אלא בעולם, אינה מכירה בלגיטימיות של היהדות הנהוגה בקרב רוב יהודי ארצות הברית. האבסורד של המצב הודגש לאחר טבח המתפללים היהודים בבית הכנסת "עץ החיים" בפיטסבורג, שהתרחש ב־18 באוקטובר 2018, שישה חודשים לאחר העברת הצעת החוק. על אף הפגנת

הסולידריות עם הקורבנות, הרבנות הראשית וכן מספר שרים בממשלה סירבו לכנות את "עץ החיים" בית כנסת. המקום שבו נרצחו יהודים בעת שהתפללו כיהודים היה, במילותיה של מדינת הלאום היהודית, רק בעל "תחושה יהודית עמוקה".

העלבון היה רב יותר בשל כפיות הטובה. תרומות והשקעות מיהודי התפוצות מהוות כ־6.5 אחוזים מהתמ"ג השנתי של ישראל – כמות המשתווה בערך לתקציב הביטחון שלה – ותרמו רבות לבניית התשתית החינוכית, הרפואית, התרבותית והפיננסית של ישראל. שמותיהם של הנדבנים בתפוצות, ובמיוחד האמריקאים, מעטרים הכול, מבתי ספר, בתי חולים ואמבולנסים בישראל ועד מתקני הפנאי בבסיסי צה"ל. ישנם 34 חברי קונגרס יהודים – מניין בסנאט – שכמעט כולם תומכים נלהבים של ישראל, למרות שאף אחד מהם אינו אורתודוקסי. יהודי ארצות הברית הם מרכיב חיוני בברית בין ישראל לארצות הברית.

אם כן, מדוע שישראל תסתכן בהחלשת קשרים אלה? מדוע שמדינת הלאום היהודית תתנכר לרבים כל כך, כאשר מספר היהודים בעולם משתווה בקושי למספרם לפני השואה, וכשיותר ויותר מהם מתבוללים? מצב זה מהווה סכנה אסטרטגית ושגוי מבחינה מוסרית.

לישראל ב־2048 חייבים להיות יחסים שונים בתכלית עם יהדות העולם. עליה להגדיר מחדש את הזהות היהודית במונחים לאומיים, תוך שימת דגש על עממיות על פני שמירה על מצוות. מי שמגדירים את עצמם כחברים בעמנו ומכירים בישראל כמדינת הלאום הלגיטימית שלנו, חייבים לזכות לחיבוק מישראל ולהכרה ביהדותם. ישראל, בתורתה, חייבת להכיר בלגיטימיות של התנועות היהודיות המרכזיות וביהדותם של מי שהן מגיירות. עליה לכונן תהליך גיור עצמאי, הפתוח הן ליהודי ישראל הן ליהודי התפוצות הכולל לימודי יהדות תוך הדגשת הזהות הלאומית. על ישראל לחדול מלהתייחס לחיים היהודיים בתפוצות כבלתי לגיטימיים מיסודם – **שלילת הגולה** – כשם שהתפוצות חייבות להכיר בישראל ככלי עיקרי להמשכיות יהודית.

בד בבד, על ישראל לצאת למשימה להציל כמה שיותר יהודים מהתבוללות. יש להקים קמפיין לאומי להבאת 10,000 צעירים חילונים מהתפוצות לישראל מדי שנה, להעניק להם קצבאות, מקומות עבודה ותמריצים אחרים, ולאפשר להם להתיישב בארץ לצמיתות. הזכאות לתוכנית תיקבע על ידי מענה על שתי שאלות בסיסיות, הראשונה בחיוב והשנייה בשלילה. האם המועמד יהודי, והאם ללא התוכנית סביר שיהיו לו נכדים יהודים?

בו בזמן, ישנו צורך להזכיר לישראלים את היתרונות המוסריים, הכלכליים והאסטרטגיים של עלייה מאסיבית. תזכורת מסוג זה לא הייתה נחוצה בעבר, ובמיוחד בשנות ה־90, כאשר ישראל קלטה קרוב למיליון יהודים מברית המועצות לשעבר. עולים אלו – האוכלוסייה אולי הכי משכילה בעולם, אשר התחנכה על חשבון חברה אחרת – שינו את פני החברה הישראלית ותרמו רבות למהפכה הטכנולוגית שהתחוללה בה. אולם כעבור שלושה עשורים, כאשר מספר גדול של יהודי צרפת שקלו לברוח מגלי האנטישמיות במדינתם, ישראל הפכה הרבה פחות מקבלת. המדינה הייתה צפופה מדי, כך אמרו ישראלים רבים, עם הזדמנויות עבודה ומקומות דיור מוגבלים. כתוצאה מכך, מרבית יהודי צרפת בחרו להגר לאנגליה, קנדה וארצות הברית, וישראל החמיצה הזדמנות היסטורית. לשם כך, בעוד האנטישמיות ממשיכה להתגבר, ישראלים חייבים לזכור את היתרונות הענקיים שקיבלו מעלייתם של רבבות. זרימה עתידית של יהודים מרחבי העולם תהפוך את מדינת ישראל לחזקה, עשירה ויצירתית יותר, ותחזק גם את הקשרים של ישראל עם התפוצות.

לבסוף, חיזוק יחסים אלו מצריך שיקום כולל של המוסדות הלאומיים המופקדים עליהם. ההסתדרות הציונית העולמית, קרן קיימת לישראל, קרן היסוד, וכן הגוף הממונה עליהם – הסוכנות היהודית, כולם נוסדו על מנת לסייע בהקמת המדינה. עם זאת, לאחר 1948 המטרה שונתה והפכה לעידוד וקידום העלייה והקליטה, הפצת חינוך ציוני ובניית יחסי ישראל והתפוצות. בצער רב, עם הזמן, הארגונים הללו הפכו מנופחים, מיותרים, ולדעת רבים גם למושחתים.

בשנת 2000, למשל, להסתדרות הציונית היו ארבע מחלקות שעסקו ביהדות התפוצות, בעוד שכיום ישנן 14, ותקציבן גדל פי ארבעה. בכל אחד מהמוסדות הלאומיים קיימת מחלקת חינוך, וכולן עוסקות באותם הדברים. למרות שהם אמורים להיות א־פוליטיים, הפכו הארגונים חדורי פוליטיקה והם משמשים כמקור עבודה לפוליטיקאים לשעבר. בקרב הציבור הישראלי קיימת דעה רווחת שלפיה אבד הקלח על המוסדות הלאומיים, ועל תחומי האחריות העיקריים שלהם – לרבות עלייה, ייעור ופיתוח הפריפריה – לעבור לידי הממשלה.

הציבור הישראלי איננו טועה. אין סיבה בעולם שמרבית משטח ארץ ישראל, בשווי טריליארדי שקלים, יהיה תחת שליטתה של הקרן הקיימת, ולא בידי אזרחי ישראל עצמם. אין סיבה בעולם שהתרומות של יהודי התפוצות לסוכנות היהודית ישמשו למשכורות של מינויים פוליטיים, לעיתים רבות כאלה ללא רקע מתאים, במקום לתוכניות המיועדות להבטיח המשכיות יהודית.

כעולה חדש לישראל, חייל בודד ושליח ליהדות ברית המועצות, כחבר ועד ההכוונה של "תגלית" והמכון לשליחות, היו לי מגעים חיוביים ביותר עם הסוכנות, אולם חזיתי מקרוב בתרבות הבזבוז ומינוי המקורבים. למרות כל אלה, במקום לבטל לחלוטין את המוסדות הלאומיים, יש לאחדם ולייעלם.

עד לשנת 2048 יהיה מוסד לאומי אחד, האמון על עידוד עלייה – דבר שהמדינה איננה יכולה לעשות – וחיזוק היחסים בין המדינה והתפוצות. יש להרחיב תוכניות כמו "תגלית" ו"מסע" המביאות נוער יהודי לישראל, יחד עם מפגשים בין צעירים ישראלים וצעירים יהודים מרחבי העולם. עד לשנת 2048 בין ישראל ויהדות התפוצות תהיה תחושת זהות וגורל משותפים, כזו שמבוססת על הרעיון שלא משנה מאין באנו, כולנו שייכים לעם אחד.

מדינת היהודים

מאז ומתמיד הייתה שאלה סביב כותרת ספרו המכונן של תיאודור הרצל, **"דר יודנשטט"**. האם אבי הציונות התכוון למדינת היהודים או ליתר דיוק למדינה היהודית? מדינה עם רוב יהודי, שבה היהודים יוכלו לקבוע את גורלם, או אומה יהודית במהותה ובאופן בלתי ניתן לערעור?

ישראל של 2048 חייבת להיות שני הדברים הללו. עד תאריך זה, מרבית יהודי העולם יחיו כאן, ידברו עברית, יצדיעו לדגל מגן דוד ויעקבו אחר לוח השנה היהודי. הבעיה מתעוררת רק עם הפרשנות השנייה. עד כמה המדינה צריכה להיות יהודית כדי להיות לא רק **המדינה היהודית**? מי מגדיר מה זה יהודי?

בניגוד למדינות לאום דמוקרטיות רבות בעולם – דנמרק, למשל, או בריטניה – לישראל אין דת רשמית. ועדיין, לכל דבר ועניין, היהדות האורתודוקסית ומוסדותיה מוכרים ואף מתוקצבים על ידי המדינה וזוכים לסמכויות מרחיקות לכת. בענייני מחזור חיים (לידה, נישואין, גירושין, מוות), גיור, כשרות (תעודת כשרות) והגירה מדובר במונופולים. כך גם השליטה האורתודוקסית (החרדית) במקומות קדושים יהודיים, ובראשם הכותל. רוב הגברים החרדים אינם עובדים

או משרתים בצבא. במקום זאת, הם מקבלים קצבאות – המשולמות על ידי מיסים ישראליים – כדי להמשיך ללמוד תורה.

ההשלכות של מצב זה הן עצומות. למרות שהוא מסייע בשמירה על העם היהודי ומסורותיו, הסטטוס קוו מרחיק ישראלים רבים מהיהדות וממוסדותיה הממומנים על ידי המדינה. הוא מעמיק את השסעים בין ישראל לתפוצות ומקטין את יכולתה של ישראל להישאר תחרותית מבחינה כלכלית וטכנולוגית. בנוסף, הוא מחליש ופוגע במורל של הציבור הנדרש לשאת בנטל הכלכלי והצבאי של החרדים, שהולך וגדל.

לפני 20 שנה, כעמית בצוות חשיבה ציונית, ניהלתי ויכוח נמרץ בשאלה, אם יחסי המדינה עם החרדים מהווים הזדמנות או איום קיומי. צידדתי באפשרות השנייה. חשבתי אז, כפי שאני חושב גם כיום, שההתרבות המעריכית של אוכלוסייה שלא ייצרה דבר מבחינה חומרית, אלא רק רוקנה את קופת המדינה, שלא חלקה אף אחד מערכיה הליברליים והדמוקרטיים ומנעה מילדים אפילו את החינוך המודרני הבסיסי ביותר, תגרום בסופו של דבר לקריסתה של ישראל. המדינה לא תוכל להגן על עצמה או לשמור על כלכלה בת קיימא. ריבונות ממשלתה לא תוכר על ידי חלק גדול ומתרחב במהירות של האוכלוסייה. במקום להמשיך לשאת בנטל השערורייתי הזה, ישראלים רבים פשוט יעזבו. "המצב הוא התאבדות לאומית", אמרתי.

יתר על כן, המוות האיטי הזה מומן על ידי המדינה, אשר שילמה לתלמידים אורתודוקסים בבתי הספר הדתיים (ישיבות), מה שהותיר אותם לא מוכנים לעבודה ותלויים לחלוטין ברבנים שלהם ובתמיכות הממשלתיות שהם מקבלים.

בתגובה, חלק מעמיתיי טענו שהחרדים אינם מהווים איום אלא הזדמנות – אוכלוסייה אינטליגנטית וממושמעת מאוד, שאם יתקרבו אליה בחוכמה וברגישות, תוכל לתרום תרומות אדירות. חלק מהתחזיות שלהם התבררו כנכונות. יותר ממחצית מהגברים החרדים מועסקים כיום ומספר גדל והולך משרת בצה"ל. אולם נתונים אלו מטעים. שיעור הילודה בקרב החברה החרדית עולה עדיין על הגידול

בכוח העבודה בה, והוכח כי מספר החיילים החרדים בפועל נמוך מזה המוצהר. עובדים חרדים, בעיקר עובדות חרדיות, מועסקים ומועסקות לעיתים קרובות רק במשרה חלקית ומשתכרים באופן נמוך משמעותית מישראלים אחרים. ״הפילוסופיה החרדית היא שצריך להיות מובטלים כדי ללמוד – וזה לא ישתנה״, אמר פרופ׳ ניסים אריה מאוניברסיטת בר אילן. ״העוני לא ישפיע עליה, להפך – העוני רק מגביר את הרוחניות״. כ־60 אחוז מהילדים החרדים חיים מתחת לקו העוני. אנחנו עדיין בדרך להשמדה עצמית.

את האסון הזה מחובתנו וביכולתנו למנוע. הצעד הראשון, כאמור, הוא לעמוד על כך שבתי הספר החרדיים יספקו תוכנית לימודים בסיסית הכוללת את המקצועות: אנגלית, מדעים ומתמטיקה. שיעורי אזרחות, הטמעת רעיונות דמוקרטיים והיכרות עם המדינה, קריטיים גם הם. כמו כן, יש ליצור מסגרות להוראת מיומנויות מחשבים והנדסה, ולתמרץ יזמים ליצור מקומות עבודה ידידותיים לחרדים. יש למצוא דרכים חלופיות לשירות לאומי, ולא רק צבאיות, שבהן החרדים יכולים לשרת את המדינה – ואת הקהילות שלהם – בגאווה.

כל אלה לא יוכלו להתבצע באמצעות כפייה. הצעת חקיקה לענישה של חרדים ושל מוסדות לימודיהם על התחמקות מגיוס תביא בוודאי לתוצאה הפוכה, לתסיסה ולכליאה של רבים. במקום זאת, על המדינה לעשות מאמץ היסטורי לערב מנהיגים חרדים בדיאלוג המבוסס על כבוד הדדי והבטחה כי למדינה היהודית אין כל רצון לחתור תחת אורח החיים החרדי אלא רק לשמרו לדורות הבאים באמצעות השתלבות במיינסטרים.

משימה קשה הרבה יותר כרוכה בהגבלת סמכויות הרבנות הראשית. מוסד זה, שבעבר עמד בראשות רבנים דתיים לאומיים ליברליים יותר, נשלט כיום על ידי החרדים. הרבנות מסרבת להכיר ביהדותם של מספר גדול של יהודים בישראל ובתפוצות, ואינה מכירה בגיורים המבוצעים על ידי רבנים, אפילו האורתודוקסים, שאינם נכללים ברשימתה. זוגות בעלי רקע דתי מעורב, זוגות להט״בים, כמו גם אלה שאינם מוכנים לעבור טקס שאושר על ידי הרבנות,

מתחתנים בחו"ל. עם זאת, גירושין אפשריים רק באמצעות הרבנות. כך גם שירותי קבורה וכשרות, אשר הואשמו שניהם בשחיתות.

הפתרון טמון בשבירת המונופול ובפתיחת החיים היהודיים בישראל לזרמים אחרים, שאינם חרדיים. לזוגות יהודיים, למשל, צריכה להיות האפשרות לבחור את סוג טקס הנישואין שאותו הם מעדיפים – אורתודוקסי, קונסרבטיבי או רפורמי. בדיוק באותו אופן יוכלו, מאוחר יותר, לבחור לפי העדפותיהם מוהל, דיין או כל בעל תפקיד דתי אחר, כולל חברה קדישא (אגודת קבורה). למרות שנישואים אזרחיים צריכים להישאר המטרה, יש לגשת לנושא ברגישות לקהילות המוסלמיות, הדרוזיות והנוצריות שיתנגדו לה. נישואים אזרחיים לא קיימים בשום מקום במזרח התיכון.

בנוסף, על המדינה להקים תהליך לאומי, שבאמצעותו עשרות אלפי ישראלים – רובם עולים מברית המועצות לשעבר – יוכלו להתגייר באופן שיכבד גם אותם וגם את ההלכה היהודית. המדינה חייבת ליצור מרחבים ראויים שיאפשרו קבורה מכובדת עבור אלה שלא התגיירו, אך נפלו בהגנה על המדינה. כמו כן, על המדינה להבטיח מקום ראוי לתפילה לא אורתודוקסית במקומות הקדושים. המדינה חייבת לקחת בחזרה שליטה מלאה על תהליך ההגירה, להחיות את חוק השבות המקורי ואת הקריטריונים שלו לקביעת מיהו יהודי: אדם שנולד לאם יהודייה ונשאר יהודי, ללא קשר לאופן שבו היא או הוא נהגו ביהדות זו.

זה לא יהיה קל. השליטה החרדית באירועי מחזור החיים מהווה מקור הכנסה עצום לאותה קהילה. כסף זה עוזר להנציח את מערכת התבוסה העצמית של התלות החרדית ברווחה, ואת הרבנים ששומרים על חברי קהילותיהם לא מיומנים. פטרנליסטי ככל שזה יישמע, סיום אחיזת החנק של הרבנות יאלץ את החרדים לחפש במרץ רב יותר חינוך חילוני ועבודה משתלמת. הוא יסייע להם במשברים לאומיים כמו הקורונה, שבמהלכה מספר לא פרופורציונלי של חרדים מוטעים וחסרי ידע נפלו קורבן למחלה. יתר על כן, היא תסייע להציל את המדינה מהתמוטטות רוחנית וכלכלית.

בשום אופן, אין בכך כדי לקדם ניסיון לשנות את אורח החיים החרדי, או לכפות על מישהו המסור אליו להיות פחות אדוק. להפך, על ידי הבטחת הקיימות של אותה קהילה והמדינה שבה היא תלויה, צעדים אלה יבטיחו עתיד חרדי תוסס. העובדה שחלק ניכר מאוכלוסייתה מקדיש את חייו ללימוד ותפילה, לעיתים קרובות במחיר של עוני, צריכה להיות מקור גאווה למדינה היהודית, אבל אסור שדבר זה יבוא על חשבון עצם קיומה של המדינה.

על ידי קידומה של ישראל כמדינת היהודים היא תהפוך בו־זמנית למדינה יהודית יותר. היא תחזק את עצמה כלכלית, חברתית, צבאית ומוסרית. מאה שנה לאחר שהתממש לראשונה, יוגשם חזונו של הרצל.

המדינה הריבונית

מותם הטראגי של 45 מתפללים יהודים בהר מירון במהלך כינוס ל"ג בעומר 2021 נבע מגורמים רבים, בהם לחץ פוליטי להסרת הגבלות התקהלות, אוזלת יד משטרתית ותשתיות לקויות. אף אחד, כך התברר, לא פיקח על האירוע. אף אחד – לא הפוליטיקאים ולא המשטרה – לא העז להתערב במה שהיה במהותו מדינה חרדית בתוך מדינה, אשר מרוקנת משאבים מישראל, אך לא מחזירה דבר בתמורה; המספקת חינוך מינימלי לצעיריה ושומרת אותם תלויים בהנהגה שרואה את עצמה כעצמאית, ולגיטימית יותר מהממשלה שנבחרה באופן דמוקרטי. הטרגדיה המהותית של מירון הייתה שהאסון היה סימפטום להתמוטטות נרחבת הרבה יותר – ואולי קיומית – של הריבונות הישראלית.

ריבונות, כפי שמגדיר זאת המילון, היא "כוח עליון ועצמאי או סמכות בממשלה שנמצא בבעלות מדינה, או שהיא טוענת לו". לפי הגדרה זו, ישראל אינה אומה ריבונית. היא אינה מפעילה את סמכותה על חלקים נרחבים משטחה ועל חלקים גדולים מאוכלוסייתה. במקום זאת, כפי שכתבתי במאמר **פרשנות** משנת 2007, "ישראל מדממת את ריבונותה".

קחו לדוגמה את הנגב, המהווה 62 אחוז משטחה של ישראל.

האוכלוסייה הבדואית, שהייתה בעבר נוודית וכיום עברה להתיישבות קבע כמעט לחלוטין, מונה כ־230,000 נפש, כפול ממה שהייתה בשנת 2000. גרתי בנגב חמש שנים וצפיתי בנוף שנעלם ועבר לפולשים. גידול טבעי זה באוכלוסייה, הגידול הגבוה בעולם, הוא תוצאה של טיפול ישראלי מתקדם וחיסול כמעט מוחלט של שיעור תמותת תינוקות שהייתה נפוצה בעבר. זהו גם תוצר של הפוליגמיה הנהוגה על ידי כמעט חמישית מכלל הגברים הבדואים. מדובר במסורת אנטי־פמיניסטית באופן קיצוני ולעיתים קרובות אכזרית, עם נשים רבות שנרכשו כמו מיטלטלין, נאלצו לבצע עבודות פרך, וללדת שבעה ילדים או יותר. עם ארבע נשים, גבר בדואי לא צריך לעבוד, אלא רק לאסוף קצבאות לילדים מהממשלה. מסיבה זו, בשנת 1977, הכנסת העבירה הצעת חוק האוסרת על פוליגמיה, ואז, במשך ארבעים וחמש השנים הבאות, התעלמה ממנה.

בכך שלא הצליחה ליישם את חוקיה, ישראל לא רק שחקה את הרוב היהודי המכריע שהיה בעבר בנגב, אלא גם ערערה את ביטחונו ארוך הטווח. כמעט שליש מכלל הבדואים חיים בכפרים בלתי חוקיים – יותר מ־80,000 מבנים – שישראל עשתה מעט יחסית כדי להרוס. יחד עם עיירות וערים מורשות, אלה יוצרים רצועה כמעט רצופה בין עזה להר חברון, אשר חוצה את הנגב.

הסכנה העצומה הנשקפת ממצב זה ניכרה בתחילת 2022, כאשר אלפי בדואים התפרעו כנגד נטיעת עצי קרן קיימת לישראל – פרויקט ציוני מובהק – במרכז הנגב. כרזות בערבית הטוענות כי המדבר שייך לבדואים וקוראות להם להגן עליו הופצו ברחבי האינטרנט. תוכנית הממשלה לחיבור התנחלויות בדואיות בלתי חוקיות לרשת החשמל איימה לערער את עצם הרעיון של ריבונות ושוויון ישראליים בפני החוק.

התפתחויות כאלה היו מדאיגות במידה מספקת גם ללא התהליכים התאומים של "פלסטיניזציה" ורדיקליזציה אסלאמית שחלחלו לקהילה הבדואית. תוך ניצול האדישות הישראלית, הן חמאס הן אש"ף בנו מסגדים ומדרסות ברחבי הקהילות הבדואיות וסיפקו את

המורים, רבים מהם ערבים ישראלים מהצפון, שמקצינים את הנוער הבדואי. לפני 30 שנה, כאיש מילואים המשרת בחברון, נכנסתי לבית ספר דתי המזוהה עם חמאס רק כדי למצוא אותו עמוס בילדים בדואים מהנגב. כשנשאלו מדוע הם לומדים שם ולא בבית, השיבו הנערים כי רק שם הם קיבלו חינוך ומזון ראויים. אין זה מפתיע שלפי שירות ביטחון הפנים, המעורבות הבדואית בפיגועים, כמו זו שגבתה את חייהם של ארבעה ישראלים בבאר שבע במרץ 2022, עולה בחדות.

הפתרון טמון בחלקו בצעדים שכבר המלצתי עליהם, בהם חינוך טוב יותר ושילוב הבדואים בחברה הישראלית. הגדלה משמעותית של היתרי בנייה לבדואים תסייע גם היא למאמץ לאומי לפתח את הנגב ולעודד יהודים לעבור לשם (ראו להלן). אך אף לא אחד מהמאמצים הללו יצליח, אלא אם כן ישראל תחיל קודם ריבונות בעוצמה על כל אזרחיה ועל אדמתה.

הכישלון לעשות זאת בולט לא רק בקרב הבדואים בדרום, אלא גם בקרב ערביי הצפון. זה זמן רב שמספרם עולה על האוכלוסייה היהודית, ובאזורים מסוימים, כגון הגליל התחתון, בשיעור של 25 אחוז. תפיסת הקרקעות הבלתי־חוקית והבנייה משתוללות, כמו גם הביזה של בעלי חיים שבבעלותם של היהודים. סקר שנערך ב־2019 הראה כי שליש מכלל התושבים הערבים בצפון – המהווה שליש משטחי המדינה – תמכו באוטונומיה מהמדינה.

מרכז הארץ, לעומת זאת, מציע את הדוגמה הטובה ביותר – והמפחידה ביותר – לחוסר הנכונות של ישראל להחיל את ריבונותה על אזורים ערביים. אבו גוש ייזכר תמיד ככפר דובר הערבית שצידד בישראל במלחמת העצמאות שלו וממשיך לשלוח את צעיריו לשרת בצה"ל. הייתי באבו גוש בהלוויות לחיילים שנפלו בקרב. ייחודי לא פחות הוא מיקומו הגיאוגרפי של אבו גוש על גבי רכס המשקיף על נמל התעופה בן גוריון ועל כביש 1, הציר הראשי המחבר בין תל אביב לירושלים. נקודת גובה זו היא כיום ביתם של עשרות רבות של בתים חדשים, היקרים מדי עבור תושבי הכפר, אך נרכשו על ידי פלסטינים אמידים המחזיקים בכרטיסי תושב של מזרח ירושלים, ואף

על ידי תושבי הרצועה הפועלים באמצעות מתווכים. פלסטינים אלה ישלטו בקרוב במה שנחשב לנקודה החיונית ביותר מבחינה אסטרטגית במדינה כולה, כזו שיכולה לשמש נגד ישראל בעיתות משבר. תושביו המקוריים של אבו גוש קראו שוב ושוב למנהיגים הישראלים לעצור את התהליך המסוכן הזה, אך ללא הצלחה.

הדימום של הריבונות הישראלית אינו מוגבל ליישובים הערביים, כפי שראינו, אלא אופייני גם ליחסיה של ישראל עם היישובים החרדיים שלה. אלה מהווים כמעט 13 אחוז מכלל האוכלוסייה בישראל, ובכל זאת משלמים פחות משליש מהמסים שמשלמים ישראלים אחרים. עם שיעור ילודה חרדי כמעט כפול מזה של חילונים – עד 2048 מחצית מכלל התלמידים הישראלים יהיו חרדים – חלקם בתשלומי המיסים נידון להתכווץ. המדינה תחדל להיות בת קיימא מבחינה כלכלית, אם לא טכנולוגית וצבאית.

כישלונה של המדינה להחיל את סמכותה בהילולת רבי שמעון בהר מירון נצפה שוב ושוב במהלך משבר הקורונה. מתוך סירוב להישמע להוראות הממשלה למאבק במגפה, תוך ציות לרבניהם, התאספו אלפי חרדים לתפילות, חתונות, לימודי תורה והלוויות, והדביקו את עצמם במהירות, כמו גם אחרים מחוץ לקהילותיהם. הרשויות היססו לאכוף את הסגר על המוסדות החרדיים, והתוצאות היו קטסטרופליות. למרות שכ־60 אחוז מכלל האשפוזים הקשורים לקורונה היו של חרדים, היה צורך לסגור את המדינה כולה. העלות למדינה של טיפול רפואי והמשך האבטלה הייתה בלתי נתפסת. המחיר בחיי אדם היה פשע.

בסופו של דבר, לא יכולה להיות ריבונות בת קיימא ללא אכיפה, ומשטרת ישראל רחוקה מלהיות מסוגלת לעמוד במשימה. משכורות זעומות בשילוב ימי עבודה (ולילות) ארוכים, תרמו למחסור כרוני בשוטרות ושוטרים. אמון הציבור במשטרה, שכבר נמצא בירידה באוכלוסייה היהודית, צנח בקרב האוכלוסייה הערבית: 31 אחוז בקרב יהודים, לעומת 13 אחוז בקרב ערבים. משטרת ישראל עסוקה בלחימה בטרור, במיוחד בירושלים, ולעיתים קרובות אין לה הרבה זמן להילחם

בפשיעה. היעדר כוח אדם מוסמך הוביל את המשטרה לסגת מאכיפת חוקים נגד פלישה למבנים ובנייה בלתי חוקית, והתוצאות הרות אסון הן בגליל הן בנגב. אכיפת הגבלות הקורונה במוסדות החרדיים הצליחה באופן חלקי במקרה הטוב. שיעור הרצח בקרב ערביי ישראל, המהווה 70 אחוז מכלל מעשי הרצח במדינה, הוכפל במהלך העשור האחרון וחצה את המאה. מפקדי המשטרה הודיעו לממשלה כי אין בידיהם כוח האדם הנדרש על מנת להפקיע את 400,000 כלי הנשק הבלתי־חוקיים הנמצאים בקרב הקהילות הערביות. בסופו של דבר, ההבדל בין ריבונות לאנרכיה תלוי במחויבותה של ישראל להפוך את השירות במשטרה לבחירת קריירה בת קיימא, ולהרחיב את שורותיה ולכלול יותר קצינים ערבים ואולי אף חרדים.

עבור ישראל, הפיכתה למדינה ריבונית באמת אינה רק שאיפה, אלא עניין של הישרדות. כישלון באכיפת החוקים ובהרחבת השליטה בכל האזורים והאוכלוסיות יוביל, באופן בלתי נמנע, לאובדנם. ההצלחה האחרונה של העירייה והמשטרה במניעת בנייה בלתי חוקית במזרח ירושלים מוכיחה כי ניתן לעשות זאת, ומחובתנו לעשות זאת, כדי שנצליח לחגוג את יום ההולדת ה־100 של ישראל.

העסקה החדשה של ישראל

למרות שרוב צר, אך הולך וגדל, של ערבים מביע גאווה בהיותו ישראלי, הרוב המכריע של הישראלים היהודים רואה בהם איום. תפיסה זו זוכה לחיזוק על ידי מנהיגים ערבים־ישראלים, חילוניים ודתיים, שמסרבים להכיר בלגיטימיות של המדינה ותומכים בגלוי בטרור.

ועדיין, ערביי ישראל הם כ־21 אחוז מאוכלוסיית ישראל ומהווים חלק בלתי נפרד מעתידה. הם מטפסים במעלה הסולם החברתי וכוחם עולה. רע״ם, מפלגה אסלאמית ערבית, הייתה חלק מהקואליציה ב־2021–2022. מורים ערבים הם בעלי כישורים גבוהים יותר מעמיתיהם היהודים, באופן יחסי, והערבים הנוצרים משכילים יותר בממוצע ואמידים יותר מיהודי ישראל. במהלך משבר הקורונה, התפקיד האמיץ שמילאו הרופאים והאחיות הערבים היה מכריע. האם יש דרך, עלינו לשאול, שהערבים הישראלים לא ייתפסו כסכנה אלא כהזדמנות? האם ישראלים יהודים יוכלו אי־פעם לאמץ את שכניהם הערבים כבני ובנות ארצם מן המניין?

התשובה היא כן, אבל רק אם ישראל תקבל החלטה אסטרטגית שאני מכנה ״העסקה החדשה״. במילים פשוטות, משמעות הדבר היא שהמדינה לא רק תגנה אפליה ואי־שוויון, אלא תכריז עליהם מלחמה בפומבי. משמעות הדבר היא מאבק איתן בגזענות בכיתות, במקומות

העבודה, בתקשורת ובפוליטיקה. משמעות הדבר היא קידום חינוך בשפה הערבית בבתי ספר יהודיים והוראת השפה העברית בבתי ספר ערביים, תוך שילוב הפקולטות של שניהם. המשמעות היא אכיפת החוק והגברה משמעותית של הנוכחות המשטרתית בקהילות הערביות, הסרת כלי הנשק מידי הפושעים, ומלחמה נגד סחר בסמים. המשמעות היא השקעה בתשתיות ערים וכפרים ערביים, בבניית בתי ספר נוספים, עידוד פיתוח תעשייתי, והענקת תמיכה לעסקים קטנים. המשמעות היא הצבת יעד לאומי לשילוב חברתי, כלכלי וחינוכי מלא של ערביי ישראל בחברה הישראלית המרכזית עד שנת 2048.

אבל זה רק צד אחד של העסקה החדשה. הצד השני מחייב את ערביי ישראל לקבל את תפקיד המיעוט שלהם במדינת לאום יהודית ולראות את עצמם כאזרחי אותה מדינה, לא רק בשוויון זכויות, אלא גם בשוויון חובות. אין זה אומר שעל ערביי ישראל לוותר על זהותם הפלסטינית, או להפסיק להביע סולידריות עם פלסטינים ברחבי המזרח התיכון – לא יותר משיהודי אמריקאי צריך לוותר על אהבתו לישראל כדי להיות אמריקאי נאמן. עם זאת, משמעות הדבר היא לגנות את הטרור, לתמוך במאמצי ישראל להגן על עצמה ולדחות חרמות אנטי־ישראליים. משמעות הדבר היא ציות לחוקים הישראליים האוסרים על פוליגמיה, הברחות ובנייה בלתי מורשית.

להיות ישראלי לחלוטין, פירושו גם שירות לאומי. זה יכול להתחיל בשירות בתוך החברה הערבית עצמה לשיפור הביטחון ואיכות החיים, אבל אין לשלול תפקידים צבאיים. התירוץ הישן שאי אפשר לבקש מערבים להילחם בערבים הפסיק להיות רלוונטי עם האביב הערבי. אין סיבה שערביי ישראל לא יוכלו להגן על מדינתם מפני דאעש, סוריה או איראן. יהודי בריטניה מצדיעים ל"יוניון ג'ק" (הדגל הבריטי), עליו לא רק צלב אחד אלא שלושה, כאשר היסטורית היו מוכנים להילחם ואף למות למען הדגל הזה. ערביי ישראל יכולים להרגיש את אותו הדבר כלפי מגן דוד.

העסקה החדשה, למעשה, כבר מתקיימת, וצריך רק להאיץ אותה. בניגוד לעבר, כאשר ערביי ישראל מחו נגד נוכחות שוטרים

בכפריהם, כעת הם מוחים כי הם רוצים נוכחות משטרתית גדולה יותר. כפי שהוכיחו הבחירות האחרונות, הפוליטיקאים הערבים רותמים את כוחם החדש לא כדי לעשות דה-לגיטימציה למערכת אלא כדי להשפיע עליה. מגמות אלה מציעות הזדמנויות שאסור לפספס, אשר, אם יזורזו על ידי מדיניות, יכולות להפוך את ישראל 2048 למדינה מלוכדת באמת.

כל ישראל ערבים זה לזה

"כל ישראל ערבים זה לזה" – הצו התלמודי המצווה על כל היהודים לקבל אחריות על רווחתם של בני דתם – הוא רעיון רב עוצמה. אם נתרגם אותו למונחים ריבוניים, הוא מחייב את כל הישראלים לקבל אחריות על בני ארצם, יהודים ולא יהודים כאחד.

עיקרון זה, המעוגן במערכת הבריאות הלאומית בישראל, צריך לחול באופן אידיאלי על החברה כולה. עם זאת, הפיכתה של ישראל ממדינה חקלאית ברובה, עם ריבוד חברתי מועט יחסית, למעצמת היי־טק עם אחד הפערים החברתיים הגדולים בעולם, מאתגרת את המאמץ הזה. רק 20 אחוז מהאוכלוסייה משלמים כעת 92 אחוז מהמיסים במדינה, ואחוז זה הולך ופוחת. קרוב למיליון וחצי ילדים חיים כיום מתחת לקו העוני בישראל.

זהו מצב בלתי אפשרי למדינה יהודית. בעוד שהקפיטליזם של השוק החופשי חיוני להרחבת כוחה הכלכלי של ישראל, וכן לעוצמתה הצבאית, יש לאזן אותו עם מדיניות חברתית ורשתות ביטחון למי שאינו מסוגל לחוות את החלום הישראלי החדש. הערכים שעל בסיסם מושתתת המדינה היהודית, אינם מאפשרים לנו פשוט לדלג מעל חסרי הבית המתגוררים ברחוב.

על מנת להשיג איזון מסוג זה, תצטרך מדינת ישראל להמשיך

להסיר את הפיקוח ולבטל את הבירוקרטיה הפוגעת בצמיחה הכלכלית מחד, ומאידך לייעד חלק מאותם רווחים כדי לספק הזדמנויות פיתוח לכולם. הדבר יכלול הקמת מרכזי היי־טק נוספים מחוץ לתל אביב רבתי והקמת בתי ספר מקצועיים טכניים (ראו להלן). זה יצריך גם תיקון של תשלום הקצבאות למשפחות גדולות – יהודיות וערביות – הפוטרות את הורי המשפחות מן הצורך לעבוד. יש לתמרץ נשים מוסלמיות וגברים חרדים ולהכשיר אותם להיכנס למעגל העבודה (ראו להלן), ולהבטיח שכר מינימום שממנו אפשר להתקיים.

אסור שישראל תהפוך למדינת רווחה, אך מנגד אסור שתהיה מדינה חסרת לב. בסופו של דבר, נוכל להגשים את החזון של ישראל משגשגת ואנושית רק על ידי תכנון מיידי לעתיד הכלכלי, החינוכי והבריאותי שלנו.

מדינת הספר

הדור שבנה את ישראל הציב את החינוך בראש סדר העדיפויות. בתקציבים מוגבלים ביותר הוא הקים שבע אוניברסיטאות, כל אחת ברמה בין־לאומית, לצד מוסדות מחקר מובילים. היום, עם תל״ג גדול פי כמה ואוכלוסייה ששילשה את עצמה, מערכת החינוך הישראלית אינה מצליחה לעמוד בקצב גידול המדינה, ונמצאת בתחומים רבים מתחת לסטנדרטים הבין־לאומיים.

בעוד שמחקרים מראים כי ישראל היא המדינה השלישית המשכילה ביותר בעולם, רמת החינוך הכללית של המדינה צונחת. כיום, ישראל מדורגת רק במקום ה־32 בעולם במקצועות המתמטיקה והמדעים. אף שעברה את ממוצע ה־OECD באחוז התל״ג המוקדש לחינוך ובמספר הילדים הנמצאים בגני טרום חובה, ישראל נמצאת בתחתית הסטנדרטים של ה־OECD בהוצאה לנפש, וכן במספר התלמידים בכל כיתה. במדינה ארבע מערכות חינוך שונות – חילונית, ממלכתית־דתית, חרדית וערבית, ומומחים טוענים כי בפועל ישנן כתשע מערכות כאלה. על פי פרופ׳ דן בן־דוד ממכון שורש: ״ישראל היא המדינה המפותחת היחידה בעולם שבה פחות מ־30 אחוז מהאזרחים זוכים לחינוך ברמה נמוכה מזו המוצעת במדינות עולם

שלישי. המדינה המפותחת היחידה בעולם אשר מונעת חינוך ברמה גבוהה מחלק מהאוכלוסייה שלה".

אין צורך בנבואה על מנת לחזות שמגמות אלה יפגעו ביתרון הטכנולוגי והכלכלי של ישראל, ויחלישו יותר ויותר את ההגנה שלה. מבט מקרוב על התמונה העגומה מראה כי שתי אוכלוסיות הגדלות במהירות – חרדים ובדואים – מקבלות את החינוך המינימלי, אם בכלל, הדרוש לשילובן בכוח העבודה. עשרות אלפי צעירים נידונים מדי שנה לחיים של עוני, חוסר פרודוקטיביות ותלות בנדבות מהמדינה.

כדי להפוך תהליך זה, על ישראל להפסיק להסתכל על החינוך רק במונחים פדגוגיים ותקציביים. במקום זאת, נקודת המבט חייבת להיות אסטרטגית. השקעה במערכת החינוך, תשלום הולם למורים, צמצום מספר התלמידים בכיתה והבטחה שכל התלמידים ילמדו לימודי ליבה, חיוניים כולם לקיומה ארוך הטווח של ישראל. נוער חרדי חייב לקבל הדרכה באנגלית, מדעים ומתמטיקה. ילדים בדואים חייבים לקבל חינוך איכותי. כיום, כ־5,000 מהם כלל אינם לומדים בבית הספר. בלי תוכנית לימודים מחושבת, מתוקננת ומפוקחת על ידי המדינה, פער ההכנסות בישראל יעמיק וישחק את היסוד החברתי שלה. כמו כן, על ישראל לעדכן את מערכת ההשכלה הגבוהה שלה. בכדי למלא את המחסור המחמיר במהנדסים ובטכנאי מחשבים, על ישראל לאמץ את המודל הגרמני של תוכניות מקצועיות בנות שנה ושנתיים. המטרה תהיה להרחיב את 9 האחוזים מהאוכלוסייה המועסקים כיום בהיי־טק ליותר מ־50 אחוז עד 2048.

מלבד השלכותיו האסטרטגיות, החינוך הינו סוגיה מוסרית עבור ישראל. כשם שעלינו לעמוד בטענתנו להיות מדינת הלאום של העם היהודי, כך גם על מדינתו של עם הספר להמשיך לזכות בתואר זה. החינוך תמיד היה ערך יהודי, ועליו להמשיך ולהיות סימן ההיכר של המדינה היהודית.

שופטים בישראל

אמירתו המפורסמת של מנחם בגין, "יש שופטים בירושלים", באה לסמל את מחויבותה של ישראל להישאר מדינת חוק. התחייבות זו יכולה להתממש רק על ידי הבטחת מערכת משפט עצמאית, מערכת משפט אשר נמצאת מעל העם ובאותה עת גם משקפת אותו. המערכת הזאת נמצאת כיום בסכנה.

בית המשפט העליון נתפס על ידי חלקים גדולים בחברה הישראלית כגוף זר ואף עוין. הפער בין מערכת המשפט לכנסת הולך וגדל, עם מחוקקים אשר מציעים חוקים כדי לעקוף או לבטל את פסיקות בית המשפט. חוקים כאלה פוגעים בביקורת השיפוטית, המהווה אחד מעמודי התווך של כל דמוקרטיה.

האשמה במצב מסוכן זה נעוצה ברובה באופן שבו שופטי בית המשפט העליון נבחרים. שלא כמו כל מדינה בעולם, למעט הודו ותאילנד, השופטים הבכירים ביותר בישראל נבחרים כמעט ללא משוב מהעם. בארצות הברית יש לבוחרים לא רק הזדמנות אחת אלא שתיים להשפיע על הרכב בית המשפט העליון שלהם, ההצבעה לנשיאות ולסנאט, שהיא תמיד נושא אלקטורלי מרכזי. לעומת זאת, בישראל העניין אינו מוזכר כלל, מהסיבה הפשוטה שלישראלים אין כמעט מילה בנושא.

שופטים ישראלים נבחרים בתהליך מורכב הכולל שני שרי ממשלה, נציגי גילדת עורכי הדין, ובאופן מדהים ביותר – שופטי בית המשפט העליון המכהנים בכבודם ובעצמם. תהליך זה נותן רוב קולות למשפטנים על פני נבחרי ציבור. באופן טבעי למדי, השופטים ועורכי הדין בוחרים את היורשים הקרובים ביותר להשקפות העולם שלהם. התוצאה היא בית משפט עליון, אשר נשאר מבחינה משפטית באותו מקום שהיה בו לפני עשרים ואף שלושים שנה. דעת הקהל הישראלית בינתיים השתנתה, ובעשורים האחרונים נטתה באופן משמעותי ימינה – כפי שבא לידי ביטוי בכנסת. קונפליקטים בין שני המוסדות, שהיו נדירים לפני דור, הפכו לדבר שבשגרה. כשהחקיקה שלהם בוטלה שוב ושוב, חברי כנסת החלו לשאול את השופטים, "מי בחר בכם?", וטענו כי הם, חברי הכנסת, לבדם מייצגים את רצון העם.

הגישה האקטיביסטית שאימץ בית המשפט מאז שנות ה־90 ונשיאותו של אהרן ברק העמיקה את התהום עוד יותר. תחת הכותרת "הכול ניתן לשיפוט", פסק בית המשפט בסוגיות מגוונות כמו הצבת גדר הביטחון, ואם הממשלה יכולה לשמור כדין את שרידי המחבלים שנרצחו (היא לא יכולה). בנוסף, ברק נתן עדיפות לאופייה של ישראל כמדינה דמוקרטית על פני מעמדה כמדינה יהודית. תיק קציר משנת 2000, שבו פסקו השופטים לטובת משפחה ערבית שנאסר עליה לרכוש בית במושב במימון ציוני, נותר ציון דרך. הדבר האיץ את ניכורו של בית המשפט מהכנסת, שהפכה בהדרגה יותר לאומנית ושומרת מצוות.

ברור לכול כי ישראל של 2048 חייבת להשיב את עצמה מפי התהום המשפטי, דבר שניתן להשיג רק על ידי רפורמה מוחלטת בתהליך הבחירה של השופטים. הדוגמה האמריקאית עשויה להיות לא מעשית עבור חברה מגוונת ומפולגת כמו זו הישראלית - ייתכן שבבית המשפט לעולם לא יכהן שופט ערבי או חרדי. מצד שני, המודל האירופי שבו 50 אחוז מהשופטים נבחרים על ידי הפרלמנט, משקף את צרכיה של ישראל בצורה טובה יותר. המטרה היא לאפשר לכנסת לבחור שמונה מתוך חמישה עשר שופטי בית המשפט ולתת

להם קול מכריע, תוך מתן אפשרות לנציגי הממסד המשפטי לבחור את שבעת השופטים הנותרים. זוהי הדרך היחידה לשמר ביקורת שיפוטית ולקיים את תפקידו של בית המשפט להגן הן על זכויות המיעוטים הן על הרוב.

לבסוף, יש להגביל את תחום הפעולה של בית המשפט. לא הכול נתון לשיפוט ובמיוחד לא סוגיות חיוניות לביטחון לאומי, הנידונות כמעט כולן בממשלה ובמערכת הביטחון. על בית המשפט להגביל עצמו לנושאים בעלי אופי משפטי גרידא. חייבים להיות שופטים בירושלים של 2048, אבל עליהם להיות חלק מהעם – לא מנותקים ממנו – ועליהם לדעת מה בתחום שיפוטם ומה לא.

מדינת השוויון המגדרי

כנער באמריקה של שנות ה־60 וה־70, ישראל נראתה לי כמופת של זכויות נשים. היו תצלומים של חיילות עם חצאיות קצרות, צועדות בגאווה עם רובי העוזי שלהן, נשות הקיבוץ בכובע טמבל, עובדות בשדות, ונשים שנראו בטוחות בעצמן למדי. הייתה גם גולדה מאיר. ישראל נראתה כמו מבשרת הפמיניסטיות. רק לאחר שהגעתי לכאן, תחילה כמתנדב ואחר כך כעולה, התחלתי לראות את הפער העמוק בין המיתוס הסובב את הנשים הישראליות לבין המציאות הפחות שוויונית שלהן.

למרות שצה"ל היה מהצבאות היחידים בעולם שגייס נשים, הוא הגביל אותן לחלוטין לתפקידים שאינם קרביים, רבים מהם פקידותיים. ניצול מיני על ידי ממונים גברים היה דבר שבשגרה. באופן דומה, בקיבוץ עבדו יחסית מעט נשים בשדות, והשאר נשארו במטבחים המשותפים ובבתי הילדים. אם נשים ישראליות היו בטוחות בעצמן, הדבר לא התבטא בשוויון הזדמנויות בקריירה שלהן ובשכרן. גולדה אולי כיהנה כראשת ממשלה, אולם היא הייתה רק אחת משלוש נשים במפלגתה שהחזיקה ב־56 מושבים בכנסת. בנוסף לפערים אלה היו עוולות אפלות עוד יותר, כגון: פוליגמיה, סחר בנשים למטרות מין והריגות על רקע כבוד המשפחה.

מאז ישראל אכן התקדמה משמעותית לעבר שוויון מגדרי. החל מ־1987 הורשו חיילות להיכנס לתפקידי לחימה מסוימים, לרבות – לאחר 1995 – טייס. בשנת 2000 תוקן חוק שירות הביטחון כדי לאפשר לנשים לשרת בכל יחידה צבאית שאליה הן מתאימות פיזית, ושנה לאחר מכן בוטלה פקודת חיל הנשים הנפרד. כיום, אכן ישנן נשים המשרתות כטייסות, מפקדות סטי"ל (ספינות טילים), שוטרות מג"ב וחיילות חי"ר. עם זאת, עדיין אין נשים המשרתות בתפקידי לחימה בחטיבות החי"ר הסדירות, ביחידות הקומנדו או בצוללות. זאת בניגוד לצבא ארצות הברית והנחתים המשולבים מגדרית, כמו גם כלל הזרועות של הצי האמריקאי.

גם בפוליטיקה נעשתה התקדמות גדולה. אחוז חברות הכנסת טיפס בהתמדה, מ־8 אחוזים ב־1997 ל־25 אחוז כיום. נשים כיהנו בתפקיד יו"ר הכנסת, נגידת בנק ישראל ופעמיים בתפקיד נשיאת בית המשפט העליון. עם זאת, אחוז הנשים בכנסת ישראל מפגר בהרבה אחר זה של הפרלמנטים השוודיים, הנורבגיים והרואנדים. טרם הייתה אישה בראש המוסד או שירות ביטחון הפנים (שב"כ), או בתפקיד שרת הביטחון, ונשים אינן יכולות לכהן כחברות כנסת באף לא אחת מהמפלגות החרדיות.

במקומות עבודה קיים פער בין נשים וגברים ישראלים יותר מבצבא או בפוליטיקה. השוויון בתחום זה עוגן בחוק כבר בשנת 1954 והתעצם באמצעות רשימה של צעדים נוספים שהגיעו לשיאם בהצעת החוק משנת 2008 לעידוד, שילוב וקידום נשים במקום העבודה. לפי מרכז אדווה, השכר החודשי הממוצע של אישה ישראלית בישראל היה פחות מ־70 אחוז משכרו של גבר, כאשר בין גברים ונשים בעלי השכלה אקדמית הפער גדול עוד יותר. למרות ששלטו באופן מסורתי במגזר הבנקאי, אחוז הנשים בדירקטוריונים של הבנקים הגדולים פחות מ־20 אחוז, ובכל הדירקטוריונים של החברות פחות מ־25 אחוז. **האקונומיסט** דירג את ישראל במקום ה־22 מתוך 29 מדינות בייצוג נשים בדירקטוריונים – רק אחת מכל חמישה דירקטורים בחברות הנסחרות בבורסה הישראלית היא אישה.

בימים אלה נשקלת חקיקה לתיקון חוסר איזון זה, אך אין ספק שהפערים יימשכו. חוקים, בדומה לאלה שכבר קיימים בסקנדינביה, מונחים כעת על השולחן כדי לחייב תאגידים לשמור על יחס של לפחות 40-60 בין גברים לנשים בדירקטוריונים שלהם. אך על ישראל לחקות את סקנדינביה גם בהבטחת חופשת הורים שוויונית לאבות ולאימהות, היות שהמחסור בפתרונות טיפול בילדים הוא אחת משלוש הסיבות העיקריות לפערי הכנסה וכוח בין נשים לגברים.

בינתיים, מלבד נושא התעסוקה, נשים ממשיכות לסבול מחוסר שוויון ואי־צדק. זהו בהחלט המצב בקרב שתי הקבוצות המסורתיות הגדולות במדינה, נשים חרדיות וערביות.

בקהילות החרדיות חוסר הוגנות זה נובע – באופן פרדוקסלי – מהעסקת יתר של נשים. בעוד שכמחצית מהגברים החרדים עוסקים בלימוד תורה במשרה מלאה, מנשותיהם מצופה לתמוך בהם כלכלית. שלושה רבעים מהנשים החרדיות עובדות, עם זאת, שכרן עומד על 66 אחוז בלבד משכרן של נשים לא־חרדיות; זאת למרות עלייה חדה במספר הסטודנטיות החרדיות, בעיקר בתחומים הקשורים למחשבים. בשילוב שיעור ילודה ממוצע של 6.6 ילדים למשפחה – פי שלושה מהשיעור החילוני – ואחריות כמעט בלעדית לעבודות הבית והבישול, הנטל שמוטל על הנשים החרדיות בלתי נסבל.

גם שיעורי התעסוקה של נשים ערביות עלו משמעותית בשנים האחרונות, לצד הרשמה למכללות. עם זאת, בקרב האוכלוסייה הבדואית בישראל קיימת התעמרות מסיבית בנשים בדמות פוליגמיה. בעוד שההיבטים הדמוגרפיים והאסטרטגיים של מנהג זה נידונו לעיל, יש להדגיש בראש ובראשונה את השפעתו האיומה על נשים בדואיות.

חוקי האסלאם מתירים פוליגמיה, לגבר מוסלמי מותר להינשא לארבע נשים – זכות זו מנוצלת על ידי שלושה רבעים מהגברים. תחקיר שנערך בחדשות ערוץ 7 העלה, כי 70 אחוז מהנשים הבדואיות נשואות בכפייה וחיות תחת איום מתמיד של פוליגמיה. הן סובלות משיעורי התעללות ואלימות גבוהים בהרבה מאלה של האוכלוסייה

הכללית, ואינן יכולות להתגרש מבעליהן מבלי לוותר על ילדיהן, הנחשבים בחברה זו כשייכים לאביהם ולשבטם.

אי־שוויון פוליטי ומקצועי, הגבלות תרבותיות ודתיות – נשים בישראל סובלות גם הן מעוולות חברתיות, כגון: אלימות במשפחה, סחר בנשים למטרות מין, השחתת איברי מין ונישואי קטינים. בכל שנה ניתן לראות מקרים חוזרים ונשנים של מה שמכונה "רצח על רקע כבוד המשפחה", שבו נרצחת אישה ערבייה המואשמת על ידי בן משפחה בהתנהגות מינית בלתי הולמת. מעשים אלו אינם חוקיים על פי החוק הישראלי, אך רבות מהתקנות הללו נאכפות באופן לא מספק, ונדחקות לשוליים בקלות. רוצחים על רקע כבוד משפחה קיבלו באופן מסורתי עונשים קלים יחסית, ועוולות אחרות מאושרות למעשה על ידי החוק. אישה ישראלית יהודייה המבקשת להתגרש, חייבת לעבור דרך הרבנות הראשית, השומרת לעצמה את הזכות להעניק גט לבעל. מאות נשים ישראליות שסורבו על ידי בני זוגן, הופכות ל"כבולות" (עגונות), ואינן מסוגלות להינשא מחדש או לקבל מזונות אישה ומזונות ילדים.

במגזרים הדתיים נשים מודרות יותר ויותר מהמרחב הציבורי, ותמונותיהן על שלטי חוצות מושחתות באופן גורף. אפליה כזו אסורה לפי הצעות חוק והחלטות בית המשפט העליון, אך אלה זוכות להתעלמות בוטה. מבין אירועי ההדרה שתועדו על ידי ארגון נשים, 24 אחוז היו באחריות גופים ממשלתיים, ושיעור שערורייתי של 62 אחוז התרחש בחסות הרשויות המקומיות. כשגריר, הקשבתי באימה ובבושה כשמזכירת המדינה דאז, הילרי קלינטון, השוותה את ישראל לאיראן בהתייחסה לשכיחות הגוברת של גברים חרדים שיורקים על נשים.

הסטטיסטיקות לגבי נשים שנפצעו, נרצחו, "נעגנו" והורחקו חברתית הן עגומות, בייחוד לאור תדמית השוויון המגדרי, כביכול, של ישראל בשנותיה הראשונות. יחד עם זאת, אין להפחית בהשפעתה של חקיקה נגד הטרדה. משנת 1998, חקיקה זו שינתה באופן בולט את ההתנהגות במגזר הפרטי והממשלתי, זאת לצד "שיימינג" של טורפים מיניים. ישראל היא הדמוקרטיה המערבית היחידה שכלאה

נשיא מכהן בגין אונס. רשויות אכיפת החוק עשו מאמצים כבירים על מנת להילחם במקרים של הרג על רקע כבוד המשפחה וסחר בנשים. עם זאת, נותר מקום עצום לשיפור.

כך גם לגבי זכויות להט״ב, בלעדיהן כל דיון בשוויון מגדרי אינו שלם. גם בתחום זה, לישראל הייתה בעבר תדמית של חלוצת זכויות הלהט״ב, בית למצעד הגאווה הגדול ביבשת אסיה. עם זאת, במהלך השנים, העולם המערבי הדביק את הקצב ואף עקף את ישראל, בעוד שמבקריה מאשימים את ישראל ב״פינקוואשינג״ – שימוש בחקיקה פרו־להט״בית כדי להסוות מדיניות אנטי־פלסטינית. על מנת להתמודד עם האשמות אלה ולהגשים את האידיאלים הליברליים שלה, יש להגביה את ישראל אל סטנדרטים מערביים. המדינה חייבת להעניק לזוגות חד־מיניים את אותן אפשרויות אימוץ שזוכים להן זוגות הטרוסקסואלים, ולאפשר לנשים לסביות להכריז על בנות זוגן כאימהות לילדיהן המשותפים במעמד הלידה, מבלי שאלה יידרשו לאמצם כדי להיחשב כאפוטרפוס חוקי. נישואים חד־מיניים הם אתגר מסוג אחר, בהתחשב בהיעדר אלטרנטיבות אזרחיות לטקסי חתונה, אך, כפי שפורט לעיל, אפשר לטפל בנושא באופן חלקי באמצעות מתן היתר לטקסי נישואין אזרחיים ורפורמיים.

מדינת ישראל היא אקט של קידמה ותוצר שלה בעת ובעונה אחת – ובתחום השוויון המגדרי אומנם חלה התקדמות רבה, אך נותרה עוד כברת דרך לעבור. המטרה היא להבטיח שישראל תתחיל את המאה השנייה שלה כאשר אזרחיותיה מיוצגות באופן מלא במגזר העסקי, בממשלה ובצבא. זו חייבת להיות מדינה שנלחמת ללא הרף בהטרדות מיניות ובהדרה ציבורית, ומכחידה תופעות, כגון: נשים עגונות והשחתת איברי מין. עליה לטפל ברצח נשים על רקע כבוד המשפחה בדיוק כפי שהוא – רצח בכוונה תחילה, שהעונש עליו הוא מאסר עולם. על ישראל לעמוד בתדמיתה הקודמת כמדינה שבה כל אזרחיה, גברים ונשים כאחד, יכולים לממש את מלוא הפוטנציאל שלהם, להתפרנס באופן שווה ולהרגיש מוגנים לחלוטין מפני התעללות.

להגנתו של צבא ההגנה לישראל

צבא ההגנה לישראל מייצג את אחד מהישגיה הגדולים ביותר של ישראל. צבא האזרחים השני בגודלו בעולם (אחרי דרום קוריאה), גדול יותר מפי שניים (יחד עם כוחות המילואים) מן הצבאות של צרפת ובריטניה גם יחד, נערץ ברחבי העולם בזכות התעוזה החדשנית, המורל והאחווה שלו. אך מלבד הגנה על המדינה מפני איומים מרובים ובלתי פוסקים, צה״ל הוכיח את עצמו כחיוני בקליטת עולים חדשים, ביצירת תחושה של לכידות חברתית, בהצלת נפגעי אסונות ובהטמעת ערכים ישראליים בכל החיילים, ללא קשר לרקע הדתי, הגזעי או האתני שלהם. עקרונות אלה מגולמים במיוחד ביחידות המילואים שהובילו היסטורית את מלחמות ישראל, והביאו לא רק בגרות ואיפוק אלא גם השקפה אתית עמוקה לשדה הקרב.

כל המעלות הללו מוטלות כעת בספק. בשנים האחרונות חלה עלייה במספר הקולות, לרבות קולות קצינים בכירים לשעבר, הקוראים להפוך את צה״ל לצבא מקצועי, בדומה לזה של ארצות הברית. לדבריהם, כאשר יותר ממחצית האוכלוסייה פטורה או מתנערת משירות, וכאשר פחות מגויסים מתנדבים ליחידות קרביות, צבא האזרחים הפך למיתוס. במקום גיוס אוניברסלי, שהוא במקרה הטוב סלקטיבי ובמקרה הרע מושפע מדעות קדומות, על צה״ל לגייס

חיילים מרצון, ולשלם להם שכר מכובד. אלה מאמינים, שעם 25 אחוז התייצבות לשירות מילואים תקופתי של יוצאי הצבא הכשירים, יש לחסל גם את צבא המילואים. סקר שנערך לאחרונה במכון הישראלי לדמוקרטיה הראה, כי לראשונה רוב הישראלים מעדיפים להיפטר מהגיוס.

התוצאות של מהלך כזה יתגלו כהרות אסון כמעט בוודאות. בתוך דור, שורות צה"ל יתמלאו על ידי מיעוטים ומעוטי יכולת חברתית, וחיל הקצינים שלו יאויש על ידי בוגרי בתי ספר דתיים לאומיים ברובם. יתר על כן, המורל ויכולת הלחימה של כוחות כאלה יהיו נמוכים במידה מסוכנת, בהשוואה למתגייסים בעלי המוטיבציה הגבוהה של ימינו. בקרבות, במקום חיילי מילואים עם ניסיון של עשר או אפילו עשרים שנה, יילחמו חיילים שאינם מנוסים ושעברו הכשרה בסיסית בקושי. המחאה על מהלכים צבאיים שנויים במחלוקת, שמביע הציבור הישראלי המושקע בהוריו ובילדיו, תיעלם כמעט לחלוטין.

כמו כן, יבוטלו תפקידיו ההיסטוריים של צה"ל בקליטת עולים, יישוב הארץ ואיחוד מגזרים שונים בחברה. הצבא יחדל להיות חממה לייצור מומחי מחשבים, מהנדסים וטכנאים אחרים. כל מי שמאמין שישראל יכולה להפריט את צבאה ולהישאר המובילה בעולם בחדשנות ובפשטות, משלה את עצמו.

במקום לשנות את צה"ל, אני טוען כי על ישראל לחזק את מחויבותה לשירות הלאומי. משמעות הדבר היא השקעה רבה בחינוך הנוער הישראלי על המעלות והיתרונות של שירות כזה. המשמעות היא הרחבת ההזדמנויות לכל הישראלים – יהודים דתיים, ערבים, נשים וגברים – להקדיש לפחות שנתיים לשיפור הקהילות שלהם. מי שנרתע מנשיאת נשק, חייב להיות מסוגל להחזיק מגרפה ביער קק"ל, לסייע לקשישים או לסייע להפעיל בית תמחוי. הם יכולים לעבוד למען שיפור הקהילות שלהם. במקום לפרק יחידות מילואים, על ישראל לבנות אותן מחדש ולפתוח אותן בפני בוגרי פרויקטים אזרחיים והומניטאריים.

שינוי צה"ל פירושו גם התאמה של הפנסיות לקצינים

ולנגדים. אלה ניתנות בגיל 45 – עשרים שנה לפני האזרח הישראלי הממוצע – ומהוות יותר מ־15 אחוז מתקציב הביטחון. הפנסיות גבוהות מאלה שמקבלים אנשי צבא בדימוס במקומות אחרים בעולם, וגבוהות פי 5.3 מהפנסיות המוענקות לעובדי מדינה בישראל. מורים, למשל, ועובדי מערכת הבריאות, שרובם פורשים בשנות השישים לחייהם, מקבלים 7,900 שקל ו־8,000 שקל, בהתאמה. לעומתם, נגדים וקצינים לשעבר מקבלים 15,200 שקל ו־19,400 שקל. יחד עם תוחלת החיים הגבוהה יותר והכישורים שרכשו במהלך השירות הצבאי, אנשי מקצוע בצה״ל יכולים לצפות לחיים אמידים גם בשנות השמונים לחייהם.

כמובן, יש צורך ביטחוני מתמשך לתמרץ אנשים מוכשרים להישאר בצבא ולוותר על היתרונות של עבודת היי־טק אזרחית. צורך זה גם ממשיך לתגמל מפקדים קרביים להמשיך לסכן את חייהם ולבלות זמן מינימלי בלבד עם משפחותיהם. אולם העלויות השוטפות של הפנסיות בצה״ל באות על חשבון שירותי הבריאות, החינוך והרווחה, ושוחקות עוד יותר את אמון הציבור בכוחות המזוינים.

הפתרון טמון ביצירת חבילות אטרקטיביות – לא רק שכר מוגדל אלא גם תארים אקדמיים בחינם – לטכנאים ולאנשי צוות חיוניים אחרים. המשמעות היא ייעול תוכניות הפנסיה הצבאיות, וביטול הבונוסים של הרמטכ״ל, שמגדילים את ההטבות של כמעט כל הגמלאים בכ־20 אחוז. המשמעות היא בחינת האפשרות שצה״ל, כמו כל האוניברסיטאות בישראל, ישתתף ברווחי הטכנולוגיות המפותחות על ידי חייליו.

לבסוף, ישנו האתגר של הפער החברתי והדרכים שבהן הוא משתקף – ומעמיק – בצה״ל. יותר ויותר ילדי משפחות אמידות, שרבים מהם נהנו מיתרונות חינוכיים משמעותיים, מתגייסים לחיל המודיעין. שם הם רוכשים את כישורי המחשב וההנדסה, שאומנם חיוניים לביטחונה של ישראל, אך מאפשרים להם לצאת מהצבא ישירות למשרות טכניות בשכר גבוה. חיילים קרביים, לעומת זאת, רובם מהפריפריה, רוכשים בצבא מעט כישורים שיכולים לתרום

לקריירה העתידית שלהם. התוצאה היא פער חברתי־כלכלי מתרחב בין המשרתים במודיעין לבין הנושאים נשק.

תיקון חוסר האיזון הזה יחייב לספק לבוגרי יחידות קרביות את האמצעים "להדביק" את אלה שישבו מאחורי מחשבים. יש להנגיש קורסים מרוכזים ללא שכר לימוד, יחד עם התמחויות והדרכה אישית. שוב, הפתרון טמון לא בהתמקצעות של חיל המודיעין וזרועות הלחימה, אלא ביצירת שוויון במגרש המשחקים החינוכי והתעסוקתי לכל המשרתים בצבא.

צה"ל חייב להישאר המגן של גבולותינו, מאגר הערכים שלנו וכור ההיתוך לגיבוש חברה ישראלית מלוכדת. הפתרון לאתגרים הניצבים בפני צה"ל אינו נעוץ בצמצומו לצבא המתבסס על גיוס וולנטרי, אלא בהרחבתו לחובה אזרחית לכול. הפתרון נעוץ בשימור ובשיפור מעמדו של הצבא בחברה הישראלית.

מדינת ביטחון

יותר מדיור, בריאות וחינוך, ויותר מיוקר המחיה, לישראלים אכפת מהביטחון. כך מוצג בתוצאות כל סקר שנערך על ידי כל המפלגות הפוליטיות, ואין זה פלא. מדינה שלא ידעה רגע אחד של שלום אמיתי מאז הקמתה, הגובלת באויבים המבקשים את השמדתה, ומתמודדת בקביעות עם איומים שלא היו מתקבלים על הדעת בכל חברה מודרנית אחרת, מובן שתהיה אובססיבית לביטחון. אבל איזה סוג של ביטחון? באיזו מידה אסטרטגית ודיפלומטית? באיזה מחיר?

ניתן להגדיר ביטחון בדרכים רבות – חינוכי, כלכלי ואפילו פסיכולוגי. כל אלה חיוניים לחוסן הלאומי שלנו. לישראלים, לעומת זאת, יש הגדרה צרה ואישית יותר: מה ששומר על ביטחונם של ילדינו. גם האיומים מוחשיים יותר: רקטות, מחבלים מתאבדים, נשק לא קונבנציונלי והתקפות סייבר. בסעיפים קודמים בחנו את הצעדים הדרושים להבטחת חוסנה וחיוניותה של ישראל ב־2048. כך יכולה ישראל להיות, גם על פי הגדרת אזרחיה, מדינת ביטחון.

הצעד המתבקש הוא לשמור על היתרון הצבאי של ישראל. זה כולל לא רק כוח קרקעי, אווירי וימי, אלא יותר ויותר יכולות סייבר ככל שהמאה מתקדמת. זה כולל התקדמות מתמשכת בטכנולוגיות

הנשק הבלתי מאויש, יכולות לייזר והגנה מפני טילים. כל אלה דורשים נתח משמעותי מהתקציב הלאומי של ישראל, אולי אף יותר מ־5.9 האחוזים הנוכחיים. אם לא יהיה שינוי יסודי במזרח התיכון, הוצאות כאלה יהיו יותר ממוצדקות.

אולם כל המטוסים והטנקים בעולם לא יהיו בעלי ערך רב לישראל אלא אם כן היא תיהנה מהזמן והמרחב להפעלתם. נקודה זו נידונה בפרק על מדיניות החוץ. על מנת שתהיה בטוחה באמת, ישראל חייבת להפסיק לראות שדה זה כקריטי להגנתנו. עליה להבין שרבים מאויבינו אינם רואים עוד בלבנון או בעזה את שדות הקרב העיקריים. את מקומן תפסו מסכי הטלוויזיה והמחשב, שיכולים להציג את החיילים הישראלים כפושעי מלחמה, ואת בתי המשפט הבין־לאומיים שבהם הם יועמדו לדין. המטרה היא לא רק להרוג ישראלים, אלא חשוב מכך, לגרום לישראל להרוג את האוכלוסייה האזרחית שאויבינו משתמשים בה כמגנים. לשם כך, הם יתמרנו את התקשורת, יפברקו חדשות וייצרו את הזעקה הציבורית שתדחוף מנהיגים זרים לגנות את ישראל בפורומים בעולם. במקום אסטרטגיה צבאית, יש בידיהם טקטיקות צבאיות שמשרתות את המטרה העיתונאית, הדיפלומטית והמשפטית של שלילת זכותה של ישראל להגן על עצמה, ובסופו של דבר, שלילת זכותה להתקיים.

ישראל חייבת להקדיש את המשאבים הדרושים להסיט התקפות מסוג זה ולהכשיר את כוח האדם המתאים. בנוסף לחיזוק ההגנות שלה, על ישראל לפעול גם כפי שעשתה במלחמות קודמות. המטרה שלנו חייבת להיות לא לצאת למלחמה מלכתחילה, וזאת באמצעות שכנוע אויבינו במחיר הכבד שישלמו. ניתן להשיג זאת באמצעים שונים, המוגדרים באופן קולקטיבי "הרתעה".

הדאגה לשמירה על כוח ההרתעה של ישראל הייתה בעלת חשיבות עליונה בעשורים הראשונים של המדינה. ישראל יצאה למלחמה פעמיים, בשנים 1956 ו־1967, עוד בטרם האויבת העיקרית שלנו, מצרים, ירתה ירייה. בשני העימותים הגיעו מנהיגים ישראלים למסקנה כי היסוס בתקיפה ישכנע את כל יריביה של ישראל שניתן

לאיים על המדינה היהודית ללא עונש. הדבר יוביל להתקפות טרור או אפילו לפיגועים מאסיביים שעלולים להכריע את הכוחות הישראליים.

כוחות אלה גדלו מאז באופן מעריכי, אך כוח ההרתעה של ישראל פחת במקביל. מחבלים יורים אלפי רקטות מעבר לגבולותינו, משתקים ומסכנים את החיים בישראל, בטוחים שישראל הפכה רגישה ביותר לאובדן חייליה, למחיר לאוכלוסייה האזרחית ולתגובת הדעה העולמית. איראן, שנשבעה בגלוי להשמיד את ישראל, תוקפת אותנו באמצעות גרורותיה באזור בידיעה בטוחה שישראל לא תגיב נגד איראן עצמה. תפיסות מסוג זה עלולות להוביל את האייתוללות למסקנה שישראל תישאר פסיבית בזמן שהם פוצחים בייצור מאות פצצות גרעיניות.

כיצד, אם כן, תוכל ישראל לשקם את כוח ההרתעה שלה? דרך אחת, ללא ספק, היא לחזור לתקופה שבה הפעולות הצבאיות של ישראל היו תמיד בלתי צפויות. כשנשאל המומחה המפורסם למזרח התיכון, ג'יי' סי' הורביץ, על ידי ממשלת ישראל בתחילת שנות ה־50, כיצד לשמר את ההרתעה שלה בצורה הטובה ביותר, אמר כי "כמדינה פגיעה ללא בעלי ברית, אסור לכם לעולם להיות צפויים". ישראל הפכה צפויה, ומאפשרת לאויבים לתקוף אותה ולחשב במדויק את תגובתה. דפוס זה חייב להישבר ולהתחלף במדיניות של הנחלת חוסר ודאות ופחד בכל אויבינו.

דרך נוספת ושנויה ביותר במחלוקת, היא לבחון מחדש את הברית האסטרטגית שלנו עם ארצות הברית. מערכת יחסים זו, על שורשיה במלחמת יום הכיפורים ב־1973, התרחבה לסיוע צבאי של מיליארדי דולרים בשנה, כמו גם בהתחייבות הקונגרס לשמר את היתרון הצבאי האיכותי של ישראל (Edge Military Qualitative). זה האחרון, המאפשר לישראל "להגן על עצמה, בעצמה, מפני יריבים מזרח תיכוניים או שילוב של יריבים", הוא מרחיק לכת באופן ייחודי. אולם כבר היום, ובוודאי עד אמצע המאה, יש להטיל ספק ביעילותו של הסדר זה. האם האינטרס של ישראל הוא באמת להיתפס כתלויה בהגנתה של ארצות הברית?

זהו בהחלט האינטרס של אמריקה. הסיוע, שכמעט כולו חייב להיות מושקע בארצות הברית ובפריטים שאושרו רשמית, מסבסד את תעשיית הנשק האמריקאית. הסדר זה הינו פופולרי פוליטית בקרב רוב הבוחרים, אך לצד זאת יוצר רושם של מינוף, ומאפשר למבקרי ישראל לאיים, לצמצם או לבטל את הסיוע כדי לכפות עליה ויתורים. בעבר הסיוע האמריקאי היווה נתח גדול מהתקציב הלאומי שלנו, אך כעת הוא פחות מחמישית ממנו. עם זאת, הוא מנציח את התפיסה שישראל נותרה תלויה צבאית במעצמה זרה. זו תדמית שישראל אינה יכולה להרשות לעצמה להציג, והיא בעייתית במיוחד בתקופה שבה ארצות הברית נסוגה אסטרטגית מרוב העולם. יותר מערכו הכספי, הסיוע סימל את מחויבותה של אמריקה לעמוד לצד בעלות בריתה ולשמור על השלום העולמי. הסרת תפקיד היסטורי זה, בעיקר במזרח התיכון, מפחיתה את המשמעות הפסיכולוגית של סיוע זה.

יש להעלות התנגדויות דומות לחתימה על הסכם הגנה בין ארצות הברית לישראל. הסכם כזה יעניק לישראל מעט יותר מהתחייבויות ה־QME שהיא כבר מקבלת מהקונגרס. זאת מבלי להתחייב באופן מלא לארצות הברית ואולי לקשור את ידיה. צריך רק לזכור את הכישלון של אמריקה לעמוד בהתחייבויותיה להגן על דרום וייטנאם במהלך הפלישה של צפון וייטנאם ב־1975, או את הווטו שלה על מתקפת מנע ישראלית, שנתיים קודם לכן, במלחמת יום הכיפורים. יש רק לזכור את הנסיגה האמריקאית מאפגניסטן ב־2021. במקום להסתכן בהישנותם של תרחישים כאלה, על ישראל לפעול כדי לשכנע את אויבינו שאכן נגן על עצמנו בעצמנו, ולא נסתמך על אף מדינה אחרת לעזרה.

ותיקה יותר ממחצית המדינות החברות באו"ם ועם אוכלוסייה כמעט כפולה מזו של דנמרק ונורבגיה, ישראל חייבת להיות מסוגלת אסטרטגית לעמוד על רגליה. אין זה אומר שישראל צריכה לוותר על יחסיה האסטרטגיים עם ארצות הברית, או להפסיק בכל דרך שהיא להעריך את תמיכתה. אף אומה אחרת אינה חולקת את הערכים שלנו ומכבדת את הקשרים הרוחניים שלנו. אף מדינה אחרת אינה ביתה של

קהילה יהודית כה גדולה וחזקה. ואף אומה אחרת – בינתיים – אינה מתחרה בכוחה של אמריקה. ישראל חייבת תמיד להיות מסוגלת לסמוך על ארצות הברית לגיבוי דיפלומטי ולאספקה לוגיסטית, במיוחד בזמן מלחמה.

למרות זאת, עד שנת 2048 על ישראל להיות עצמאית מבחינה צבאית. מי שמבקש לפגוע בנו או להשמידנו, חייב לדעת שישראל תגיב לכל תוקפנות בחופשיות, בכוח ובדרכים שאף אחד מהם לא יכול לצפות מראש. עם מרחב התמרון שמספקים הדיפלומטים שלנו, המגובה מבחינה מוסרית ולוגיסטית על ידי ארצות הברית, יכול צה״ל להבטיח את ביטחונה של ישראל, מדינה מכובדת ובעלת כושר הרתעה כאחד.

ישראל בין האומות

התנועה הציונית שהקים הרצל הייתה במהותה יוזמה למדיניות חוץ, שכוונה לסולטנים, קייזרים ומנהיגי עולם אחרים. היא נשענה על מסורת עתיקה כמו היהדות עצמה ועל הצורך של אבותינו לנווט בין אימפריות לוחמות. הברית בין אלוהים לעם היהודי משלבת שפה ומושגים מהסכמים עתיקים. ניתן לראות בתנ"ך עצמו כמדריך למתחילים, כיצד – וכיצד לא – לנהל ענייני חוץ.

מורשת זו נרתמה על ידי מייסדי ישראל כדי להבטיח הכרה ולגיטימציה למדינה היהודית, ולאחר הקמתה לסייע להבטיח את הישרדותה. בדומה לאבותינו בתנ"ך היה על מנהיגי ישראל לנווט בזהירות בין גושים עוינים ולשמור על בריתות אסטרטגיות. בשנים האחרונות הפך המאמץ להשמיד את ישראל ממבצע צבאי בלעדי למערכה משפטית ברובה, שנועדה לעשות דה־לגיטימציה למדינה היהודית ולחנוק אותה בסנקציות. אם כן, מדוע ממעיטה ישראל בחשיבותם של יחסי החוץ, ולעיתים קרובות אף מבטלת את תפקידם?

הסיבה לכך היא קיומה של מסורת מקבילה – הסלידה הציונית מתפקיד המתווכים היהודים בתפוצות (שתדלן) בשילוב המשקל שמייחסים הישראלים להסתמכות על עצמי. את אסכולת המחשבה סיכמה בצורה הטובה ביותר האמירה המפורסמת של דוד בן־גוריון,

"אום שמום". כאשר, כשגריר בארצות הברית, הודעתי לראשונה למפקדי צה"ל והמוסד על המערכה להחרמת ישראל ולענישתה, תגובתם הייתה: "אין מה לדאוג. העיקר שנישאר חזקים". כאילו טנקים ומטוסים יכולים להגן על המדינה מפני תנועה עממית המבקשת להעביר חוקים השוללים מאיתנו, ראשית, את הזכות להשתמש בנשקים אלה, ומאוחר יותר את הזכות להתקיים.

בתחרות בין שתי המסורות – תשומת הלב המקראית למדיניות החוץ מחד, והבוז הנוכחי מאידך, ניצחה השנייה. המדינה שללה ממשרד החוץ רבים מתחומי אחריותו, ותקציבו קוצץ שוב ושוב. חלק ניכר ממדיניות החוץ של ישראל מנוהל כיום באמצעות המטה לביטחון לאומי, צה"ל והמוסד, ומופקד בידי אנשים חסרי כל רקע דיפלומטי. נורבגיה, שאינה מתמודדת עם האתגרים המשפטיים והדיפלומטיים שישראל מתמודדת עימם, מוציאה פי 12 מישראל על יחסי החוץ שלה. הרשות הפלסטינית מחזיקה ב־120 נציגויות בחו"ל, בעוד שלישראל יש 96, וכמה מהן מתוכננות להיסגר.

למרבה האירוניה, ההחלטה לקצץ בייצוגה של ישראל בחו"ל מגיעה בתקופה של עניין בין־לאומי חסר תקדים בהרחבת הקשרים עם המדינה היהודית. פעם, בשנים שלאחר יום השנה ה־25 להולדתה של ישראל, המדינה הייתה מבודדת לחלוטין. ללא שלום עם ירדן ומצרים, עוינות בלתי פוסקת מסין, מהודו ומהגוש הסובייטי בן 12 המדינות, ושגרירויות רק בחמש מתוך עשרים וארבע בירות אפריקה. היחסים עם רוב מרכז ודרום אמריקה היו מתוחים במקרה הטוב. כיום, חמישים שנה לאחר מכן, כל המדינות הללו, בנוסף לארבע המדינות הערביות החתומות על הסכמי אברהם, נמצאות בקשר הדוק עם ישראל. מעולם לא היה התיק הדיפלומטי שלנו מגוון יותר. מעולם לא היה אופק מדיניות החוץ שלנו רחב יותר. ואף על פי כן, מעולם לא היה צורך דחוף יותר בדיפלומטיה ישראלית יעילה, יצירתית ופעילה.

הסיבה לכך היא שכעת, כמו באלפי השנים הקודמות, ישראל חייבת לנווט בין אימפריות. עם נסיגתה של ארצות הברית – בעלת בריתה הבולטת של ישראל כמעט מאז היווסדה – מהמזרח התיכון

וממקומות אחרים בעולם, וכאשר מעצמות אחרות ממהרות למלא את הוואקום, ישראל מוצאת את עצמה מתמודדת עם אתגרים חדשים של מעצמות על. יותר מהסכנות הנשקפות מהכוחות הרוסיים המוצבים ליד הגבול הצפוני שלנו, ישנו האתגר המתקרב של סין.

אותה סין שבנתה כשלושים וחמישה נמלים ברחבי העולם, בהם גם אחד בכניסה לים סוף, ועל פי דיווחים מתכננת לבנות שניים במפרץ הפרסי. אותה סין ששולטת כעת כלכלית באפריקה, בעודה מרחיבה במהירות את טווח פעילותה הימית ברחבי העולם. אנליסטים מעריכים גם כי לסין לבדה יש היכולת לבנות מחדש את סוריה, פרויקט שעלותו מוערכת בכ־300 מיליארד דולר. אותה סין, חידשה את שני הנמלים הגדולים של ישראל, הניחה את הרכבת התחתית של תל אביב וביצעה עשרות פרויקטים גדולים של בנייה ברחבי הארץ. קו הרקיע של מרבית ערי ישראל מסומן בעגורנים הנושאים שלטים סיניים. בולטות פחות הן ההשתלטות הסינית על חברות היי־טק ישראליות ופתיחת מרכזי תרבות וטכנולוגיה סיניים באוניברסיטאות ישראליות.

סין היא בהחלט מדינה לא עוינת – האנטישמיות לא ידועה שם – אך היא נחשבת ככזו במידה גוברת והולכת על ידי ארצות הברית. בכירים אמריקאים הזהירו שוב ושוב את עמיתיהם הישראלים כי אם סין תבנה מחדש את נמל חיפה, הצי השישי של ארצות הברית יפסיק לפקוד אותו. וושינגטון פעלה שוב ושוב למניעת מכירה של טכנולוגיה צבאית ישראלית לסין, עד כדי התגלעות של משברים דיפלומטיים עם ירושלים. עמדתה של בעלת בריתנו היא שישראל אינה יכולה לקבל גם את העוגה האמריקאית וגם את עוגת האורז הסינית. בסופו של דבר, אנחנו חייבים לבחור.

ישראל חייבת לנווט. עליה לאזן בין קשריה האסטרטגיים, הכלכליים והאידיאולוגיים עם אמריקה, לאינטרסים המתפתחים שלה עם סין. עליה לעקוב בתשומת לב אחר נסיגתה של אמריקה מהמזרח התיכון, במקביל לכניסתה המהירה מאוד של סין, ולהתמודד עם יחסיה הקרובים של סין עם איראן, צפון קוריאה ומדינות אויב

אחרות. בד בבד, אסור לישראל לשכוח את מטרת מדיניות החוץ של שמירה על זכותנו להגן על עצמנו, ומעבר לכך, את זכותנו להתקיים כמדינה יהודית ריבונית.

האמצעים להבטחת זכויות אלה נידונים בפרק אחר (ראו פרק: מדינת ביטחון), אך יש לחזור ולהדגיש שכישלון לטפל באיום הממשי הנשקף מדי יום ללגיטימיות של ישראל עלול לסכן מאוד את ביטחוננו, ובסופו של דבר, גם את עצם קיומנו. יש להילחם באיום זה בכל האמצעים האפשריים, לרבות, כמובן, מדיניות חוץ, אשר הייתה ותישאר נחלתו העיקרית של משרד החוץ.

למרות כל זאת, דווקא התקציב ותחומי האחריות של המשרד הזה צומצמו באופן קיצוני. אם ברצוננו להפוך את המגמה הזאת יש להסביר לישראלים את החשיבות וההשפעה של ענייני החוץ על חיי היום־יום שלהם. הם חייבים ללמוד שדיפלומטיה היא לא רק הילד החורג המסכן של הביטחון, אלא כלי חיוני לשמירה על בתיהם ועל שגשוגם. דיפלומטים אינם "לוגמים קוקטיילים", כפי שטוען המיתוס הפופולרי, אלא עובדים שעות ארוכות תמורת שכר זעום, ואף מסכנים את חייהם כדי לייצג את ישראל ולהגן עליה בעולם, שלעיתים קרובות עוין אותה. הם מספקים את הזמן ואת המרחב הדרושים לחיילים שלנו כדי להילחם ומגנים עליהם מפני תביעות משפטיות.

יש לעשות שינויים גם במשרד החוץ, מוסד הידוע לשמצה בשל חוסר יעילותו ובשל בירוקרטיה חסרת מידה. יש לייעל ולחדש אותו. חלפו הימים שבהם דיפלומטים עברו דרך כ־120 ערוצים כדי לרכוש קומקום תה (זה קרה באמת). כך גם יש לטהר את המשרד משימוש בפרוטקציה, שהובילה בעקביות למינויים שאינם הולמים ואף מזיקים בחו"ל ולהדלפות כרוניות לעיתונות. בתחילת כהונתי בוושינגטון תדרכתי כמה מחלקות של משרד החוץ, בהן היחידה המסווגת ביותר, וקראתי את כל מה שאמרתי בעיתונים שיצאו למחרת. שגריר ישראל בארצות הברית לא שוחח שוב עם משרד החוץ במשך חמש השנים הבאות.

באופן כללי, יש לדאוג לכך שהמשרד ישקף את המציאות של

המאה העשרים ואחת. כבר אין היגיון שבשגרירות בוושינגטון יהיה דיפלומט במשרה מלאה שאחראי על ארגונים בין־לאומיים, ואף לא נספח פוליטי אחד שמנתח את הבחירות באמריקה. דיפלומט בדרג בינוני אינו יכול עוד לשמש כאיש הקשר היחיד של ישראל ל־1.4 מיליארד נוצרים. החלוקה הישנה של מחלקות על פי גיאוגרפיה (דסק אסיה, דסק אירופה) איננה מתאימה לעולם המקושר על ידי האינטרנט והגלובליזציה הכלכלית. שגרירים וצוותיהם חייבים להיבחר אך ורק על פי כישוריהם, על ידי ועדה ללא השפעה של משרד החוץ, ויש לפטרם באופן מידי על הדלפות. למעשה, יש לפרק ולבנות מחדש את המשרד באופן שיוכל להחזיר את אמון הציבור בו.

הדרך להשיב את משרד החוץ לעמדה הנעלה שבה החזיק בשנותיה הראשונות של המדינה, ובאופן כללי להחיות את כבוד העם היהודי לדיפלומטיה, היא ארוכה ומאתגרת. עם זאת, זוהי דרך שיש לנקוט בה. אם ישראל מעוניינת למצב את עצמה בהצלחה בעולם של המאה העשרים ואחת, עליה לנווט בין מעצמות מתחרות ולהגן על עצמה מפני דה־לגיטימציה. ישראל יכולה להיות אור לעמים, אך רק באמצעות הפעלת אלומת האור והגנה עליה.

מדינה של שגשוג וכבוד

בנסיעותיי ברחבי ארצות הברית ואירופה פגשתי לעיתים קרובות צעירים ישראלים, רבים מהם משכילים מאוד, שבחרו לגור בחו״ל. ההצדקה שלהם לבחירה הזו הייתה זהה אצל כולם. לא הביטחון והמצב הפוליטי ואפילו לא הזדמנויות הקריירה היו הסיבה להחלטתם. אלא היעדר עתיד כלכלי – חוסר היכולת להרשות לעצמם בית או מכונית, ולפרנס כראוי את ילדיהם. לדבריהם, החיים בישראל לא אפשרו להם להתקיים בכבוד. הגעתי למסקנה שיותר מהסכסוך עם הפלסטינים או האיום האיראני, יותר מהפילוג בין ימין ושמאל, דתיים וחילונים, האיום ארוך הטווח הגדול ביותר על קיומה של ישראל הוא הכלכלה.

הבנה זו הייתה מפתיעה, לאור ההיסטוריה של ישראל והמדינה שבה נתקלתי לראשונה לפני חמישים שנה. ממדינה סוציאליסטית, חקלאית והרבה פחות מרובדת, הפכה ישראל למדינת שוק חופשי ברובו, מדינת היי־טק שבה חמישית מהאוכלוסייה חיה בעוני. בעשור הקודם לבדו ההכנסה הממוצעת של משקי הבית כמעט הוכפלה, והתמ״ג לנפש עלה בהרבה על זה של צרפת, איטליה ויפן. עם 1.9 טריליון מטרים מעוקבים של מאגרי גז, ישראל צפויה לקצור עשרות מיליארדי דולרים בחיסכון באנרגיה, בהכנסות ממסים וביצוא. ישראל, המובילה העולמית בחדשנות, ביתם של למעלה מ־550

חברות טכנולוגיה בין־לאומיות ויותר סטארט־אפים מאשר בכל מערב אירופה, צפויה להרוויח אין־ספור מיליארדים בשנים הקרובות. האבטלה, לפחות לפני משבר הקורונה, הייתה זניחה.

לאור כל האינדיקטורים הללו, מדוע מדורגת ישראל במקום האחרון ב־OECD בפריון, ובמקביל, מובילה את הרשימה במספר שעות העבודה השבועיות? מדוע הפער בפיריון בין ישראל ומדינות מפותחות אחרות רק הולך ונפער? מדוע יוקר המחיה בישראל גבוה ב־10 אחוזים מאשר בארצות הברית וברבע מ־36 מדינות ה־OECD, כאשר תל אביב מדורגת כעיר היקרה ביותר בעולם? כיצד סל הקניות הוא היקר בעולם אחרי זה של יפן, כשאותה קופסת קורנפלקס שנמכרת בפולין ב־2 דולרים עולה לישראלים 6 דולרים? איך מוצר ישראלי פופולרי כמו במבה יכול להיות זול יותר בלוס אנג׳לס מבחיפה?

כמה תשובות לשאלות אלו, ולחלקן כבר התייחסנו. הפריון מושפע עמוקות משתי האוכלוסיות המסורתיות, הן ברמת ההשכלה וההכשרה הנמוכה, הן בסירובם של רוב הגברים החרדים ורוב הנשים הערביות לעבוד. הפריון מושפע גם מהמיסים הגבוהים בישראל, הנדרשים מתקציב הביטחון העצום שלה ומעלויות הבריאות האוניברסליות, שלא מתמרצות את הייצור. שעות עבודה ארוכות, לעומת זאת, הן מאפיין של התרבות הישראלית. צרפת, לשם השוואה, עם אחד משבועות העבודה הקצרים ביותר באירופה, מובילה את דירוגי הפריון. וישנה גם הבירוקרטיה הישראלית הידועה לשמצה. את השעות הרבות שישראלים מבזבזים בהמתנה בתור במשרדי הממשלה אפשר היה בקלות להשקיע בהפקה מוחשית.

אין כאן פתרונות קסם. לא ניתן להפחית את יוקר המחיה בישראל מבלי לפרק את מאה המונופולים – המספר הגדול ביותר במערב – השולטים בכלכלה שלנו. זה תקף במיוחד ליבואנים, שמנפחים באופן מוגזם את המחיר של קורנפלקס ושל אלפי מוצרי צריכה אחרים. גם המגזר הבנקאי, הנשלט כמעט לחלוטין על ידי חמישה בנקים שגובים מישראלים כספים עבור שירותים הניתנים

בחינם בארצות הברית, חייב להיפתח לתחרות. קרטלים דומים מעלים מחירים בשוקי הנדל"ן, הביטוח והתקשורת. הצרכנים יכולים לעזור להילחם בנגע הזה, כמו בשנת 2011, כאשר החרימו בהצלחה את יצרני גבינת הקוטג׳ ומוצרי חלב אחרים. עם זאת, בסופו של דבר, אין חלופה לחקיקה אפקטיבית להגבל עסקי, המבוצעת על ידי הכנסת ומגובה על ידי הממשלה.

המחירים עולים גם בגלל מדיניות רגולטורית מרחיקת לכת בכל המגזרים הכלכליים למעט ההיי־טק, בעקבות החסמים הבירוקרטיים לפתיחת עסק שהם מהקשוחים בעולם, והמכסים המסיביים המוטלים על סחורות רבות. ישראל מדורגת במקום ה־28 בעולם מבחינת מקסום העמלות התפעוליות ובמקום ה־85 מבחינת כיבוד חוזים עסקיים. מיסים על מכוניות, כפי שכל ישראלי יודע, מהווים 85 אחוז מעלות הרכב. שוב, לא תהיה הקלה ממגבלות אלה על צמיחתה של ישראל – ואין תקווה למיליוני אזרחיה – ללא פעולה ממשלתית מתואמת להסרת הפיקוח ולהורדת המכסים, אשר מזיקים הרבה יותר משהם מגנים.

ביטול הבירוקרטיה הינו צעד חיוני נוסף לקראת הצמיחה הכלכלית העתידית של ישראל. כנציג ישראל בקונסורציום של פורום הנתונים D5, ראיתי ממקור ראשון כיצד מדינות כמו דרום קוריאה, בריטניה, ניו זילנד ובמיוחד אסטוניה הצליחו להפוך כמעט את כל השירותים הממשלתיים לדיגיטליים. בישראל, לעומת זאת, רק 55 אחוז מהמידע על האזרחים משותף בין המשרדים. על ידי ביצוע רוב, אם לא כל, האינטראקציות שלנו בין האזרח לממשלה באינטרנט, ייחסכו אין־ספור שעות עבודה ואף עוגמת נפש.

ישראל חייבת להשקיע באופן נרחב יותר גם ביתרון הטכנולוגי שלה. בעוד שהינה מובילה עולמית במונחים של השקעה לאומית לנפש בחדשנות, היא כושלת מבחינת אחוז עובדי ההיי־טק המועסקים על ידי חברות מקומיות. אלה בקושי יכולות להתחרות עם הענקיות הבין־לאומיות – אפל, מיקרוסופט, אינטל – במונחים של תגמול עובדים. התוצאה היא דימום פנימי של הידע, שבו כל ההשקעה

של ישראל ביצירת מהנדסים – החל מהגן וכלה במכללה – זורמת אל מחוץ למדינה מבלי שיהיה ניתן להחזירה. בו בזמן, חברות מקומיות מורעבות לכישרון טכני מן השורה הראשונה. כדי לבלום את היציאה החוצה על הממשלה לתמרץ מהנדסים ואנשי צוות מיומנים אחרים לעבוד בתוך חברות ישראליות. במקביל, על המדינה לעודד חברות ישראליות להתנגד לדחף לעשות אקזיט ולהישאר מותגים לאומיים – המקבילה הישראלית לנוקיה של פינלנד.

ניתן לנקוט צעדים רבים נוספים, החל ממתן חינוך חינם לגיל הרך לילדי אימהות עובדות וכלה בכינון אמיתי של שבוע עבודה בן חמישה ימים. יש להרחיב במידה ניכרת את תוכניות ההכשרה במגזר הערבי והחרדי ולהסיר את הגבלות ההגירה למהנדסים וטכנאים מחו"ל שאינם יהודים. כחבר כנסת הגשתי הצעת חוק המאפשרת לסבים וסבתות, שרבים מהם אנשים עובדים בשנות הארבעים והחמישים לחייהם, לקחת ימי מחלה כדי לטפל בנכדיהם החולים, כדי שהוריהם הפורים יותר לא יפסידו ימי העבודה. למדתי שאפילו צעד קטן כזה יכול להשפיע באופן מהותי על הכלכלה.

עם זאת, האתגר הגדול ביותר שצעירים ישראלים מודאגים ממנו יותר מכול, הוא הדיור. זה היה הנושא העיקרי במצעה של המפלגה שאליה הצטרפתי ב־2015 ואשר אותה ייצגתי בכנסת. דיור, כך גיליתי, אינו בעיה אחת אלא עשרות בעיות. זה מתחיל בשיעור הילודה מרקיע השחקים של ישראל וממשיך בכגון: עלות גבוהה של חומרי בנייה, מחסור בעובדים מיומנים, מכשולים בירוקרטיים אין־סופיים וכמות קרקעות מוגבלת, כמעט כולן בבעלות המדינה. המדיניות המוניטרית גם היא מילאה תפקיד בעלייה המייסרת במחיר של דירה ממוצעת ב־120 אחוז בתוך פחות מעשור.

שוב, אין פתרון פשוט. בעוד שניתן להאט את קצב העלייה של המחירים המנופחים, לחלק יותר קרקעות ולצמצם את זמני הבנייה, משבר הדיור בישראל צפוי להימשך. בישראל עדיין יחסרו עשרות אלפי דירות בשנה, שכל אחת מהן תעלה נתח גדול יותר מההכנסה השנתית של הקונים. בסופו של דבר, הפתרון היחיד הוא לשנות

את האופן שבו ישראלים חושבים על דיור. בעלות על בתים היא חלק חשוב מהזהות הישראלית, במיוחד עבור זוגות צעירים. זהו סמל מעמד ומקור מרכזי לעושר האישי. אך כל זה משתנה על ידי אימוץ מודל השוכרים הפופולרי בגרמניה ובמדינות אחרות באירופה. בניגוד מוחלט לעלויות הדיור, השכירות בישראל נמוכה משמעותית, הן מהממוצע ב־OECD הן מהממוצע האמריקאי. יש לעודד את הישראלים לשכור במקום לקנות. פעולה זו לא רק תעורר תחומים אחרים של המשק, אלא גם תוריד את מחירי הדיור על ידי הפחתת הביקוש. יש להציע תמריצים טובים להשכרה או קנייה של דירות בגליל ובנגב.

ישראלים רבים, שנמנעת מהם היכולת להתפרנס בכבוד ולספק מזון ומחסה למשפחותיהם, בסופו של דבר יעזבו. זו בדיוק האוכלוסייה שמשלמת את המיסים ומגִנה על המדינה. אם 10 האחוזים מכוח העבודה אשר מועסקים בתחום ההיי־טק ו־4 האחוזים המועסקים בתחום הבריאות והמחקר יחליטו לרדת מהארץ, המדינה לא תוכל יותר להתקיים כלכלית או להגן על עצמה. מניעת אפשרות קיומית זו תחייב שינויים היסטוריים במדיניות הכלכלית – הפחתת סובסידיות לילדים וללימודי דת תוך הפחתת מכסים ומיסים, פירוק מונופולים והרחבת ההכשרה המקצועית, השקעה בתחבורה ציבורית והסרת פיקוח. רשימת הרפורמות מרתיעה, אך נחוצה במלואה כדי להבטיח שישראל של 2048 תהיה מדינה משגשגת, שאזרחיה יכולים לחיות בה בכבוד.

המדינה הבריאה

חלק זה נכתב בשיאה של מגפת הקורונה בעודי מבודד בביתי. ביחס למדינות אחרות בעולם, ישראל נחשבת כמי שניהלה היטב את המשבר, סגרה במהירות את האוכלוסייה, שלחה את החולים לבידוד, ביטלה התקהלויות ציבוריות וסגרה עסקים לא חיוניים. אבל העלויות הכלכליות והחברתיות היו כואבות. יותר ממיליון ישראלים הפכו למובטלים ורבים נוספים למוכי טראומה, וההחלמה עשויה להימשך שנים.

מקורות רשמיים מצדיקים צעדים שרירותיים אלה באמצעות הצורך להציל חיים, דבר מובן לחלוטין. אולם הם גם מזהירים שבתי החולים בישראל עלולים להיות מוצפים בקלות, וזה אינו מובן. כחבר כנסת (2019–2015) ביקרתי בבתי חולים ברחבי הארץ, באזורים עירוניים וכפריים, בצפון ובדרום, המשרתים אוכלוסיות עניות ואמידות כאחד. ברובם המצב היה דומה: מימון לא מספיק, מחסור כרוני בכוח אדם רפואי ועבודה במשרה מלאה ואף יותר. אפילו בתקופות טובות יותר מחלקות עמוסות מדי היו דבר שבשגרה, לעיתים קרובות מיטות חולים מוצבות לאורך המסדרונות. כל מנהל בית חולים שפגשתי נתן תחזית זהה: ללא התערבות מהירה ומאסיבית, המערכת כולה תקרוס.

מבט חטוף בסטטיסטיקה מסביר מדוע. ישראל מפגרת משמעותית

אחרי מדינות ה־OECD במספר המיטות, הרופאים והאחיות לנפש. אין פלא ששיעור התמותה מהדבקות הוכפל בעשרים השנים האחרונות, ועולה על הממוצע ב־OECD ב־73 אחוז. גם ההוצאה על בריאות לנפש נמוכה מהרמה הממוצעת ב־OECD.

חומרת המצב מוסווית, לעיתים קרובות, באיכות שירותי הבריאות הקיימים בישראל, מערכת הבריאות האוניברסלית ובסיס הנתונים הלאומי שלה, והמצוינות של הצוותים הרפואיים שלה. בתי החולים הם מופת של דו־קיום, כאשר רופאים ערבים ויהודים עובדים זה לצד זה במספרים פרופורציונליים לגודל הקהילות שלהם. באופן מרשים ביותר, ישראל נמצאת בין המדינות המובילות מבחינת אריכות ימים – 82.6 שנים, שמינית בעולם – אם כי גם דירוג זה צפוי לרדת.

התמונה המתקבלת היא של מערכת שלמרות הדגש על מצוינות והבטחת טיפול לכולם, אינה יכולה לעמוד בקצב של הסטנדרטים הבין־לאומיים, או בצרכים הגדלים של המדינה. הסיבה העיקרית לכך היא גידול האוכלוסייה, אשר, בשיעור של יותר מ־2 אחוזים בשנה, הינו פי שלושה מהממוצע ב־OECD. באמצעות הקצבאות המשפחתיות ישראל מתמרצת את שיעור הילודה המהיר, אך אינה מצליחה להגדיל את שירותי הבריאות שלה בהתאם. התוצאה היא תפוסה מסוכנת של 94 אחוז בבתי החולים, בירידה מואצת במספר המטפלים היחסי. בישראל ישנם רק חמישה בתי ספר לרפואה, שבהם מסיימים מדי שנה פחות משבעה רופאים לכל 1,000 תושבים – המספר השני הכי נמוך מבין המדינות המתועשות.

אך בנוסף לחסרונות הקריטיים הללו, המערכת הישראלית סובלת ממחלה כרונית עוד יותר. במקום רשת ריכוזית של מתקנים בחסות המדינה ובפיקוחה, בתי החולים בישראל מחולקים למגוון מסחרר של קטגוריות – בתי חולים בבעלות ממשלתית (19), בבעלות קופות חולים (12) והיתר (13) מנוהלים על ידי חברות פרטיות, קבוצות דתיות וארגונים לא ממשלתיים. המדינה מבצעת התאמות מועטות לצורכי האוכלוסיות מקבלות השירות, המשתנות

במידה ניכרת בהתאם למוצא האתני, לחינוך ולרמת ההכנסה. הבזבוז והמחסור כתוצאה מכך מדהימים.

כדי להתמודד בהצלחה עם המשבר הנוכחי – ולהגיע ליום השנה המאה שלה כמדינה בריאה – על ישראל לטפל בפגמים אלה כעת. עליה לבנות ולהסמיך באופן מידי שני בתי ספר חדשים לרפואה יחד עם תוכניות להכשרת אחיות וטכנאים רפואיים. עליה להגדיל את המספר הכולל של המיטות בבתי החולים מ־35,000 ל־50,000.

עם זאת, צעדים אלה יתבררו כסם הרגעה בלבד, ללא שיפוץ של מערכת בתי החולים כולה. יש לרכז את הכול תחת רשות לאומית אחת, יעילה ומכוילת לענות על הצרכים של כל אוכלוסייה, שתהיה כפופה למשרד הבריאות. מבנה הניהול חייב להיות מתוקנן, ועל פעולותיו להיות מתואמות כדי למנוע כפילויות מיותרות. בין אם בקריית שמונה או באשדוד, על המטופל לקבל את אותו טיפול איכותי, ובמידת הצורך, באותם תנאי אשפוז. מדינה אחת, מערכת אחת, עובדת ביעילות, בשקיפות ובחמלה.

בנוסף, ישראל חייבת להיערך כעת למשברים עתידיים על ידי אגירת מכונות הנשמה, ציוד מגן ותרופות. יש לנסח תוכניות מגירה בין־משרדיות למגפות ולאסונות טבע אחרים. צעדים שרירותיים עשויים להיות נחוצים שוב, אבל רק כדי להציל חיים, לא כדי להציל מערכת שנמצאת על ערש דווי. להפך, טיפול רפואי הולם לישראלים יסייע להבטיח ששום תרופה לא תזיק יותר מהמחלה.

ימה, קדמה, צפונה ונגבה

כך החל הביטוי המקראי והשיר החסידי הקלאסי, שאומץ מאוחר יותר על ידי התנועה הציונית – לכיוון הים (במערב), לכיוון מזרח, לכיוון צפון ולכיוון דרום. זה היה החזון של העם היהודי שחוזר למולדתו ומיישב אותה במלואה. אך בעוד העם היהודי שב, הארץ נותרה לא מיושבת במידה רבה ומסוכנת.

במקום להתפרש לכל כיוון, הישראלים הצטופפו במרכז הארץ, בתל אביב רבתי (גוש דן). כ־45 אחוז מאוכלוסיית ישראל מתגוררים ב־17.5 אחוז מהשטח שמחוץ ליהודה, שומרון ורמת הגולן. זהו אחד האזורים הצפופים ביותר בעולם, הרבה מעבר לעזה ואפילו להונג קונג. עיקר התעשייה הישראלית מרוכזת שם, וכך גם הרוב המכריע של כוח העבודה הטכנולוגי שלה. זהו המרכז הפיננסי והתרבותי של ישראל, ביתן של שלוש אוניברסיטאות גדולות ומספר גדל והולך של מכללות פרטיות. הקריה – המקבילה הישראלית לפנטגון – ושדה התעופה הגדול של ישראל ממוקמים שניהם בתל אביב רבתי.

הסיכונים של ריכוז זה נבחנו בחלק הדן באתגרים שמציבות האוכלוסיות היהודיות המידלדלות בגליל ובנגב. אך לצד זאת, ישנה גם הפגיעות האסטרטגית של הצבת כל כך הרבה "ביצים" ישראליות – דמוגרפיות, כלכליות, טכנולוגיות, אקדמיות, לוגיסטיות

וצבאיות – בסל גיאוגרפי אחד. אויבינו יודעים זאת היטב. במקום לכוון לעיירות גבול כבעבר, מחבלים מכוונים כעת את הרקטות שלהם לעבר תל אביב רבתי.

ריכוז כה גדול של ישראלים, במיוחד אלה שיכולים להרשות לעצמם מכוניות פרטיות ונסיעות, הביא למצב של פקקים אין־סופיים. בארבעים השנים האחרונות צפיפות התנועה בישראל שילשה את עצמה ויותר, וכיום גבוהה פי 3.5 מהממוצע ב־OECD – פי 4 מהממוצע בארצות הברית. הפקקים המחמירים מגבירים את רמות הלחץ בקרב הציבור הישראלי, המתוח ממילא. מבחינת שעות ייצור אבודות, הן עולות למשק הישראלי יותר מ־40 מיליארד שקל בשנה.

הנזק אולי הכי גדול בהתפתחות של תל אביב רבתי, הוא שהיא גורמת לתושבי "הפריפריה", הן בצפון הן בדרום, להרגיש נטושים. תחושת המרמור הולכת ומעמיקה בעקבות הפילוג האתני, עם שורשים שנעוצים עוד משנות ה־50, בין הפריפריה המזרחית בעיקרה לבין תל אביב האשכנזית ברובה. בתקופות של מתח ביטחוני במיוחד, אוכלוסיית הפריפריה טענה – לא בלי מידה של הצדקה – שהמדינה מגיבה רק כאשר תל אביב רבתי על המוקד.

הפתרון למשבר זה טמון בחזרה לחזון הציוני המקורי. באופן ספציפי, הוא מחייב את המדינה להקים לפחות שלושה מרכזים עירוניים חדשים – אחד בצפון ושניים בנגב – שלכל אחד מהם בסיס תעשייתי בר קיימא. המשמעות היא הרחבת באר שבע, חידוש חיפה ופיתוח הערים המדוכאות אך בעלות המיקום האסטרטגי – לוד ורמלה. המשמעות היא לתמרץ חברות – כמו גם אנשים פרטיים – לעזוב את תל אביב רבתי לפריפריה, לבנות שדות תעופה נוספים, להעביר את הקריה ולהשקיע רבות בתשתיות. לא מספיק לבנות רק בתים, יש לבנות גם בתי ספר, בתי חולים ומוסדות קהילתיים. זה אומר, מעל לכול, לסלול כבישים חדשים ולבנות את מערכות הרכבת המהירות הדרושים כדי לחבר אפילו את הערים המרוחקות ביותר למרכזים באזורם.

רק החלטה לאומית על חלוקת האוכלוסייה והמשאבים בישראל

ימה, קדמה, צפונה ונגבה

באופן שוויוני יותר תבטיח את הכדאיות הכלכלית, החברתית והאסטרטגית של ישראל בשנת 2048. לא ניתן להשיג זאת על ידי מתן עדיפות לתל אביב רבתי או ליישובי יהודה ושומרון, אלא רק על ידי הבטחה שכל אזור יקבל את המשאבים הדרושים לו כדי להתפתח ולשגשג. לכיוון הים והמדבר, לצפון ולמזרח, המדינה חייבת להתרחב. לא רק בשיר אלא גם במציאות.

ארץ ומדינה

כל מילימטר ומילימטר של ארץ ישראל שייכים למדינת ישראל. הארץ שייכת למדינה היהודית כי היא שייכת לעם היהודי. הלאום שלנו מושתת על כך. זכותנו לארץ נשענת על ההיסטוריה, על המשפט הבין־לאומי, ומעל לכול על האמונה – וזכות זו בלתי ניתנת להעברה. אי אפשר לומר שאין לנו זכויות על הרצליה וחיפה, שאף לא אחת מהן נזכרת בתנ"ך, וגם שאין לנו זכויות על חברון ובית אל, שכן נזכרות בו. 3,000 שנה של מסירות יהודית לביתנו אינן מאפשרות לנו, בשום מקרה חירום דיפלומטי, להתכחש לו.

זהו עיקרון מנחה שליווה את התנועה הציונית מאז הקמתה במאה ה־19. זו הסיבה שהקהילה הבין־לאומית הכירה בפלסטין כולה, כולל מה שנקרא היום עזה, הגדה המערבית וירדן, כנחלת המדינה היהודית. זו הסיבה לכך ששמותיהן הערביים של ערים פלסטיניות רבות מקורן בעברית. לא במקרה ירדן, הממלכה הערבית ההאשמית, נושאת את שמה מהתנ"ך.

בתור המדינה היהודית, מוטלת עלינו החובה להגן וליישב את אדמתנו. במונחים יהודיים, לקבלן הבניינים בראשון לציון ולמתנחל השוכן בקרוואן בגבעת השומרון יש בדיוק את אותה הצדקה. אותם ישראלים המתייחסים לכיבוש יהודה על ידי יהודים אשמים

בטאוטולוגיה, שכן עם אינו יכול לכבוש את מולדתו. מי שמתייחס לסיפוח יהודה אשם באותה מידה, כי עם לא יכול לספח את מולדתו. להפך, לחיות ולהחיל את החוק שלנו על כל ארץ ישראל הוא הציווי הלאומי והמוסרי שלנו.

זכות זו אינה ניתנת לערעור באזורים הלא מאוכלסים ברובם ביהודה ושומרון ובמיוחד ברמת הגולן. הגולן - שנחשב באופן מסורתי לחלק מארץ ישראל, ביתם של שליש מבתי הכנסת העתיקים שלה, החיוניים לביטחוננו ובעלי פוטנציאל כלכלי עצום - נותר לא מפותח באופן טרגי. למרות שחלפה יותר מחצי מאה מאז שישראל שחררה אותו, וארבעים שנה מאז שישראל החילה את חוקיה על הרמה, הגולן הוא כיום ביתם של 22,000 יהודים בלבד. הכישלון ליישב שטח מכריע זה, השווה בגודלו ל־4.5 אחוזים משטחה של ישראל לפני 1967, הוא בלתי נסלח במונחים ציוניים או יהודיים. הדבר בולט במיוחד לאור ההכרה האמריקאית בריבונות הישראלית על הגולן, וכפי שההיסטוריה לימדה אותנו שוב ושוב, כישלון ליישב חלקים מאדמת הארץ מוביל ללחץ בין־לאומי לוותר עליהם.

אבל – וזהו אבל ענק – יש הבדל בין שמירה ואפילו קידוש זכות ובין טענה לה בעיוורון. אומנם תמיד חכם לבנות גורד שחקים בראשון או עיר חדשה בגולן, אבל לא תמיד חכם להציב קרוואן על כל צלע גבעה בשומרון. לצד המסירות לארץ, הציונות מעלה על נס גם את השמירה הפיזית על חברי העם היהודי ואת ביטחון מדינתנו. אם על ידי יישוב והחלת החוק הישראלי על שטחים שבהם מתגוררים מיליוני פלסטינים, אנו מסכנים את עתיד המדינה, אנו אשמים כמו אלה שמוותרים על תביעתם לאדמה. עד 2048 נוכל לחיות בישראל שתחבק את כל **ארץ ישראל**, אבל זאת כבר לא תהיה ישראל דמוקרטית או שאם כן, היא כבר לא תהיה מדינה יהודית.

האיום הדמוגרפי על מדינת לאום המבוססת על שמירה על רוב של לאום אחד, הוא בלתי ניתן להפרכה. כך גם המחיר שישראל משלמת מבחינת הכלכלה ויחסי החוץ שלה. אבל הכרה בנוכחותו של עם אחר עם תביעות לאדמה היא יותר מסתם צורך אסטרטגי.

יש מרכיב מוסרי חזק ביחסינו עם הפלסטינים. בעוד שישראל, כפי שאמרתי, אינה יכולה לכבוש את אדמתה, היא יכולה לכבוש עם אחר. כיבוש זה, בניגוד לדימוי שמקדמת לעיתים קרובות התקשורת, רחוק מלהיות אכזרי, כפי שברור מכל ביקור במרכז רמאללה או בשכם. עם זאת, הכיבוש הזה שוחק מבחינה מוסרית. הוא מפלג את ציבור הבוחרים שלנו ומציב את חיילינו במצבים מאתגרים מבחינה אתית, ולעיתים קרובות מתישים. הכיבוש שותל ספק שמכרסם בהצדקה של מטרתנו.

עם זאת, גם קושי מוסרי זה קטֵן בעקבות הכישלונות הסדרתיים של הפלסטינים להסכים להצעות של שתי מדינות, בעקבות תמיכתם בטרור וזהותם המבוססת, כמעט לחלוטין, על שלילת הזהות שלנו. הם אכן עם שבור המפוזר ברחבי המזרח התיכון, שתלותו בסוכנויות בין־לאומיות נשמרת בקפידה. מנהיגיהם, מושחתים ולא נבחרים, גנבו מהם מיליארדי דולרים של סיוע והובילו אותם בדרכים הרות אסון. וכן, הם סבלו. אבל, לשם השוואה, העם היהודי, שנפוץ לא רק באזור אלא בכל העולם, הרים עצמו מהטבח של שליש מעמו. הוא קיבל את הצעת האו"ם למדינה נטולת משאבים, הקים מדינה דמוקרטית, הגן עליה, ויצר מעצמה קטנה.

נראה שגם אם תוצע לפלסטינים מדינה, סיכוי נמוך שיוכלו לקיים אותה. אפילו בעזה – זעירה מבחינה טריטוריאלית ואטומה הרמטית – כשל חמאס בשימור שלטונו הבלעדי. בנוסף, במקביל להאדרת אלה שהורגים יהודים, הפלסטינים בגדה המערבית ובעזה נלחמים זה בזה. באותה עת, לא היה אכפת להם מאלפי הפלסטינים שנעקרו מבתיהם ונטבחו על ידי המשטר הסורי. זהו ההפך המוחלט ממושג הערבות ההדדית שהיא ליבת הלכידות של ישראל. "הבעיה של ישראל היא לא שהפלסטינים הם לא עם", אמרתי פעם למזכיר המדינה של ארצות הברית, "הבעיה שלנו היא שהם לא **מספיק** עם".

ועדיין, איננו יכולים להרשות לפלגנותם של הפלסטינים ולהתמכרותם להתקרבנות להרוס את חזוננו לישראל דמוקרטית. כן, עלינו תמיד לממש את זכותנו לכל הארץ – בדומה לדרישות

הפלסטינים – אך לא, איננו חייבים לממש זכות זו בדרכים שמסוכנות לנו. עלינו לשאוף לשמר מקסימום מן השלמות הטריטוריאלית של ארצנו, מבלי להקריב את שלמותנו הדמוגרפית והמוסרית כמדינה היהודית. רק לעיתים נדירות במהלך שלושת אלפים שנה שלטו היהודים בכל **ארץ ישראל**, אך הדבר מעולם לא צמצם את זכותנו. כך צריך להיות גם ב־2048.

מציאות שתי המדינות

ב־2015 פרסמתי מאמר דעה **בוול סטריט ג'ורנל** בשם "מציאות שתי המדינות". המאמר תקף את תהליך השלום על ניסיונו לקדם את "המודל הווסטפלי" מהמאה ה־17, של שיחות ישירות בין מנהיגים, אמנות רשמיות וגבולות קבועים, מודל שלא עבד כבר בווסטפליה, קל וחומר במזרח התיכון. באזורנו, לעומת זאת, הסכמים הם עקיפים ובלתי פורמליים ומבוססים על הבנות מרומזות. באופן הולם אף פחות, בתהליך השלום התבקשו שני הצדדים, הישראלי והפלסטיני, לעשות ויתורים בלתי אפשריים. ישראל התבקשה לחלק מחדש את ירושלים ולוותר על רוב בקעת הירדן, לעקור עשרות אלפי מתנחלים ולהעביר את השמירה על ביטחונה לידי הפלסטינים במיקור חוץ. הפלסטינים מצידם נדרשו לוותר על דרישתם להחזרת פליטים, לוותר על תמיכתם במחבלים בבתי הכלא הישראליים, וכן להכיר בישראל כמדינת הלאום הלגיטימית של העם היהודי. במקום להיצמד לנוסחה זרה ללא הצלחה, טענתי, מנהלי משא ומתן חייבים לאמץ אסטרטגיה שמתאימה למזרח התיכון ובהתבסס על מה ששני הצדדים יכולים לעשות – לא על מה שהם לעולם לא יוכלו להעלות על דעתם.

הרבה קרה מאז 2015, והמדהים מכולם – הסכמי אברהם שעליהם חתמה ישראל עם בחריין, מרוקו, סודאן ואיחוד האמירויות

הערביות. הסכמים אלה הפכו על פיהן לחלוטין את ההנחות הרווחות לגבי תהליך השלום – שישראל צריכה לשלם בשטחים עבור שלום, לעקור התנחלויות ולחלק מחדש את ירושלים – ויצרו פרדיגמה חדשה שיש לחקות בכל ההסכמים העתידיים. במקום לקוות שהנורמליזציה תנבע מהשלום – כמו, למרבה הצער, במקרה של מצרים וירדן – השלום יזרום מנורמליזציה.

למרות שהפלסטינים גינו אותם בחריפות, ההסכמים סיפקו גם את ההזדמנות הטובה ביותר עד כה לשלום בינם לבין ישראל. על ידי הצגת האופן שבו עזיבת שולחן המשא ומתן תגרור עונש ולא תמריצים, על ידי שכנועם שהמזרח התיכון יתקדם בלעדיהם, סביר להניח שהפלסטינים יראו יוזמה יותר מתמיד. השאלה שתישאר: יוזמה לקראת מה? מהו טבעו והיקפו של כל הסדר מעשי, עמיד ולגיטימי?

תשובותיי לשאלה זו לא השתנו עם חלוף הזמן. בדיוק להפך – ההשתתפות בסבב שיחות השלום האחרון עם הפלסטינים, מעורבות בדיפלומטיה ברמה גבוהה בנוגע ליהודה, שומרון ועזה וגישה למידע מסווג בנושא הפלסטיני, חיזקו כולם את דעותיי. למדתי, למשל, שהסכסוך הוא פחות על מעמד וגבולות מאשר על זהות. דחיית ההכרה בעם יהודי בעל תביעות היסטוריות לאדמה, למשל, חיונית לזהות הפלסטינית לא פחות מאשר ירושלים המאוחדת לישראלים. ישנן סוגיות רבות שלעולם לא נוכל ליישב, ולכן חייבים לעקוף אותן או לשנותן. אין ראיות, היום או בעבר, ליכולתם של הפלסטינים לקיים מדינת לאום, או אפילו להניח את היסודות המוסדים ליצירת מדינה כזו. אין ראיות לכך שהפלסטינים יסכימו אי־פעם לרעיון האמריקאי והישראלי של "שתי מדינות לשני עמים", שכן הם אינם מכירים בקיומו של העם היהודי. הכרה הדדית כזו חיונית לשלום בר קיימא. בלעדיה, מדינה אחת – הפלסטינית – תהיה לגיטימית, ואילו השנייה, ישראל, תהיה ארעית ונטולת שורשים היסטוריים. התוצאה תהיה אירדנטה אין־סופית.

וגם אם ניתן יהיה להקים מדינה פלסטינית, היא תתפרק במהירות ותעבור לשליטת החמאס במקרה הטוב ובמקרה הרע לדאעש או לאיראן. גם אם יחתום על ההסכם, לנשיא הרשות הפלסטינית

שלא נבחר – מחמוד עבאס – תהיה מעט יכולת ליישם אותו, וברגע שהכוחות הישראליים ייסוגו, יתנקשו בחייו.

אז, כמו עכשיו, האמנתי שהתשובות אינן טמונות בפתרון הבלתי מושג של שתי המדינות, אלא בהכרה במצב של שתי המדינות שכבר קיים. כבר ישנה מדינה פלסטינית עם ממשלה שגובה מיסים ומתחזקת כוח משטרה ויכולה, אם יוסכם הדבר על ידי מנהיגיה, לקיים בחירות. דגלה מתנוסס בבירור ממזרח לכביש 6. יתר על כן, מדינה זו מוכרת על ידי כ־135 מדינות ועשרות סוכנויות בין־לאומיות. אפילו שקלתי את ההשלכות של הכרה ישראלית בפלסטין. כך או כך, כל הוויכוח על שתי מדינות או אחת אינו רלוונטי. השאלות היחידות נוגעות למידת ריבונותה של אותה מדינה – ליכולתה של ישראל להגן על עצמה, ובאיזו מידה ההסכמים יהיו כתובים או מרומזים.

שוב, התשובות נובעות מהמציאות בשטח. למעלה מ־400,000 ישראלים חיים ביישובים ביהודה ושומרון ויותר מ־300,000 – רוב האוכלוסייה היהודית בעיר – במזרח ירושלים. כ־85 אחוז מההתנחלויות הישראליות מרוכזות בשטח C, כפי שהוגדר בהסכמי אוסלו משנות ה־90, שבהם מתגוררים יחסית מעט פלסטינים. שטחי A ו־B נמצאים שניהם תחת ממשל פלסטיני, והם מחוץ לתחום עבור אזרחים ישראלים. אפילו בחברון, העיר השנייה בקדושתה ליהדות, היישוב היהודי הוא זעום. אבל ישראל שומרת על שליטה ביטחונית על כל יהודה ושומרון, כולל המרחב האווירי ורוחב הפס, ושומרת לעצמה את הזכות לרדוף אחרי מחבלים גם בשטחי A ו־B. הפלסטינים, מצדם, מפעילים אוטונומיה נרחבת בתחומם, תוך התערבות ישראלית מינימלית. ולמרות שאין לה בירה במרכז מזרח ירושלים, הרשות הפלסטינית שולטת בפועל בשכונות שמחוץ לגבולות הביטחון של העיר, ובהן 80,000 פלסטינים.

בינתיים, כ־170,000 פועלים פלסטינים נכנסים לישראל מדי יום וכ־30,000 עובדים בהתנחלויות. ישראלים ופלסטינים קשורים מבחינת סביבה ומסחר. רוב מוצרי הבנייה והנייר של ישראל, למשל, מגיעים מחברון. זוהי מציאות של שתי מדינות, שהוכיחה יציבות בפני

ניסיונות רצופים של חמאס להשמידה ובפני אינתיפאדה שלישית. ישראלים שמדברים על "גירושין" מהפלסטינים אינם מודעים לנזק שמהלך כזה יגרום או לתועלת הגדולה של הדו־קיום המתקיים בשטח. זוהי מציאות שעליה יכולים לבנות ישראלים ופלסטינים, בסיוע ארצות הברית ומדינות ערביות רבות.

כמובן, מדינה פלסטינית זו לא תתאים להגדרה הוובריות של מדינה ריבונית המחזיקה במונופול על כוח ומפעילה את סמכותה על כל אוכלוסייתה ושטחה. אבל גם תחת תוכניות השלום השאפתניות של ממשלי קלינטון ואובמה, המדינה הפלסטינית מעולם לא עמדה להיות ריבונית לחלוטין. היא לעולם לא הייתה מחזיקה בצבא, או ביכולת לחתום על הסכמי הגנה עם משטרים זרים. במקום זאת, המדינה הפלסטינית תמיד נתפסה כגוף אוטונומי עם כמה סממנים ריבוניים, אך מוגבלת מבחינה טריטוריאלית וחסרת יכולת לאיים על שכנותיה. בדומה לכך, המדינה הפלסטינית מעולם לא עמדה להיות רציפה אלא מחולקת בין ישראל לעזה, וכן על ידי ריכוז גדול של פלסטינים בגדה המערבית, המקושרים במנהרות ובגשרים. מבנים כאלה כבר מחברים את ירושלים היהודית עם התנחלויות גוש עציון, הפועלות בשלום תחת בית לחם הפלסטינית.

זה היה החזון שהוצג במאמר שלי **בוול סטריט ג'ורנל**, של ישראל בטוחה שחיה בשכנות למדינה פלסטינית מפורזת, אוטונומית, המבוססת על המציאות הטריטוריאלית הקיימת ונהנית מתמיכה כספית מסיבית מבחוץ. למרות שניתן היה לחתום על הסכמים ספציפיים רבים – על השבת מים או רישיונות ייצוא – ההבנות העיקריות היו נשארות לא כתובות ומגובות בשתיקה על ידי מדינות ערב המשפיעות. מהלך מסוג זה היה מאפשר לאותן מדינות לשלב את המשאבים העצומים שלהן עם הטכנולוגיה הישראלית, תוך שינוי האזור ואפילו העולם, ולהצטרף לישראל בברית פתוחה נגד איראן. הוא גם היה מעניק לפלסטינים כבוד כלכלי ואופק דיפלומטי. זה היה הסדר ביניים שיכול היה להפוך לקבוע, אבל עד אז, היה מעודד פיתוח כלכלי, שיתוף פעולה ושלום.

תוכנית "שלום לשגשוג" ב־2019 שילבה באופן לא מפתיע רבים מהמושגים הללו. בתחילת תהליך הניסוח הצגתי את רעיון "מצב שתי המדינות" לבית הלבן. נשמר הרעיון של מדינה פלסטינית מפורזת, המבוססת במידה רבה על מציאות דמוגרפית ובעלת מידה רבה של אוטונומיה. לפי התוכנית, המדינה הפלסטינית תהיה רציפה, למעט מספר קישורי מנהרות וגשרים, וברגע שחמאס יפורק מנשקו, היא תחובר ברכבת לעזה. בירתה של המדינה תהיה באחת השכונות המרוחקות במזרח ירושלים. לפי אותה תוכנית, ישראל תשמור על שליטה ביטחונית מלאה ביהודה ושומרון, כולל בקעת הירדן, ולא תצטרך לעקור התנחלויות כלשהן. ירושלים והמקומות הקדושים, כמו מערת המכפלה וקבר רחל, יישארו תחת ריבונות ישראלית.

נראה שהצוות הדיפלומטי של ארצות הברית הפנים גם את עצתי לא להתמקד יותר מדי במה שיהיה מקובל על הפלסטינים. הם מחזיקים בשיא העולמי בדחיית תוכניות שלום, כולל הנוסחאות של שתי המדינות שהציעו להם הבריטים (1937), האו"ם (1947), ישראל (2000 ו־2008) וארצות הברית (2000 ו־2001), לרוב באלימות. גם אם ישראל הייתה מוותרת על תל אביב, טענתי, הם היו מסרבים. למנהיגיהם לא הייתה הלגיטימציה לחתום, קל וחומר ליישם, הסכמים כאלה, והם ישתמשו בתפקידיהם רק כדי להטיל וטו על כל הצעת סטטוס סופית. במקום זאת, הצעתי, אדריכלי התוכנית צריכים לפנות לציבור הישראלי ולעולם הערבי הסוני. צירוף שני הגורמים הללו יעניק לארצות הברית את האפשרות ליישם את תוכניתה באופן שאליו הפלסטינים יתנגדו בתחילה, אך לבסוף, בהדרגה, יסכימו.

עם זאת, חלק מתנאי התוכנית חרגו מ"מצב שתי המדינות" ובצדק. התוכנית קראה לפצות את המדינה הפלסטינית בחלקים של ישראל מלפני 1967 – אותם חילופים טריטוריאליים שישראל דחתה בשנות אובמה. ישראל הניחה שהרשות הפלסטינית תשוב יום אחד לעזה, התפתחות שאליה התנגדו קובעי מדיניות ישראלים רבים שעבדתי איתם. תמריץ גדול במיוחד היה, שהתוכנית כללה הזרמה של 50 מיליארד דולר לכלכלה הפלסטינית, מה שהיה יוצר

אין־ספור מקומות עבודה ותשתיות מודרניות. מצד שני, התוכנית שמרה על כ־15 התנחלויות ישראליות הממוקמות מעבר לגבולות השטח הפלסטיני במקום להציע דרכים להעביר את הקהילות הללו, במקרים מסוימים, קילומטרים ספורים בלבד.

אבל השינוי הגדול ביותר מ"מצב שתי המדינות" היה טמון בפורמליות של התוכנית ובהתחייבות למעמד סופי. שוב, ציפו מן הצדדים לשבת מול השולחן ולחתום על מסמכים ומפות. גם מדינות ערב תוכננו להיות נוכחות, מנהיגיהן מול המצלמות. הפלסטינים יצטרכו לוותר על "זכות" החזרת הפליטים, להפסיק לתמוך במחבלים הכלואים ולהכיר בישראל כמדינה יהודית. ישראל, לעומת זאת, תוכל לספח את רוב שטחי C ואת בקעת הירדן כולה. מכיוון שהפלסטינים לעולם לא היו מסכימים לתנאי הראשון, ישראל תמשיך עם האחרון, ותשיג אדמה, אך לא שלום עם המדינות הסוניות, שכמעט בוודאות היו מתנגדות.

אופי הפוליטיקה והדיפלומטיה במזרח התיכון לא צפוי להשתנות עד 2048. גם לא הפוליטיקה, התרבות וההשקפות ההיסטוריות של הישראלים והפלסטינים. למרות שממסד שלום ממומן היטב ובעל השפעה עדיין קיים בוושינגטון, בקמפוסים ובתקשורת, ועדיין טוען כי "כולם יודעים איך נראה הסדר המעמד הסופי", למעשה, לאף אחד לא היה מושג וגם לא יהיה. במקום זאת, הדרך המעשית היחידה היא זו שתתאים את עצמה לאזור, תתנהל בדיסקרטיות ותיושם בשקט, כאשר ההסכמים העיקריים יישארו לא כתובים. דרך זו בונה על הסטטוס קוו במקום לפרק אותו, מחזקת את הדו־קיום מבלי לפגוע בו. והיא נותנת לפלסטינים את אותה הזדמנות שהייתה פעם לציונים, לבנות מדינה בהדרגה, באופן בר קיימא, במשך עשרות שנים. ביום הולדתה ה־100, יש לקוות, תוכל ישראל להתבונן בגאווה במצב של שתי מדינות, העונה על צרכיה הביטחוניים ומחזק את מעמדה הבין־לאומי, תוך שמירה על זהותה הדמוקרטית והיהודית.

מדינה בת קיימא

תמיד היה זה מקור לגאווה, שישראל היא המדינה היחידה בעולם שנכנסה למאה ה־21 עם יותר עצים מאשר במאה ה־20, וכי יש בה האחוז הגדול ביותר של שטח שהוגדר כגנים לאומיים ושמורות טבע. הציונות, כך האמנו, הייתה ידידותית לסביבה. כל זה אולי נכון, אבל בישראל גם רבים מהשבילים מלוכלכים בפסולת ואיכות האוויר מידרדרת. החופים וצוקי הים שלנו נסוגים עקב שינויי האקלים והיערות שלנו נהרסים מדי שנה על ידי שריפות. נהר הירדן כיום הוא קצת יותר מנחל וים המוות בדרכו להיות מת באמת, כאשר מפלס המים שלו יורד במטר שלם מדי שנה. המזרח התיכון מתחמם מהר יותר מאזורים אחרים בעולם, ועם טמפרטורות שצפויות לעלות בכמעט שתי מעלות צלזיוס עד לשנת 2048, המדינה היהודית עלולה להפוך לכמעט בלתי ראויה ליישוב.

חשוב לציין שישראל נענתה להסכם האקלים בפריז והתחייבה לבטל את השימוש בדלקים פוסיליים עד שנת 2050. ארגונים חברתיים רבים פועלים להעלאת המודעות לסכנות הנשקפות לסביבתנו ולקידום מדיניות לקיימות. אבל הרבה יותר מכך חייב להיעשות בדחיפות.

ישראל צריכה לבחון דרכים חדשות לניהול הפסולת שלה. לדברי חבר הכנסת לשעבר אלון טל, הישראלים מייצרים הרבה

יותר אשפה מהאירופאים, ובכל זאת, בניגוד לרוב מדינות ה־OECD האחרות, המשתמשות במערכות תרמיות לפינוי פסולת, ישראל נותרה תלויה כמעט לחלוטין במזבלות. מלבד הסיכונים שהפרקטיקה מציבה לאקוויפרים, מזבלות תופסות גם חלק ניכר מהשטח המוגבל גם כך של ישראל. עם עליית הקצב של ייצור הפסולת, השטחים המיועדים להטמנה בקרוב ימוצו לחלוטין. יש לאמץ חלופות תרמיות. למרות שהמחזור קיים, הוא עדיין בחיתוליו בישראל. פסולת בלתי מתכלה יכולה להפוך לחומר בנייה וחומר צמחי לקומפוסט. מוצרי פלסטיק, הנפוצים עדיין ברחבי המדינה היהודית, חייבים לצאת משימוש. אסור לזרוק כלום לים התיכון.

אתגר מרגיז לא פחות מציב המתאן, גז חממה חזק פי עשרה מפחמן דו־חמצני, האחראי ל־20 אחוז מההתחממות הגלובלית. ישראל תישא בחלק לא פרופורציונלי של האחריות לנזק זה בגלל ההפקה והמכירה של גז טבעי עם רמות גבוהות של מתאן. אף שאין זה מציאותי מבחינה כלכלית לצפות שישראל תקצץ בקידוחי הים שלה, יש ביכולתה לעשות הרבה על מנת לצמצם דליפות מתאן. היא יכולה גם להשקיע יותר במקורות אנרגיה חלופיים, במיוחד סולאריים, ולבנות את התשתית הדרושה לאחסון אנרגיה זו. פיתוח תחבורת המונים ומכוניות אוטונומיות יעילות יסייע גם הוא בהפחתת פליטות גזי החממה המזיקים.

האתגרים לאיכות הסביבה של ישראל עדיין מרתיעים, אך איננו יכולים להישאר פסיביים מולם. יש לחנך את הציבור לגבי הצעדים הדרושים לשמירה על חופי ישראל וצוקי החוף ולשמור על ניקיון הגנים הלאומיים שלנו. יוזמה דומה לקמפיין **"כל טיפת פסולת כואבת"**, שהועלה בארצות הברית בשנות ה־60 תבייש כל מי שזורק אשפה לכל מקום אחר מלבד פחים. תעלות המובילות מהים התיכון ומהים האדום – התעלות המכונות "מד־דד" ו"אדום־דד" (קיצור של הים התיכון באנגלית – Mediterranean ושל הים האדום – באנגלית The Red Sea. המילה דד – dead מציינת את ים המלח) – יכולות לסייע בשיקום ים המלח. כך גם ניתן להגביר את

זרימת המים המותפלים לכינרת ולירדן. אף שאיננו יכולים לקבוע את המדיניות של שכנינו המזהמים מצפון ומדרום, אנו יכולים להשפיע באופן מהותי על איכות היבשה, חוף הים, האוויר והמים של ישראל ולשמור על ניקיונם אל תוך המאה השנייה.

המדינה הדמוקרטית

לפני קצת יותר משלושים שנה, בזמן נפילת הגוש הסובייטי, הדעה הרווחת הייתה שבמאבק הגדול בין הקומוניזם לדמוקרטיה הליברלית, האחרונה ניצחה באופן מובהק. כיום, הדבר איננו בטוח כלל. ממשלות אוטוריטריות והכלאות בין דיקטטורה ודמוקרטיה נראות לעיתים קרובות מצוידות יותר להתמודדות עם התהפוכות של ענייני האדם ואסונות טבע, תוך פנייה לרגשות עממיים. זה נכון במדינות ברחבי העולם שבהן הדמוקרטיות הליברליות מוצאות את עצמן יותר ויותר במגננה, וההנחות של 1989 כבר אינן מחזיקות מעמד.

גם בישראל הדמוקרטיה ספגה זעזועים ממתקפות פוליטיות נגד עמודי התווך השיפוטיים והחקיקתיים שלה. התקפות כאלה צורמות במיוחד למערכת דמוקרטית, שנשענת מבחינה היסטורית על יסודות חלשים. שלא כמו ממשלות בריטניה או ארצות הברית, שתיהן תוצר של 800 שנות מחשבה דמוקרטית. הדמוקרטיה בישראל נוצרה כמעט יש מאין. למעט מספרם הקטן יחסית של עולים ממדינות דוברות אנגלית וממערב אירופה, רוב הישראלים הגיעו מרקע מזרח תיכוני ומזרח אירופי נטול מסורות דמוקרטיות. בעוד ההיסטוריה היהודית מכילה מוסדות פרו־דמוקרטיים מהסנהדרין ועד לקהילות השיתופיות,

האורתודוקסיה כבר מזמן מצייתת לסמכות הרבנית. הדמוקרטיה החלה בישראל שלפני המדינה כציווי פוליטי, הדרך היחידה שבה קהילה מפולגת אידיאולוגית יכולה הייתה להתאחד סביב מטרות לאומיות. לא דורבן, אלא רתמה.

ובכל זאת, במשך עשרות שנים, הדמוקרטיה השתרשה, שרדה מלחמות ומשברים שהיממו אפילו את הרפובליקות הבוגרות ביותר. אחוזי ההשתתפות של הבוחרים בישראל, גם בבחירות הסדרתיות של 2020-2019, הם מהגבוהים בעולם, ועם יותר ארגונים לא ממשלתיים לנפש מבכל מדינה אחרת, החברה האזרחית תוססת. בכנסת השתתפתי בשימועים שלא היו עולים על הדעת בקונגרס האמריקאי – על הומופוביה במערכת הבריאות, למשל, או על הצורך לחנך נוער לרגישות בנושא טרנס-סקסואליות. החדר המכובד הצמוד למשרד שלי היה מסגד הכנסת.

אולם שמעתי גם חברי ימין ושמאל בלתי נלאים מאשימים זה את זה באיום על הדמוקרטיה הישראלית, בעוד שבית המשפט העליון ספג ביקורת על ביצוע הפיכה, לכאורה. נכון לכתיבת שורות אלה, מאות אלפי מפגינים מחו נגד שלטונו האנטי-דמוקרטי לכאורה של ראש הממשלה, בעוד שמספרים זהים הגנו עליו מפני מה שהם רואים כניסיון פוטש של המשטרה ומערכת המשפט. להקשיב לעיתונות החופשית הבוטה של ישראל או לשבת בפרלמנט הנבחר שלה זה לשמוע את הענף הדמוקרטי שעליו היא נשענת מנוסר מדי יום.

קשה שלא להבחין גם בחוסר הידע הבולט על אופן הפעולה של דמוקרטיה. הטענות שלפיהן החוק להדחת חברי כנסת שנמצאו אשמים בבגידה, או חוק אחר המבקש לבסס את העברית בתור השפה הלאומית, אינם דמוקרטיים, היו שקריות בעליל (ראו בחוקת ארצות הברית, פרק 1, קטע 5, פרק 5, סעיף 2 ותומכים מן הקונגרס של חוק אחדות השפה האנגלית). לא נכונה הייתה גם ההתעקשות שהמדינה מחויבת באופן דמוקרטי לתמוך באומנויות, ובמיוחד ביצירות ביקורתיות באופן מוגזם כלפי המדינה. נראה כי חברי כנסת מעטים הבינו שדמוקרטיה אינה מושג מופשט, אלא מערכת קונקרטית

המבוססת על נאמנות בסיסית. לא מעטים כשלו בהבנת האימרה המיוחסת לאברהם לינקולן, כי "דמוקרטיה אינה ברית התאבדות".

אף על פי כן, בין אם רדודה או בלתי מובנת, דמוקרטיה היא אחד ההישגים הנישאים של ישראל. למרות התהפוכות הכמעט בלתי פוסקות ונוכחותם של כוחות חמושים גדולים ומכובדים, הדמוקרטיה הזו לא קרסה אפילו פעם אחת, אפילו לזמן מועט. הכנסת מעבירה יותר סעיפי חקיקה מכמעט כל פרלמנט אחר בעולם. היא נגישה מאוד לציבור, מפגשיה משודרים מסביב לשעון, ואולמותיה עמוסים במבקרים מכל הגילים. עם זאת, לא פחות מבתקופה המכוננת של המדינה, הדמוקרטיה בישראל נותרה הכרחית מבחינה אסטרטגית. היא יוצרת מרחב עבור פלגים מנוגדים כדי להביע תלונותיהם בקול, ואפילו לשתף פעולה מעבריו השונים של האולם. היא יוצרת אידיאלים משותפים עם בעלי ברית חזקים, ומעל לכול, עם ארצות הברית. דמוקרטיה היא הנשק הסודי של ישראל לאיחוד של אומה עקשנית ועצבנית ולגיוסה להגנתנו.

אבל, כמו כל מערכת דמוקרטית אחרת, גם זו של ישראל פגומה עמוקות. הציון שלה בדירוג בית החופש הוא 76/100 בלבד, רחוק מה־100 של שבדיה ונורבגיה ובשוויון עם נמיביה וברזיל. בנושא חירויות האזרח היא עומדת על 43 מתוך 60, לצד הונגריה וסרביה. דירוגה של ישראל יורד בשל צרכיה הביטחוניים ויחסיה המורכבים עם הפלסטינים, אך גם ללא מכשולים אלה, הדמוקרטיה הישראלית סובלת ממספר פגמים מבניים.

הראשון מתייחס לוותק של הגופים השולטים בישראל, או ליתר דיוק, להיעדרו. מאז 1948 היו בישראל 23 כנסות ו־34 ממשלות, רובן המוחלט לא סיימו את מלוא ארבע השנים שהוקצו להן. המערכת יקרה – הבחירות עולות כ־4 מיליארד ש"ח – ומערערות את היציבות, אך גם מנוגדות למשילות יעילה. מניסיון, לחבר כנסת לוקח שנים כדי להתחיל ולהבין פוליטיקה חקיקתית. זה היה סביר בעבר, כאשר כרבע מחברי הכנסת הוחלפו בכל מערכת בחירות, אך כיום מדובר במספר הקרוב יותר לחצי מהם. הדבר שקול לשליחת 60

מתוך 120 חיילים לקרב, ללא יום אימונים אחד. הבחירות והנפילה של שתי כנסות בשנים 2020-2019 הדגישו את הצורך ברפורמה אלקטורלית שתציב מכשולים קשים לבחירות. הוראות דומות יעלו את סף הקולות הדרוש לזכייה במושב אחד בכנסת, שעומד כיום על 3.2 אחוזים. מהלך זה יפחית את מספר המפלגות הקטנות, ואיתן את "הסחר בסוסים" הלא מכובד שקודם לכל קואליציה.

באופן הפוך, ככל שישראל מאריכה את הקדנציות של הממשלות והכנסות שלה, עליה להגביל את אלו של ראש הממשלה המכהן. כפי שהבינו ג'ורג' וושינגטון והמנסחים של התיקון ה־22 לחוקה, מנהיגים פוליטיים שנשארים זמן רב מדי בכוח השלטון צפויים לצבור יותר מדי ממנו. הם לא יקבלו את ההחלטות הקשות שרק מנהיג שלא עומד בפני בחירות יכול לקבל. טיעון נגדי גורס כי כשם שמטופל יבחר במנתח מוח בעל ניסיון של 15 שנה על פני כזה שאין לו ניסיון, כך גם אזרחים שדואגים לביטחון של משפחותיהם יעדיפו מנהיג מנוסה על פני טירון פוליטי. אומנם יש היגיון בטיעון הזה, אך יש להתנגד לדחף לסייג את הדמוקרטיה מתוך תועלתנות. כן, קיים סיכון בהגבלת ראש ממשלה לשתי קדנציות של ארבע שנים, אבל סכנה אסטרטגית גדולה יותר מצויה בראש ממשלה שמחליש את הדמוקרטיה על ידי שירות אין־סופי.

הרפורמות חייבות להתייחס גם לאופן שבו נבחרים כל הפקידים הישראלים, לרבות ראש הממשלה. במקום הנוהג הנוכחי של הצבעה לרשימות מועמדים, שחלקם נבחרו באמצעות פריימריז ואחרים על ידי ראש מפלגתם, על המצביעים הישראלים להיות מסוגלים להצביע לכל המועמדים בנפרד, כמו בבריטניה. גם ראש הממשלה ייבחר באופן ישיר, כמו בסוף שנות ה־90, אך הפעם יחד עם כל השרים וחברי הכנסת. רפורמה מקיפה יותר, וכזו הנתמכת לעיתים קרובות על ידי ארגונים לא ממשלתיים, קוראת להקמת כנסת מפוצלת, כאשר מחצית מחבריה ייבחרו מרשימות כלל ארציות והחצי השני ייבחר על ידי מחוזות. שוב, הליך זה קרוב יותר למערכת הבריטית שבה האזרחים יכולים לפנות לנציגי מפלגתם הלאומית, כמו גם לחבר הפרלמנט המקומי שלהם.

עם זאת, הרפורמה העמוקה והחיונית ביותר חייבת להיות הפרדה של סמכויות. בניגוד למערכת האמריקאית של זרועות שלטוניות שוות במעמדן, שכל אחת מהן בודקת ומאזנת את האחרות, המערכת הישראלית משובשת. במקום לשמש משקל נגד לממשלה, הכנסת מעבירה רק חקיקה שאושרה על ידי הממשלה או שנוצרה ביוזמתה, ומצביעה בעד חוקים שנקבעו מראש על ידי ההסכם הקואליציוני. הצעת חוק חדשה הנוגעת למשבר הקורונה אף אפשרה לממשלה לחוקק חקיקה באופן חד־צדדי, תוך עקיפת הכנסת לחלוטין. כך עלול להתחיל המדרון החלקלק לשלטון אוטוקרטי.

המצב מסוכן ואבסורדי כאחד. בכל שבוע לפני שנכנסתי למליאת הכנסת, נאמר לי בדיוק איך להצביע ומאיזו פעולה משמעתית – השעיה מוועדות, למשל – אסבול אם לא אעשה זאת. במובן זה, להיות חבר כנסת לא דרש שום כישורים מלבד היכולת להבחין בין ריבוע "כן" הירוק על מסך המחשב, לבין ה"לא" האדום, ושמירה על אצבע מושטת. משפיל יותר היה המחסור הכרוני בחברי כנסת שאינם שרים או סגני שרים, כיוון שאלה אינם יכולים להשתייך לוועדות. לפני שהפכתי לסגן שר בעצמי, הצטרפתי לחברי כנסת אחרים בריצה מוועדה לוועדה, בלי לדעת את שמותיהן וסוגיותיהן, וקיבלתי הוראות כיצד להצביע תוך כדי ריצה.

כדי להביא סוף להצגה הזאת, הכנסת חייבת להשיג מידה רבה של עצמאות מהממשלה. כיוון שזו האחרונה שואבת את כוחה מהראשונה, ניתן להשיג את הרפורמה רק באמצעות בחירות ישירות לכולם וגילום מלא של "החוקים הנורבגיים", המאפשרים לשרים להתפטר מהכנסת ולהתרכז במשרדיהם. יש להעביר חקיקה המגנה על חברי כנסת שמצביעים לפי מצפונם מפני סנקציות מפלגתיות או ממשלתיות. הכנסת חייבת להיות מסוגלת לעמוד מול הממשלה, ולעיתים גם לחלוק עליה, ולא רק לשמש כחותמת הגומי שלה.

כל הרפורמות שהמלצתי עליהן, כולל אלה שנוגעות לרשות השופטת, יכולות להיות מעוגנות בחוקה הישראלית. זו הייתה עמדתם של רבים מעמיתיי האקדמיים, שהגיעו מזמן למסקנה שמערכת חוקי

היסוד הנוכחית, בדומה לזו של בריטניה, אינה עונה עוד על הצרכים המגוונים של ישראל. התנגדתי בתוקף לרעיון הזה ואני מתנגד לו גם כיום.

טענתי הייתה שהדמוקרטיה הישראלית שורדת דווקא משום שלא קיימת חוקה. הדרישות של חברה כה מגוונת, כה מפולגת מבחינה פוליטית, דתית ואתנית, ניתנות לטיפול רק באמצעות חוקי היסוד המצטברים. פעם השוויתי את המצב לג׳יפ שבו נהגתי בצבא, תמיד על פני שטח מלא מהמורות. אם בורגי הצמיגים היו מהודקים יתר על המידה, הסרנים היו נשברים. כך גם בישראל, שבה לחוקה נוקשה לא תהיה הגמישות הדרושה כדי לנוע בנוף הפוליטי המשונן שלנו. לדוגמה, כל חוקה שתחייב את כל בתי הספר בישראל להניף את סמל המגן דוד תיתקל בהתנגדות נרחבת, ואף באלימות. בעוד שכדי לשרוד, על ישראל להחיל את חוקיה על כל אזרחיה, עליה גם לעשות זאת בתבונה וברגישות – עם ״ג׳יפ חוקי״, כביכול, קשוח מספיק כדי לחצות את כל השטחים, אך עם גלגלים שנעים בגמישות.

הדמוקרטיה בישראל חיונית להגנתנו, לעקביות החברתית ולחוסן שלנו, אך מדובר גם בערך מקודש. בעוד הוויכוח עדיין סוער, אם המדינה צריכה להיות דמוקרטית ויהודית יותר או להפך, תמיד סברתי שמדינה יהודית חייבת, מעצם הגדרתה, להיות דמוקרטית. שאותם אידיאלים דמוקרטיים – ריסון הכוח המוחלט, הטיפול בחלשים ובעניים, רדיפת הצדק – שמייסדי אמריקה שאבו מהתנ״ך, צמחו מאדמתנו הלאומית. עד 2048 שורשים אלה צריכים להיות עמוקים וחזקים אף יותר. השאלה היא לא אם ישראל צריכה להיות מדינה דמוקרטית או יהודית, אלא איך היא יכולה להיות יותר מכל אחד מהם.

המדינה הישרה

פעם, בזמן שהמתנתי לריאיון בתוכנית חדשות, שוחחתי עם המפקד לשעבר של היחידה למלחמה בשחיתות של משטרת ישראל. "האם ישראל מושחתת יותר ממדינות מערביות אחרות?" שאלתי אותו, "ואם כן, מדוע?". תשובתו הייתה "כן" נחרץ, אבל ההסבר שלו היה פחות משפטי מהיסטורי. לדבריו, היהודים, שהיו כלואים במשך מאות שנים בגטאות ובשטעטלים, שרדו באמצעות הונאת הגויים. "אין כאן הרבה גויים", הסביר הקצין, "אז היהודים פשוט מרמים אחד את השני".

סיבה נוספת שמוצעת לעיתים קרובות היא השפעתן של התרבויות במזרח התיכון ובמזרח אירופה שנוטות לשחיתות. אבל זה לא מסביר את ההרשעות בשוחד ובמעילה של שר אוצר, או את כתב האישום של ראש ממשלה מכהן בשלושה סעיפים של שוחד, מרמה והפרת אמונים – שניהם אשכנזים ילידי המקום. אנשי אכיפת חוק ושופטים בכירים נשפטו גם על עברות כלכליות ומיניות. תהא הסיבה אשר תהא, נראה שישראל מלאה בשחיתות.

רושם זה מגובה במספרים. בהשוואה לדמוקרטיות אחרות בסגנון מערבי, ישראל מדורגת באופן לא מרשים בסולם השחיתות, במקום דומה לפורטוגל, פולין וליטא. מדד השקיפות לשנת 2021, שבחן את תפיסת השחיתות הבין־לאומית, העניק לישראל את הציון

הנמוך ביותר אי־פעם, 59 מתוך 100. שליש מהישראלים מאמינים שמערכת המשפט מושחתת ויותר מ־50 אחוז אינם סומכים על המשטרה. אמון הציבור בממשלה, העומד על פחות מ־30 אחוז, הוא מחצית ממה שהיה ב־2013, בעוד האמון במפלגות הפוליטיות ירד לשפל של כל הזמנים, 14 אחוז בלבד.

לאחרונה הושג שפל חדש באמון זה, לאחר בחירת הממשלה ה־35, על 36 שריה ו־16 סגני שריה – הממשלה הגדולה בתולדות ישראל. מאחר ששרים וסגני שרים אינם יכולים לקדם חוקים או להצביע בוועדות, מינויים אלה שוללים למעשה מהכנסת חלק ניכר מכוח החקיקה שלה. הרוטציה, לאחר 18 חודשים, של ראש הממשלה ושל תפקידי מפתח אחרים בממשלה, חייבה שינויים יסודיים בחוקי היסוד של ישראל, תוך יצירת שתי ממשלות נפרדות. מינוי שרים ודיפלומטים בכירים, נטולי כישורים אף למראית עין, מערער עוד יותר את יעילותם של תפקידים אלה. כל זאת במחיר של מאות מיליוני שקלים בתקופה של אסון כלכלי. השריד האחרון של מה שבן־גוריון כינה "ממלכתיות" – התנהגות באופן ממלכתי – נגוז.

שחיקת המוסר והאמון הציבורי היא סכנה עליונה למדינה. מכל האתגרים הקיומיים הניצבים בפני ישראל מדי יום, השחיתות עלולה להיות הקטלנית ביותר, שכן היא מחלישה את יכולתנו לעמוד בשאר האתגרים. שיקום החוסן הזה לא יהיה קל, אבל כך גם רבים מהצעדים המומלצים כאן. וכמו בכל התמורות האלה, זה מתחיל בהכרה בבעיה כפי שהיא – איום על עתידה של ישראל.

המאמץ מתחיל בחקיקה להבהרת מושגים מעורפלים כמו "הפרת אמונים", ובאיסור על פוליטיקאים מורשעים להתמודד על משרה ציבורית, או על פוליטיקאים שהוגש נגדם כתב אישום, להישאר בה. הוא ממשיך בקמפיין לאומי לחינוך הישראלים על צורות השחיתות הרבות והשלכותיהן. עבור בעלי תפקידים, זה אומר סימון ברור של קווים אדומים מוסריים ומשפטיים. מילאתי מספר תפקידים דיפלומטיים ופוליטיים, אך לא פעם תודרכתי על מגבלות הקבלה ומתן המתנות, למשל, או על מגוון הסוגים של ניגודי העניינים.

בכל היוזמות הללו יש תפקיד מכריע לנשיא ישראל. אף שגם תפקיד זה נפגע משחיתות – נשיא אחד נאלץ לעזוב את תפקידו בשל האשמות של לקיחת שוחד ונשיא אחר נכלא בגין אונס – הוא עדיין מוערך על ידי הרוב המכריע של ישראלים, יהודים וערבים כאחד. הנשיא יכול היה לכנס כינוסים של מנהיגים דתיים, תרבותיים ועסקיים כדי לדון בדרכים להילחם בשחיתות ולהעמיק את המודעות של הציבור לנזקיה.

הנה עוד נגע – בדומה לקורונה – שיכול ללכד אותנו לטובת הכלל ולטווח הארוך. ישראל בשנת 2048 יכולה להיות מדינה בריאה יותר, פיזית ופוליטית כאחד. נדרשים כעת צעדים קונקרטיים כדי להבטיח את יושרם של המחוקקים ושל אוכפי החוק שלנו, ואת הופעתם של מנהיגים מוערכים יותר על ידי האזרחים שהם משרתים.

אחריות, חזון ורצון

פעמים רבות התבקשתי על ידי קהלים שונים להגדיר את הציונות. התגובה שלי הייתה לעיתים קרובות מפתיעה – במילה אחת, "אחריות". הציונות פירושה בפשטות יהודים שמקבלים אחריות על עצמם, על התשתיות שלהם, על בריאותם וחינוכם ועל ההגנה שלהם. ישראל, תמיד הוספתי, היא האומה היחידה שבה יהודים יכולים לקבל על עצמם את האחריות הזו כעם חופשי וריבוני.

בשנים האחרונות ישראל מתנערת מאחריות זו. במקום לטפל בנושאים קריטיים, כמו: שקיעת בתי החולים שלנו, הידרדרות בתי הספר או התמוטטות האמון במוסדות שלנו, העדפנו להתמקד במשבר הקואליציוני האחרון, או בהערות השנויות במחלוקת של שר כזה או אחר. התנהלות זו כמוה כבגידה בכל מי שהיו לפנינו, שהקריבו כל כך הרבה כדי להקים ולהעשיר את המדינה ולהגן עליה מפני כל סכנה.

אנחנו חייבים לחזור ולקבל אחריות. מספר האתגרים הניצבים בפני ישראל לפני יום הולדתה ה־100 והיקפם בהחלט יכולים להיראות בלתי מושגים, והשינויים הדרושים כדי להתגבר עליהם עצומים. יהיה זה לא מציאותי לחשוב שפוליטיקאי אחד, או אפילו ממשלה אחת, יוכלו לשנות את מערכת היחסים של המדינה עם המגזרים החרדיים והערביים באוכלוסייה, למשל, או לפתח את הפריפריה ולבנות מחדש

את יחסי החוץ שלנו. שינויים כאלה יכולים להימשך שנים ובוודאי לעורר התנגדות רבה. אבל לא נוכל להתגבר על המכשולים האלה אלא אם כן נתייצב מולם ונחליט לפעול בנחרצות.

קבלת אחריות היא הצעד הראשון. השני הוא הגדרת החזון שלנו. איך אנחנו רוצים לפתור את הבעיות של ישראל ואיך המדינה צריכה להיראות בעוד 25 שנה? חזון הוא מה שנתן השראה לעיתונאי וינאי להפוך את השרבוטים במחברתו לתנועה בין־לאומית המכובדת על ידי מנהיגים בין־לאומיים ומוכרת על ידי רוב העולם. חזון הוביל את ראשי ממשלת ישראל להשקות את הנגב במי הגליל ולכונן שלום עם אויבים לשעבר. חזון נדרש גם כעת, אם ברצוננו למלא באמת את אחריותנו ולהתחיל ליישם פתרונות.

הרכיב השלישי והחיוני ביותר הוא רצון. כוח רצון אפשר לישראל לקלוט קרוב למיליון יהודים סובייטים, להטיס לכאן את הקהילה היהודית באתיופיה ולהקים על דיונות חול את העיר דוברת העברית הראשונה בעולם. כוח רצון חיזק את בן־גוריון בתקופה שבה מנהיגים זרים ואפילו מפקדיו הבטיחו לו שתהיה זו התאבדות להכריז על עצמאותה של ישראל. ישראל עומדת כעדות שאין כדוגמתה לכוחו הבלתי מעורער של הרצון.

קבלת אחריות, הבהרת החזון ויישום רצוננו – אלה הם המפתחות להפיכתה של ישראל למדינה נבונה, מלוכדת, ריבונית ובטוחה יותר, ולמדינה יהודית ודמוקרטית יותר, ואלה הם גם המפתחות להשבת **הממלכתיות**. לא די לשמור על ישראל, יש גם לתקנה ביסודיות ובנחישות. יש להפיח בישראל חיים מחודשים. ההיסטוריה שלנו נותנת לנו אין־ספור סיבות לאופטימיות, והעתיד טומן בחובו תקווה. באמצעות פעולה מיידית, בנחישות ובאחדות, ישראל בשנת 2048 תהיה מוכנה לחלוטין להתמודד – ולחבק – את מאה השנים הבאות שלה.

תודות

מניפסט זה לא היה מתאפשר ללא השותפות והחזון של חלוצי פרויקט 2048, בהם: קרן משפחת דהן, משפחת קראפט, קרן פול א׳ זינגר, מייקל סטואר ולורה וסרמן, אדוארד מזרחי, יץ אפלבוים, ריאן גילברט, דיוויד פרחי, איליה סוכה, בוורלי וליאור ויינברגר, לסלי ורפאל אדלמן ואחרים. בנוסף, אנו מודים ל־EMET על תמיכתם.

אנו מודים לנתן שרנסקי ויוסי קליין הלוי על שעודדו את השגריר אורן לכתוב את המניפסט.

אנו גם מודים למייסדינו:

בישראל: אלן גיל, מייקל גרנוף, אייזק חסן, יוסי קליין הלוי, נטע קורין, רחל מור, אלי אוביץ, גיל טרוי ואחרים.

בארצות הברית: מארק כהן, עומרי דהן, וורן מזר, "RVW Wealth" ואחרים.

וכמובן, לצוות המחקר המוכשר שלנו בראשות יובל פרץ, ובסיוע סטפני מנופלה וסער נרי.

כמו כן תודתנו נתונה לצוות הוצאת קורן־טובי: מר מאיר מילר המו"ל, דוד סילברשטיין, אריה גרוסמן, אפרת גרוס ותמי מגר.

ישראל 2048 – התנועה

מניפסט זה משמש להעלאת המודעות לנושאים קריטיים העומדים בפני עתידנו המשותף. הוא גם מהווה בסיס לחברה אזרחית ולדיונים מוכווני מדיניות. הצטרפו לשיח על ידי אירוח מפגש, שיתוף המניפסטשלנו עם אחרים ותמיכה במשימה שלנו. מידע נוסף בכתובת: www.israelin2048.com.

על הסופר –
השגריר מייקל אורן

השגריר מייקל אורן הקדיש את חייו לשירות ישראל והעם היהודי ברחבי העולם.

כחבר כנסת וסגן שר במשרד ראש הממשלה, הוא קיים אינטראקציה עם מנהיגים זרים והגן על ישראל בתקשורת. הוא עמד בראש המאמצים לחזק את יחסי ישראל בתפוצות, לפתח את רמת הגולן ולהילחם ב־BDS.

כיו"ר ועדת משנה מסווגת, הוא עסק בכמה מהנושאים הביטחוניים הרגישים ביותר של ישראל.

לפני כן, במשך קרוב לחמש שנים, שימש אורן כשגריר ישראל בארצות הברית. הוא היה גורם מרכזי בהשגת סיוע ביטחוני מארצות הברית, בפרט עבור מערכת כיפת ברזל, וכן ערבויות להלוואות אמריקאיות לכלכלת ישראל. הוא בנה גשרים עם קהילות מגוונות ברחבי המדינה, כתב עשרות מאמרים, ערך מאות ראיונות לתקשורת, וחיזק את הברית של ארצות הברית וישראל.

ד"ר אורן הוא בוגר האוניברסיטאות פרינסטון וקולומביה, ואף היה פרופסור אורח בהרווארד, ייל וג'ורג'טאון. הוא מחזיק בארבעה תוארי דוקטור לשם כבוד וזכה במדליית המדינה של השנה על ידי המכון בוושינגטון למדיניות המזרח הקרוב, ופרס מורשת ד"ר מרטין

לותר קינג לשירות בין־לאומי. שלושת ספריו האחרונים – שישה ימים של מלחמה, עוצמה, אמונה ודמיון: אמריקה במזרח התיכון מ־1776 ועד ימינו, ובן ברית: חיי כגשר בין ישראל לארצות הברית – היו כולם רבי מכר של הניו יורק טיימס. הוענקו לו פרס ההיסטוריה של לוס אנג׳לס טיימס, פרס לאומי למדעי הרוח ופרס הספר היהודי הלאומי.

מייקל, הפופולרי בתקשורת האמריקאית והבין־לאומית, התראיין ברחבי העולם ושימש כאנליסט במזרח התיכון עבור CBS ו־CNN. הוא נולד בניו ג׳רזי, עלה לישראל בשנות ה־70, היה שליח לסרבנים יהודים בברית המועצות, וזכה בשתי מדליות זהב במשחקי המכביה. בצה״ל הוא שירת כלוחם בודד בצנחנים וכקצין ביחידת דובר צה״ל, השתתף במספר מלחמות והגיע לדרגת רב סרן. בהמשך, הוא הקים את שדולת החיילים הבודדים בכנסת ישראל.

ד״ר אורן זכה בתואר ״אחד הדוברים הטובים אי־פעם״ מ־NPR, והוכרז כאחד מ־50 הוגי הדעות המשפיעים ביותר בארצות הברית על ידי פוליטיקו. העיתון האמריקאי ״הפורוורד״ מנה אותו כ״אחד מחמשת היהודים המשפיעים ביותר בארצות הברית״, והג׳רוסלם פוסט כינה אותו ״אחד מעשרת היהודים המובילים ביותר בעולם״.

٢٠٤٨ -

الدولة المتجددة

القدس
٣٠ أكتوبر ٢٠٢٢

عزيزي الدكتور مايكل أورين

مبادرة "إسرائيل ٢٠٤٨"

أشدُّ على أياديكم وأيدي شركائكم في مبادرة "إسرائيل ٢٠٤٨" التي تسعى إلى إرساء أسس صورة دولة إسرائيل نحو القرن الثاني من وجودها، وتشكيلها في جوانب مختلفة.

إن هذا المشروع المهم والطموح الذي تقوده يتسم بتفكير "بعيد المدى" ويعمل على صياغة قواسم مشتركة لمجموعة متنوعة من شرائح الجمهور الإسرائيلي. المهمة ليست سهلة، لكنها جديرة بالاحترام والتقدير، وضرورية لمجتمع إسرائيل متعدد الجوانب. يتحتَّم علينا دون شك أن نرحب ترحيبًا حارًا بأي جهد لصياغة رؤية طويلة الأجل، تحدِّد ملامح إسرائيل كدولة كرَّست جزءًا كبيرًا من عقودها الأولى بشكل أساسي لقضايا الوجود والبقاء.

في إرساء الأسس لملامح هويتنا ووجودنا تكمن القدرة على تحويل أنظارنا عاليًا وبعيدًا، والارتقاء فوق الواقع الحالي وصياغة المكونات التي ستحدِّد إسرائيل بعد القرن الأول منذ تأسيسها. إن حافز الرؤية هو ما تميز به الشعب اليهودي منذ عصور خلت، وها هو يتميز بالبصيرة والتطلع إلى المستقبل. وإن العديد من الرسالات التي نقلها أنبياء بني إسرائيل كانت بطبيعتها أو حتى بمسماها تضع الأسس لمجتمع عادل وأخلاقي، وترسم ملامح نهاية العالم. ففي كتاب حزقيال "رؤية وادي العظام الجافة" هناك واحدة من أكثر النبوءات المؤثرة التي تصف قيامة شعب شبه منقرض في تصور يبدو الأقرب إلى ما نحن عليه في يومنا وعصرنا الحاضر.

لقد تعامل العديد من المفكرين على مر العصور، ومن بينهم أنصار الحركة الصهيونية والمفكرون المعاصرون، إلى حد ما مع "الخطط الهيكلية" للشعب اليهودي ودولة إسرائيل، كل حسب فهمه ورؤيته للعالم. لذا، حتى لو كان من الجرأة إلى حد ما تحديد رؤية موحدة ومشتركة لإسرائيل، فإن الجهد المبذول لصياغتها أمر ضروري.

آمل أن تساهم مبادرتكم في خلق خطاب لائق وجدير بالتقدير لنتوصل من خلاله إلى تعاون بين مختلف أطياف المجتمع، رغم الاختلافات والخلافات، وأن نقف معًا، ليس فقط في أوقات الأزمات، ولكن أيضًا من أجل مستقبلنا المشترك.

بالتوفيق!

مع خالص التمنيات،

اسحق هيرتسوغ

الرئيس الإسرائيلي

المتحويات

مقدمة .... ٧.

دولة إسرائيل .... ١٣.

الدولة القومية للشعب اليهودي .... ١٥.

دولة اليهود .... ١٩.

الدولة ذات السيادة .... ٢٣.

صفقة إسرائيل الجديدة .... ٢٧.

جميع الإسرائيليين مسؤولون بشكل متبادل .... ٢٩.

دولة الكتاب .... ٣١.

القضاة في إسرائيل .... ٣٣.

دولة المساواة بين الجنسين .... ٣٥.

دفاعًا عن جيش الدفاع الإسرائيلي ٤١

دولة الأمن .... ٤٥.

إسرائيل بين الأمم .... ٤٩.

دولة الكرامة والرخاء .... ٥٣.

دولة ذات صحة جيدة .... ٥٩.

يمه وكدما وتسافونت ونجبا .... ٦٣.

الدولة والأرض .... ٦٥.

وضع الدولتين........................... ٦٩
الدولة المستدامة ٧٥
الدولة الديمقراطية ٧٩
الدولة الصالحة ٨٥
المسؤولية والإرادة والرؤية ٨٩
شكر وتقدير ٩١
إسرائيل ٢٠٤٨ - الحركة ٩٣
عن مؤلف الكتاب - السفير مايكل أورين ٩٥

مقدمة

تمثل دولة إسرائيل مفارقة تاريخية. في حين كان يطمح مؤسسوها إلى استقرار اليهود وإنشاء "دولة مثل أي دولة"، في الواقع، أسسوا الدولة الأكثر استثنائية في العالم؛ إذ لا يوجد دولة مثلها على الإطلاق.

تُعد إسرائيل واحدة من الدول القليلة للغاية التي لم تشهد مطلقًا أي لحظة من الحكم غير الديمقراطي، مع أنها لم تهنأ أبدًا بلحظة من السلام. إنها الدولة الديمقراطية الوحيدة التي تمتلك جيشًا من المواطنين أثبت مرارًا وتكرارًا استعداده للقتال وقدرته على خوضه. كما أنها الدولة الحديثة الوحيدة التي تستثمر في الابتكار بمقدار ما تستثمر في الدراسات الدينية وتحقق التوازن بين التكنولوجيا والتقاليد. إنها الدولة التي حققت أعلى معدل للمواليد في العالم الصناعي، والوحيدة التي ضاعفت عدد سكانها الأصليين عشرين مرة في غضون سبعين سنة، إلى حد كبير عن طريق استيعاب اللاجئين. تُعد إسرائيل دولة صغيرة من حيث حجم الأرض التي تمتد الصحراء على نصف مساحتها، كما تتسم بأنها متعددة الأعراق والأصول والديانات واللغات. وبكل المقاييس، كان محكوم على الدولة أن تنحل منذ وقت طويل، إن لم يكن نتيجة الانقسامات الداخلية، فمن التهديدات الخارجية التي لا هوادة فيها. ومع ذلك، لم تنج الدولة فحسب، بل وازدهرت أيضًا. ووفقًا لأي معايير دولية، بالنظر إلى نصيب الفرد من الناتج المحلي الإجمالي ومتوسط طول العمر ومدى رضا المواطن ومستوى الإبداع الفني والنمو الاقتصادي والرعاية الصحية الشاملة والتعليم العالي وحماية البيئة والقدرات العسكرية والصحافة الحرة والسلطة القضائية

الفعالة ونظام معالجة المياه المستعملة وتصدير الطاقة والعلاقات الدبلوماسية الثنائية، تُعد دولة إسرائيل معجزة.

إضافة إلى إنجازاتها الهائلة، فإن إسرائيل عبارة عن فكرة. إذ تمثل التنفيذ الواقعي لرؤية يبلغ عمرها ٤,٠٠٠ عامًا لإرساء السيادة اليهودية على أرض إسرائيل والدفاع عنها ورعايتها وإبراز مكانتها بين الأمم. فهي نتاج تضحية لا تُقدر بثمن من جانب الرواد والجنود والمزارعين والمعلمين والمهندسين والصناع الذين عملوا على صياغتها، وقد دفعوا حياتهم غالبًا ثمنًا لذلك، إضافة إلى محبي الخير من اليهود حول العالم. فهي بمثابة العملة التي ادخرها طالب مدرسة عبرية في نيويورك، والشجرة التي غرسها المحاسب المتقاعد في مانشستر. والأهم من كل ذلك، تشكل إسرائيل ثمار مداولات .

شهدت السنوات الستون التي فصلت بين المستوطنات الصهيونية الأولى على أرض إسرائيل وبين استقلال إسرائيل عام ١٩٤٨ مناقشات مكثفة حول طبيعة الدولة المستقبلية. هل ستكون دولة "طبيعية" تتميز فقط بأغلبية يهودية أم دولة ذات مُثُل ومؤسسات يهودية بطبيعتها؟ هل ستكون الموطن القومي لجميع اليهود من كل مكان، بمن فيهم يهود الشتات حول العالم؟ أم دولة تقتصر على مواطنيها

فقط؟ هل ستكون اشتراكية أم سوق حرة، استبدادية أم ديمقراطية، علمانية أم دينية؟ بعيدًا عن العبارات التي لا تعدو أن تكون منمقة، فقد ساعدت هذه المناقشات في صياغة الأسس التعليمية والمادية والعسكرية التي نشأت عنها إسرائيل. لقد تصوروا وطنًا ذا سِيادة يتمكن اليهود فيه من ممارسة شعائر دينهم بحرية وتحقيق قدرهم الوطني. لقد نشأت الدولة اليهودية بقوة الكلمات أكثر من قوة السلاح.

ظهرت هذه الدولة بعد ثلاث سنوات فقط من مقتل ثلث الشعب اليهودي، وأثبتت أنها واحدة من أكثر الدول صمودًا في التاريخ. لقد استوعبت المهاجرين بأعداد تفوق عدد سكانها الأصليين بكثير، وأنشأت ديمقراطية حيوية واقتصاد وثقافة فنية، كما تصدت للمحاولات المتعاقبة التي ترمي إلى تدميرها. لم تقم كل ما فعلته إسرائيل رغمًا عن المناقشات التي سبقت تأسيسها، بل كانت نتيجة لها. ويعود الفضل بدرجة كبيرة إلى تلك الرؤية، فهذه الدولة التي شكك الكثيرون في أنها ستبقى حتى تشهد عيد ميلادها الأول، قربت على الاحتفال بعامها المائة.

ومع ذلك، وقبل ذلك التاريخ بوقت طويل، واجهت إسرائيل تحديات عرضت قدرًا كبيرًا من نجاحها للخطر، إن لم تعرض بقاءها على المدى الطويل. إنها الدولة الوحيدة في العالم التي يرفض فيها أكثر من ربع نوابها ترديد النشيد الوطني أو تحية العلم. كما أنها الدولة الوحيدة المبنية على نظام التجنيد الشامل، ومع ذلك لا يؤدي أكثر من نصف

سكانها الخدمة. تزعم دولة إسرائيل، والوحيدة من بين الدول القومية، بأنها تمثل الشتات العالمي وتتوقع أن تحظى بولائهم ولكن من دون احترام الانتماءات الدينية لعدد كبير من مواطنيها. وجدير بالقوا بإن إسرائيل هي الدولة الوحيدة في العالم التي طالما تُحرم من حقها في الدفاع عن نفسها وحتى من حقها في الوجود.

في غضون ذلك، تراجعت جودة التعليم ما قبل الجامعي في إسرائيل مع زيادة نسبة التفاوت الاقتصادي لتنافس نظيراتها في أمريكا والمكسيك وتشيلي. ففي الوقت الذي تزدهر فيه المنطقة الوسطى، تل أبيب الكبرى (غوش دان)، تعاني الكثير من المجتمعات المحيطة من الركود. ويشكل العرب أكثر من عشرين بالمائة من البلاد، ومعظمهم من المسلمين، الذين لا يستطيعون الانخراط في التجربة الإسرائيلية على الرغم من التقدم الاجتماعي والاقتصادي في العقود الأخيرة. وينتمي آخرون إلى الأقليات، مثل الإثيوبيين والمزراحيم (يهود من بلدان الشرق الأوسط) والدروز، الذين غالبًا ما يشعرون بأنهم محرومون من حقوقهم.

تعاني إسرائيل من هجرة الأدمغة بدرجة كبيرة، وهجرة الأفراد والمعرفة على حدٍ سواء، إضافة إلى تعهيد أغلى أصولها، المتمثلة في العقل الإسرائيلي، إلى الشركات الأجنبية. وتعاني مؤسسات الدولة في إسرائيل من أزمة مصداقية واسعة النطاق، إذ لم تعد المحاكم والشرطة تحظى بالاحترام الكامل. ويُنظر إلى رجال السياسة، في أحسن الأحوال، باعتبارهم غير فعالين، وفي أسوأ الأحوال، على أنهم فاسدين. اتخذت إسرائيل موقعها على أرض مقدسة بالنسبة لأكثر من نصف البشرية فباتت تخضع لتدقيق لا مثيل له؛ لذا تتصدر

أدنى زلة لها عناوين الصحف. وعلى الرغم من أن إسرائيل ليست الدولة الوحيدة في العالم التي تحكم شعبًا آخر، فإن هذه السيطرة تهدد هوية إسرائيل كدولة يهودية وديمقراطية ومحترمة على المستوى الدولي.

ستقرر السنوات المقبلة إذا كان بإمكان إسرائيل التغلب على هذه التحديات الهائلة وإذا كانت الدولة اليهودية مجرد مشروع ملهم ولكن سريع الزوال. هل ستبقى إسرائيل بجذور متأصلة مثل مصر وروسيا واليابان؟ أم أنها ستنحدر إلى قائمة التاريخ الطويلة المنطوية على البلدان العابرة جنبًا إلى جنب مع يوغوسلافيا وطرابلس وسريلانكا؟ تقع هذه الأسئلة ضمن تلك الأسئلة طويلة المدى والأكثر إلحاحًا التي تواجه القادة الإسرائيليين اليوم. ومع ذلك، وبسبب التزاماتهم اليومية والخوف من الوقوع في الخلافات أو ببساطة للافتقار إلى الإبداع، نادرًا ما يقوم هؤلاء القادة بصياغة رؤية لمستقبل إسرائيل.

كيف يتعين أن تبدو إسرائيل في عيد ميلادها المائة؟ كيف ينبغي إعادة تنظيم المجتمع الإسرائيلي لضمان تكافؤ الفرص للأفراد ورغد العيش للجميع؟ كيف يجب أن تكون علاقة الدولة مع مواطنيها العرب واليهود على حد سواء؟ وكذلك مع جيشها ومؤسساتها

الوطنية والشتات؟ ما هي السياسات التي يتعين على إسرائيل تبنيها لإقحام نفسها بشكل مؤثر في الشؤون الدولية والحفاظ على تفوقها التكنولوجي؟ علاوة على ذلك، كيف يمكن لإسرائيل أن تنمو لتصبح دولة أكثر عدالة وأخلاقية تغلب عليها اليهودية في نهاية المطاف؟

يجب تناول تلك الأسئلة في وقتنا الحالي، أي في الخمس وعشرين سنة التي تسبق الذكرى المئوية لإسرائيل. واقتداءً في فترة ما قبل الدولة، يجب علينا تشجيع النقاش والشروع في المحادثات حول مستقبلنا خاصة بين الشباب. يجب أن نستغل نفس العزيمة والإبداع اللذين جعلا إسرائيل المعجزة التي هي عليها، مع تجنب قصر النظر الشديد الذي اتسم به صنع القرار الإسرائيلي واللامبالاة الشعبية المتعمقة تجاه الغد. وبخلاف العقود التي سبقت عام ١٩٤٨ عندما كان التخطيط نظريًا ومجردًا فحسب، يجب أن تعتزم تلك السنوات التي تسبق عام ٢٠٤٨ تحقيق أهداف ملموسة. إن تحديد هذه الأهداف واقتراح الوسائل الواقعية لتحقيقها هو هدف إسرائيل ٢٠٤٨ الدولة المتجددة.

نشأت المبادرة من مكتب رئيس الوزراء حيث شغلت منصب نائب الوزير (٢٠١٩-٢٠١٦) واقترحت إنشاء لجنة حكومية لاستقصاء مستقبل إسرائيل. لسوء الحظ، وخوفًا من الطبيعة المثيرة للجدل لبعض نتائج اللجان، قوبل اقتراحي بالرفض من المكتب في النهاية. ومع ذلك، عقدت مع رئيس الوكالة اليهودية السابق، ناتان شارانسكي، منتدىً حول العلاقات بين إسرائيل والشتات في معهد هارتمان في القدس. لكن ظلت هناك حاجة ماسة إلى مناقشة أكثر شمولاً عن أهداف إسرائيل طويلة المدى حسبما اتضح من الانتخابات الأربعة للأعوام ٢٠٢١-٢٠١٩ وأزمة فيروس كورونا المأساوية. لقد ثبت أن إسرائيل غير مستعدة على الإطلاق من الناحية السياسية والقانونية واللوجيستية للتحديات الهائلة اليوم، ناهيك عن تحديات الغد.

تهدف إسرائيل ٢٠٤٨ الدولة المتجددة إلى سد هذه الثغرة. والأهم من إقناع الإسرائيليين بكل تحليلاتها وتوصياتها، تسعى إلى إقحامهم في محادثة لم تجر بعد بكل أسف ولكن يجب أن تبدأ على الفور. على الرغم من الاستناد إلى الاعتقاد بأن الشعب اليهودي له وجود ويجب أن يحتفظ ببقائه وأنه يمتلك حق تقرير المصير في وطن أجدادنا، إلا أن إقامة الدولة ليست ممارسة فلسفية. فهي لا تسعى إلى تحديد طبيعة الدولة اليهودية، ولكن إلى صياغة الطرق التي يمكن للإسرائيليين من خلالها الاستمرار في التعايش مع تناقضاتهم في ظل تناغم ورخاء وأمن أكبر مع وجود أهداف مشتركة. يجب على إسرائيل تبني دراسة للسياسات من أجل ضمان مستقبلها كدولة تحافظ على إيمان الغالبية العظمى من اليهود بها وتكون على استعداد للقتال من أجلها وترغب في العيش فيها. في نهاية المطاف، من المقرر تحفيز الشباب الإسرائيلي ويهود الشتات ليصبحوا نشطاء

وليأسسوا حركات ترمي إلى التغيير الجوهري. تُعد إسرائيل ٢٠٤٨ مخططًا لإسرائيل التي لن تبقى على قيد الحياة فحسب، بل ستزدهر خلال المائة عام القادمة.

بالاعتماد على أكثر من أربعين عامًا من الخبرة في الحكم والجيش والخدمة الخارجية، ومن منظور مؤرخ عاش في جميع أنحاء البلاد وخارجها، سأحدد أهم القضايا التي يحتاج الإسرائيليون إلى مناقشتها. كما سأقترح الإجراءات الضرورية لمصير إسرائيل برغم صعوبة تنفيذها. تلك هي رؤيتي لعام ٢٠٤٨، إسرائيل الدولة المتجددة.

دولة إسرائيل

على الرغم من انقسامه العميق على أسس دينية وعنصرية ولغوية وعرقية، إلا أن المجتمع الإسرائيلي مجتمعًا متماسكًا. ويعود ذلك إلى أسباب كثيرة، من أهمها وجود تهديدات خارجية ووجود مؤسسات ديمقراطية للتوسط في الخلافات. ومع ذلك، يتمثل مصدر آخر للوحدة فيما يُعرف شعبيًا باسم الإسرائيلية.

تشير الإيديولوجية الإسرائيلية إلى مجموعة من التجارب المشتركة، أي تناول الفلافل على سبيل المثال، أو زيارة عيادة صحية. كما تُعد إسرائيل دولة عائلية، ويُعد حب العائلة معهودًا بين جميع الطوائف العرقية والدينية في إسرائيل. ومع ذلك، فإن تعريف الإسرائيلية أثبت أيضًا أنه يتسم بالمرونة. فعند التركيز بشكل حصري تقريبًا على النخبة الأشكنازية الراسخة، تجد الإسرائيلية تجنح إلى تبني وتفضيل، في نواحٍ كثيرة، الثقافة المزراحية المرتبطة بالطبقة الوسطى والطبقة العاملة. أما الدروز والشركس، الذين كانوا في يوم من الأيام مهمشين في

القصة الإسرائيلية، باتوا الآن في صميمها. وبالنسبة للحريديم الذين كانوا يتحدثون في السابق باللغة اليديشية فقط، صاروا الآن يتكلمون اللغة العبرية العامية؛ بينما أصبحت العربية الإسرائيلية مليئة بالتعبيرات العبرية والعامية. وتتمتع الإسرائيلية بالقدرة على التغلغل إلى عمق المجتمع.

يتعين علينا تعزيز تلك القوة. من مصلحة إسرائيل الأساسية تعزيز الشعور بالانتماء. ويمكن تحقيق ذلك من خلال عدة طرق، تمت مناقشة بعضها بمزيد من التفصيل أدناه مع احترام التنوع العرقي والديني. ومن بينها حملة وطنية بعنوان "أنا إسرائيلي" تم

شنها من خلال النصوص المدرسية ووسائل الإعلام والثقافة الشعبية لتحديد جوانب الحياة الإسرائيلية التي توحدنا ومن ثم تعزيزها. وتنطوي على مناقشات ومشروعات مجتمعية مدعومة من الدولة والمنظمات غير الحكومية المعتمدة. كما تشمل خدمة وطنية شاملة حقيقية وتمثيلاً أكبر للأقليات في الوكالات الحكومية. وترمي أيضًا إلى توسيع أفق القصة الإسرائيلية لتشمل أكبر عدد ممكن من المواطنين.

كونها دولة قومية للشعب اليهودي ودولة لكل شعبها أجمع في نفس الوقت لا يمثل تناقضًا كما يُصوَّر في كثير من الأحيان. تضم الكثير من الدول القومية أقليات وطنيين للغاية. وعلى النقيض من ذلك، فإن الفشل في توسيع الهوية الإسرائيلية وتقويتها سيضعف قدرة الدولة على الدفاع عن نفسها والحفاظ على تفوقها التكنولوجي. لكن هذا من شأنه أن ينقذ إسرائيل من مصير الممالك الصليبية التي كثيراً ما يضعنا أعداؤنا في موقف مقارنة معها، وقد كان مصيرها أن انحلت فامتزجت في الثقافات المحيطة. ويشير النجاح إلى قدرة إسرائيل على تحقيق التماسك، مع تشكيل نموذج في التوفيق بين التنوع والتضامن، فتصبح مجتمعًا يحترم الاختلافات في ظل الالتفاف متحدين حول إسرائيلية شامل.

الدولة القومية للشعب اليهودي

في عام ٢٠١٨ ، أقر الكنيست قانونًا يحدد إسرائيل بصفتها دولة قومية للشعب اليهودي. لكن قوبل هذا القانون بالإدانة على الصعيد المحلي في إسرائيل والعالمي أيضًا باعتباره عملاً عنصريًا ينكر الحقوق القومية للإسرائيليين غير اليهود ويقلل من المكانة الرسمية للعربية. لم تكن إضافة سطر يضمن المساواة والحقوق المدنية لجميع الإسرائيليين لتضعف القانون، ومن دون الحاجة إلى التذرع بذلك، ولكن ما كان له أن يوصف بالعنصرية. لقد كان بالأحرى قانون تحصيل حاصل يكرر ما هو بديهي. تُعد إسرائيل الدولة القومية للشعب اليهودي، وهي الدولة التي تمنح حق تقرير المصير لليهود فقط. إلى جانب العدد الكبير من القوانين التي تؤسس إسرائيل كدولة ديمقراطية، ملأ قانون الدولة القومية ثغرة من خلال إعادة التأكيد على هوية إسرائيل اليهودية أيضًا.

لم يكمن أبدًا الخطأ الرئيسي للقانون في فحواه، بل بالأحرى في فشل إسرائيل في الالتزام بها. فالدولة التي تُعرّف نفسها على أنها الدولة القومية للشعب اليهودي، ليس فقط في إسرائيل ولكن في جميع أنحاء العالم، لا تعترف بشرعية اليهودية التي يمارسها غالبية اليهود الأمريكيين. وقد تأكدت سخافة الموقف، بل في الواقع فحشه، في أعقاب مذبحة المصلين اليهود التي وقعت في كنيس شجرة الحياة في بيتسبرغ في ١٨ أكتوبر/تشرين الأول عام ٢٠١٨، أي بعد ستة أشهر من إقرار القانون. وفي الوقت الذي أعرب فيه عدد من الوزراء الإسرائيليين ومؤسسة الحاخامية الكبرى تضامنهم مع الضحايا، رفضوا أن يسموا شجرة الحياة كنيسًا يهوديًا. وقيل إن المكان الذي قُتل فيه اليهود أثناء الصلاة مثل اليهود تمتع بمجرد "نفحة يهودية عميقة"، على حد قول الدولة القومية اليهودية.

وقد ازدادت الإهانة تفاقمًا بسبب الجحود. إ ذ تمثل المساهمات والاستثمارات من يهود الشتات حوالي ٦,٥٪ من الناتج المحلي الإجمالي السنوي لإسرائيل، ما يعادل تقريبًا ميزانية الدفاع لديها، إضافة إلى المساهمة بشكل كبير في بناء البنية التحتية التعليمية والطبية والثقافية والمالية في إسرائيل. وتزين أسماء الشتات، وخاصة فاعلي الخير الأمريكيين، كل شيء من المدارس إلى المستشفيات وسيارات الإسعاف في إسرائيل وحتى المرافق الترفيهية في قواعد جيش الدفاع الإسرائيلي. هناك ٣٤ عضوًا يهوديًا في الكونجرس، ويتمتع مجلس الشيوخ بحق المنيان، ويدعمون جميعهم تقريبًا إسرائيل بقوة على الرغم من أن لا أحد منهم ينتمي للأرثوذكس. ويُشكل اليهود الأمريكيون عنصرًا حيويًا في التحالف بين الولايات المتحدة وإسرائيل.

لماذا تخاطر إذًا إسرائيل بإضعاف تلك الروابط؟ ولماذا تنأى الدولة القومية اليهودية بنفسها عن هذا العدد الكبير، مع وجود يهود في العالم اليوم بالكاد أكثر ممن كانوا قبل الهولوكوست ومع تزايد إدماجهم؟ من الجانب الإستراتيجي يشكل الوضع خطورة، كما أنه وضعًا خاطئًا من الجانب الأخلاقي.

يجب أن يشهد عام ٢٠٤٨ اختلافًا جذريًا في علاقة إسرائيل مع يهود العالم. ويتعين عليها أن تعيد تعريف الهوية اليهودية بمصطلحات قومية، مع التركيز على الشعب أكثر من التقيد بالمعتقدات. ومن اللازم احتواء دولة إسرائيل لأولئك الذين يعرّفون أنفسهم على أنهم أعضاء في شعبنا ويعترفون بإسرائيل كدولة قومية شرعية باعتبارهم يهود، وبدورها يجب أن تعترف بشرعية الحركات اليهودية الرئيسية. ويلزم الشروع في عملية مستقلة لتغيير المفاهيم، تفتح أبوابها أمام كلٍ من اليهود الإسرائيليين ويهود الشتات وتتضمن الدراسات اليهودية ولكن تؤكد على الهوية الوطنية. يجب على إسرائيل أن تكف عن اعتبار الحياة اليهودية للشتات غير شرعية في الأساس، فيما يُعرف بإنكار الشتات اليهودي، مثلما يجب على الشتات الاعتراف بإسرائيل كوسيلة أساسية للاستمرار اليهودي.

وعليه، من الضروري أن تشرع إسرائيل في مهمة لإنقاذ أكبر عدد من اليهود من الإدماج. لا بد من شن حملة وطنية لجلب ١٠,٠٠٠ شاب يهودي علماني من الشتات إلى إسرائيل كل عام لتزويدهم برواتب ووظائف وحوافز أخرى وتمكينهم من الاستقرار بشكل دائم. يجري تحديد الأهلية للخضوع للبرنامج من خلال الإجابة على سؤالين أساسين، الأول بالإيجاب والثاني بالنفي. هل المرشح يهودي وهل لديه أو لديها أحفاد يهود؟

في الوقت نفسه، يجب تذكير الإسرائيليين بالمزايا الأخلاقية والاقتصادية والإستراتيجية لحركة عليا (هجرة يهود الشتات إلى إسرائيل)" واسعة النطاق. لم يكن هذا التذكير ضروريًا في الماضي وخاصة خلال التسعينيات عندما استوعبت إسرائيل ما

يقرب من مليون يهودي من الكتلة السوفيتية السابقة. هؤلاء الأوليم، ربما أكثر سكان العالم ثقافة بالنسبة للفرد والذين تلقوا تعليمهم بشكل حصري على حساب دولة أخرى، غيروا المجتمع الإسرائيلي وساهموا بشكل كبير في ثورته التكنولوجية. لكن بعد ثلاثة عقود، عندما فكرت أعداد كبيرة من اليهود في مغادرة فرنسا مع تصاعد مستويات معاداة السامية، قل الترحيب الإسرائيلي. احتج الكثير من الإسرائيليين بأن البلاد كانت مزدحمة للغاية، مع توفر عدد قليل جدًا من فرص العمل والإسكان. نتيجة لذلك، اختار غالبية اليهود الفرنسيين الانتقال إلى بريطانيا وكندا والولايات المتحدة بدلاً من إسرائيل. والحق أن إسرائيل أضاعت فرصة تاريخية. ولهذا السبب، ومع استمرار تصاعد معاداة السامية وعدم الاستقرار الذي ابتليت به أوروبا الشرقية، يجب على الإسرائيليين أن يتذكروا الفوائد الهائلة التي جنوها من عشرات الآلاف من المهاجرين الجدد. وستجعل دفعات اليهود المستقبلية من جميع أنحاء العالم إسرائيل أقوى وأكثر ثراءً وحيوية. كما أنها ستعزز العلاقات بين إسرائيل والشتات من جديد.

وأخيرًا، يستلزم تعزيز هذه العلاقات إجراء إصلاح شامل لما يسمى بالمؤسسات الوطنية التي تحكمها. أنشئت المنظمة الصهيونية العالمية والصندوق القومي اليهودي (كيرين كاييمت) ومؤسسة نداء إسرائيل الموحد (كيرين هايسود)، وكيانها الشامل، والوكالة اليهودية من أجل تسهيل عملية تأسيس إسرائيل. لكن بعد عام ١٩٤٨، تحول سبب وجودهم الأصلي إلى تعزيز ومساعدة حركة العليا ونشر التعليم الصهيوني وبناء العلاقات بين الشتات وإسرائيل. مع مرور الوقت أصبحت هذه المنظمات متضخمة ولا حاجة لها غالبًا وظن بها الكثير أنها فاسدة سياسيًا.

في عام ٢٠٠٠، على سبيل المثال، كان لدى المنظمة الصهيونية العالمية أربعة أقسام تتعامل مع الشتات واليوم صار لديها أربعة عشر؛ فتضاعفت ميزانيتها أربع مرات في تلك الأثناء. وتمتلك جميع المؤسسات أقسام تعليمية هناك تقوم بنفس الشيء بشكل أساسي. على الرغم من أن المنظمات غير سياسية في الظاهر، إلا أنها أصبحت مسيسة بشكل عميق، ويعمل موظفوها في الوظائف السهلة مثل كبار أعضاء الحزب. يعم بين الشعب الإسرائيلي الشعور بأن المؤسسات الوطنية قد تخطت هدفها منذ فترة طويلة وأن مهامها الرئيسية، المتمثلة في الهجرة والتشجير وتنمية المناطق المحيطة، يجب أن تنتقل تحت ولاية الحكومة.

والحقيقة أن رأي الغالبية الإسرائيلية يجانبه الصوات. إذ لا يوجد سبب يجعل الجزء الأكبر من أرض إسرائيل، التي تمثل أصولاً بمليارات الشواكل، تحت سيطرة كيرين كاييمت وليس مواطني إسرائيل. ولا يوجد ما يبرر دفع تبرعات يهود الشتات للسياسيين

الذين تم تعيينهم، ويكونوا في الأغلب غير المؤهلين تمامًا، بدلاً من البرامج التي تضمن الاستمرارية اليهودية.

بصفتي مهاجرًا جديدًا إلى إسرائيل وجنديًا وحيدًا (ليس لديه أقارب في إسرائيل) ومبعوثًا لليهود السوفييت وعضوًا في مجلس إدارة بيرثرايت/ تاغليت ومعهد بعوث ما وراء البحار (Machon l'Shlichut)، فقد مررت بتجارب كثيرة وإيجابية للغاية مع الوكالة اليهودية. لكنني شهدت أيضًا تبذيرها والمحسوبية بنفسي عن كثب. ومع ذلك، لا ينبغي أخذ الصالح مع الطالح، وبدلاً من القضاء على المؤسسات الوطنية، يجب دمجها وإضفاء إصلاحات جوهرية عليها.

بحلول عام ٢٠٤٨، يجب أن تكون هناك مؤسسة وطنية واحدة مسؤولة عن التشجيع على حركة العليا في الخارج، وهو أمر تعجز الحكومة عن فعله، وإتاحة سبل التفاعل بين إسرائيل وجميع يهود الشتات، بغض النظر عن خلفياتهم الدينية والأيديولوجية. كما يجب توسيع نطاق برامج مثل بيرثرايت/ تاغليت وماسا التي تجلب شباب الشتات إلى إسرائيل، إلى جانب توفير فرص أكثر للشباب الإسرائيلي لمقابلة نظرائهم في الشتات. كما يجب أن يتشارك اليهود الإسرائيليون ويهود الشتات الشعور بالهوية والمصير المشترك وإدراك حقيقة أننا، بغض النظر عن المكان الذي نعيش فيه، ننتمي إلى شعب واحد.

دولة اليهود

لطالما أثيرت تساؤلات حول عنوان الكتيب التأسيسي لتيودور هرتزل، الدولة الصهيونية (Der Judenstaat). هل كان أبو الصهيونية يقصد دولة اليهود أم الدولة اليهودية؟ دولة ذات أغلبية يهودية يمكن لليهود أن يقرروا فيها مصيرهم أو أمة كانت في جوهرها يهودية لا تزول؟

يجب أن تبلغ إسرائيل كلتا الحالتين في عام ٢٠٤٨. بحلول ذلك التاريخ، ستعيش الغالبية العظمى من يهود العالم هنا وسيتحدثون العبرية وسيحيون علم نجمة داود وسيتبعون التقويم اليهودي. ولكن تنشأ المشكلة فقط من التفسير الثاني. ما مدى الطابع اليهودي الذي يجب أن تكون عليه الدولة حتى لا تكون مجرد دولة يهودية بل الدولة اليهودية بكيانها؟ من الذي يحدد ماهية اليهودية؟

على العكس من العديد من الدول القومية الديمقراطية في العالم، مثل الدنمارك أو بريطانيا العظمى، ليس لإسرائيل دين رسمي. ومع ذلك، ولجميع الأغراض العملية، فإن اليهودية الأرثوذكسية ومؤسساتها مُعترف بها ومُدرجة في الميزانية من قبل الدولة،بالإضافة إلى

منحها صلاحيات واسعة النطاق. فيما يتعلق بمسائل دورة الحياة (الولادة والزواج والطلاق والوفاة) تحويل الديانة والكشروت (شهادة كوشير) والهجرة، فإنها أمور احتكارية. وكذلك سيطرة الأرثوذكس (الحريديم) على الأماكن اليهودية المقدسة، وعلى رأسها حائط البراق. لا يعمل معظم الرجال المتدينين كما لا يخدمون في الجيش. وبدلاً من ذلك، يتلقون إعانات تتكبدها الضرائب الإسرائيلية للاستمرار في دراسة التوراة.

يجلب هذا الوضع تداعيات هائلة. على الرغم من أنه يساعد في الحفاظ على الشعب اليهودي وتقاليده، إلا أن الوضع الراهن يبعد عددًا كبيرًا من الإسرائيليين عن اليهودية ومؤسستها الخاضعة لرعاية الدولة. ويتسبب في إحداث انقسامات عميقة بين إسرائيل والشتات ويقوض من قدرة إسرائيل في الحفاظ على مكانتها التنافسية من الناحية الاقتصادية والتكنولوجية. كما أنه يضعضع الروح المعنوية ويبث روح الضعف في الشعب المطلوب منه النهوض بالعبء المالي والعسكري المتزايد للحريديم.

قبل عشرين عامًا، بصفتي زميلًا في مركز أبحاث صهيوني، انخرطت في نقاش حاد حول ما إذا كانت علاقة الدولة بالحريديم تشكل فرصة أم تهديدًا وجوديًا. لقد جادلت بترجيح الأخيرة، إذ بدا لي وقتها، وحتى الآن، بأن التوسع المطرد لسكان لم ينتجوا شيئًا ماديًا وإنما يستنزفون الدولة فقط ولم يتشاركوا أيًا من قيمها الليبرالية والديمقراطية وحرموا الأطفال حتى من التعليم الحديث الأساسي، سيؤدي ذلك إلى انهيار إسرائيل في نهاية المطاف. لن تكون الدولة قادرة على الدفاع عن نفسها أو الحفاظ على اقتصاد له مقومات الاستمرار. ولن ولن تحظى سيادة الحكومة بالاعتراف من قبل نسبة كبيرة وسريعة التزايد من السكان. وبدلاً من الاستمرار في تحمل هذا العبء الفظيع، سيغادر عدد كبير من الإسرائيليين. وحينئذ قلت: "الوضع بمثابة انتحار وطني".

علاوة على ذلك ، مولت الدولة هذا الانتحار البطيء من خلال أن دفعت المال للطلاب الأرثوذكس في المدارس الدينية (يشيفوت) التي تركتهم غير مستعدين بتاتًا للعمل في العالم الخارجي ومعتمدين كليًا على حاخاماتهم ومساعدات الحكومة التي يتلقونها.

وردًا على ذلك، تصدى بعض زملائي على ذلك بالقول إن الحريديم لم يكونوا تهديدًا بل فرصة فهو شعب شديد الذكاء والانضباط بإمكانه تقديم مساهمات هائلة في حال تم توجيههم بذكاء وحساسية. وقد ثبت أن بعض تنبؤاتهم صحيحة. فأكثر من نصف الرجال الأرثوذكس المتشددين موظفون حاليًا وتخدم أعداد متزايدة منهم في جيش الدفاع الإسرائيلي. لكن هذه الإحصائيات مضللة، إذ لا يزال معدل المواليد لدى الحريديم يفوق نمو قوة العمل منهم، وقد ثبت أن العدد الفعلي للجنود الحريديم مبالغ فيه. علاوة على ذلك، يعمل

الموظفون الحريديون، وخاصة النساء، بدوام جزئي فقط ويجنون أقل بكثير مما يجني الإسرائيليون الآخرون. قال البروفيسور نسيم ليون من جامعة بار إيلان: "إن الفلسفة الأرثوذكسية المتشددة متمثلة في أنه يجب أن تكون عاطلاً عن العمل حتى تتمكن من الدراسة، وهذا لن يتغير. لن يؤثر العيش في الفقر على هذه الفلسفة، بل على العكس، إنه يزيد من الروحانية فقط". يعيش حوالي ٦٠٪ من الأطفال الحريديم تحت خط الفقر ولا نزال في طريقنا إلى إهلاك أنفسنا.

لا بد تفادي هذه الكارثة ومن المستطاع تلافيها. كما ذكرنا سابقًا، تتمثل الخطوة الأولى في الإصرار على أن تقدم مدارس الحريديم منهجًا أساسيًا للغة الإنجليزية والعلوم والرياضيات. ومن الأهمية بمكان وجود دروس في التربية الوطنية لغرس الأفكار الديمقراطية والتعرف على الدولة. يجب أيضًا وضع أطر لتعليم مهارات الكمبيوتر والهندسة وتحفيز رواد الأعمال لجعل أماكن العمل مناسبة للحريديين. كما يجب إيجاد أنماط بديلة للخدمة الوطنية، وليس فقط العسكرية، حيث يمكن للحريديين أن يخدموا الدولة ومجتمعاتهم بفخر.

لا يمكن تحقيق أي من هذا عن طريق الإكراه. ومن المؤكد أن التشريع المقترح الذي يعاقب الحريديم ومدارسهم على التهرب من الخدمة العسكرية سيجتر حتمًا نتائج عكسية ويؤدي إلى اضطرابات وعمليات اعتقال على نطاق واسع. بدلاً من ذلك، يجب على الدولة أن تبذل جهدًا تاريخيًا لإقحام القادة الأرثوذكس المتشددين في حوار قائم على الاحترام المتبادل والتأكيد على أن الدولة اليهودية ليس لديها رغبة في تقويض أسلوب حياة الحريديم وإنما الحفاظ عليه فقط للأجيال القادمة من خلال الاندماج في التيار السائد.

تنطوي المهمة الأكثر صعوبة بكثير على الحد من سلطات الحاخامية الرئيسية. بمجرد أن يرأس المؤسسة حاخامات الدين القومي الأكثر ليبرالية، تتحول المؤسسة تحت سيطرة الحريديم. ومن ثم ترفض المؤسسة الاعتراف بيهودية أعداد كبيرة من الإسرائيليين ويهود الشتات وترفض التحولات التي يقوم بها أي حاخام، حتى الأرثوذكس، غير المدرجين في قائمة الحريديم. بسبب عدم القدرة على الزواج في إسرائيل، يسافر الأزواج من خلفيات دينية مختلطة وكذلك أولئك الذين لا يرغبون في التزوج وفقًا لمراسم الحاخامية الكبرى إلى الخارج ليتزوجوا. ومع ذلك، لا يمكن الطلاق إلا من خلال الحاخامية الكبرى. وكذلك خدمات الدفن وشهادة الكشروت، وكلاهما متهم بالفساد.

يكمن الجواب في كسر هذا الاحتكار وفتح الحياة اليهودية في إسرائيل أمام التيارات الأخرى غير الحريدية. يجب على الأزواج اليهود، على سبيل المثال، أن يكونوا قادرين على اختيار شكل مراسم الزواج التي يفضلونها، سواء كانت الأرثوذكسية أو المحافظة أو الإصلاحية، كما يمكنهم لاحقًا اختيار أي قاضٍ أو خادم التطهير الروحي أو أي موظف ديني، بما في ذلك تشيفرا كاديشا (منظمة الدفن). على الرغم من ضرورة مواصلة استهداف الزواج المدني، لكن يجب التعامل معه بحساسية تجاه المجتمعات المسلمة والدرزية والمسيحية التي ستعارضه. والحقيقة أن الزواج المدني غير مشروع في أي مكان في الشرق الأوسط.

بالإضافة إلى ذلك، يجب على الدولة أن تدشين عملية قومية يتمكن من خلالها لعشرات الآلاف من الإسرائيليين، معظمهم من المهاجرين من روسيا وأوروبا الشرقية، من

التحول الديني بطريقة إنسانية تحترم أيضًا القانون اليهودي. يجب على الدولة خلق مساحات كريمة لأولئك الذين لا يغيرون دينهم ولكنهم يسقطون في الدفاع عن الدولة ليتم دفنهم في جنازة عسكرية. يجب عليها أيضًا توفير مكان مناسب لغير الأرثوذكس لأداء صلواتهم في الأماكن المقدسة. كما يجب عليها استعادة السيطرة الكاملة على عملية الهجرة وإحياء قانون العودة الأصلي ومعاييره لتحديد ماهية اليهودي: شخص مولود من أم يهودية وظل يهوديًا، بغض النظر عن كيفية ممارسته أو ممارستها لشعائر اليهودية.

لن يكون تحقيق أي من هذا سهلاً. تمثل سيطرة الحريديم على أحداث دورة الحياة مصدرًا هائلاً للدخل لهذا المجتمع. ويساعد هذا المال بدوره في استدامة نظام التدمير الذاتي الناتج عن تبني الحريديم لعيشة الرفاهية والحاخامات الذين لا يمدونهم بأي مهارات. على الرغم من الطابع الأبوي الذي يسود هذا المبدأ، فإن فك قبضة الحاخامية الخانقة سيجبر الحريديم على السعي إلى الحصول على تعليم علماني وعمل بأجر جيد. مما سيساعدهم خلال الأزمات الوطنية مثل فيروس كورونا، الذي أودى بحياة عدد غير متناسب من الحريديم المضلَلين وغير المستنيرين. علاوة على ذلك، سيساعد في إنقاذ الدولة من الانهيار الروحي والمالي.

لا يرمي هذا بأي حال من الأحوال إلى الدعوة إلى محاولة تغيير نمط حياة الحريديم أو إجبار أي طائفة على أن تكون أقل التزامًا. على العكس من ذلك، من خلال ضمان استدامة هذا المجتمع والدولة التي يقوم عليها، ستضمن هذه الإجراءات مستقبلًا حيويًا للحريديين. لا بد أن يشكل وجود مجموعة كبيرة من السكان مكرسين للدراسة والصلاة، غالبًا على حساب العيش في فقر جلبوه لأنفسهم بأيديهم، مصدر فخر للدولة اليهودية. لكن يجب ألا يأتي ذلك على حساب وجود الدولة ذاتها.

من خلال العمل على أن تصبح إسرائيل دولة اليهود، ستجنح الدولة في نفس الوقت لتصير إسرائيل دولة تغلب عليها الإيديولوجية اليهودية. وستقوي نفسها اقتصادياً واجتماعياً وعسكرياً وأخلاقياً. وبعد قرن من ظهورها لأول مرة، ستتجسد رؤية هرتزل على أرض الواقع.

الدولة ذات السيادة

كانت حادثة الوفاة المأساوية التي راح ضحيتها خمسة وأربعين من المصلين اليهود في جبل ميرون خلال احتفال لاك بومر في عام ٢٠٢١ نتيجة لعدة عوامل: الضغط السياسي لإزالة القيود المفروضة على الحشود وعدم كفاءة الشرطة وعدم كفاية البنية التحتية. واتضح أن الحدث لم يخضع لأي إشراف. لم يجرؤ أحد من رجال السياسة ولا الشرطة على التدخل في ما كان في الأساس دولة أرثوذكسية متشددة داخل دولة تستنزف الموارد من إسرائيل ولا تقدم شيئًا في المقابل؛ بل وتوفر الحد الأدنى من التعليم لشبابها وتبقي على تواكلهم على قيادة ترى نفسها مستقلة عن الحكومة المنتخبة ديمقراطيًا وأكثر شرعية منها. تمثلت مأساة ميرون النهائية في أنها كانت بمثابة دليل على تصدع أكثر تغلغلاً بكثير، وربما يصل إلى حد أنه وجوديًا، في السيادة الإسرائيلية.

تعني السيادة كما يعرّفها القاموس أنها "قوة أو سلطة عليا ومستقلة في الحكومة تستحوذ عليها الدولة أو تدعي أحقيتها". حسب هذا التعريف، فإن إسرائيل ليست دولة ذات سيادة. إذ أنها لا تمارس سلطة عليا على أجزاء كبيرة من أراضيها وقطاعات عريضة من سكانها. بدلاً من ذلك، كما كتبت في مقال نشرته عام ٢٠٠٧، تُعد "إسرائيل سيادة ذات جرح نازف".

ويتجلى ذلك على سبيل المثال في صحراء النقب التي تمثل ٦٢٪ من أراضي إسرائيل. ويبلغ عدد السكان البدو، الذين كانوا في يوم من الأيام من البدو الرحل وأصبحوا الآن مستقرين بالكامل تقريبًا، حوالي ٢٣٠,٠٠٠ شخص، أي ضعف ما كانوا عليه في عام ٢٠٠٠. لقد عشت في النقب لمدة خمس سنوات وشاهدت المناظر الطبيعية تختفي فعليًا تحت

المستقطنات. وتُعد هذه الزيادة الطبيعية، وهي الأعلى في العالم، نتيجة الرعاية الإسرائيلية المتقدمة والقضاء الفعلي على معدل وفيات الأطفال المشين الذي كان يومًا معروفًا. كما أنه نتاج تعدد الزوجات الذي يمارسه ما يقرب من خمس الذكور البدو. ويعد هذا التقليد معاديًا للنسوية بشكل جذري وقاسيًا في كثير من الأحيان، إذ يتم شراء الكثير من الزوجات مثل العبيد، وإجبارهن على القيام بأعمال شاقة وإنجاب سبعة أطفال أو أكثر. ومع وجود أربع زوجات، لن يحتاج الذكر البدوي إلى العمل مطلقًا، وإنما الحصول على إعانات الأطفال من الحكومة. لهذا السبب، أقر الكنيست في عام ١٩٧٧ مشروع قانون يحظر تعدد الزوجات، ثم أغفله على مدار الخمس وأربعين عامًا التالية.

بالنظر إلى عدم قدرتها على تطبيق قوانينها، فإن إسرائيل لم تبدد الأغلبية اليهودية التي كانت ساحقة في النقب فحسب، بل قوضت أمنها على المدى الطويل أيضًا. يعيش ما يقرب من ثلث البدو في قرى غير قانونية، أي أكثر من ٨٠,٠٠٠ مبنى لم تبذل إسرائيل مجهودًا يذكر في هدمها. جنبًا إلى جنب مع البلدات والمدن المصرح بها، تخلق هذه المناطق رباطًا وطيدًا بين قطاع غزة وتلال الخليل يقسم النقب إلى نصفين من الأساس.

بات هذا الخطر الهائل الذي يمثله هذا الوضع جليًا في أوائل عام ٢٠٢٢، عندما شن آلاف من البدو أعمال شغب ضد زراعة أشجار الصندوق القومي اليهودي في منطقة النقب الأوسط، وهو مشروع صهيوني يتسم بالمثالية. انتشرت عبر الإنترنت منشورات عربية تزعم أن الصحراء تخص البدو وتدعوا للدفاع عنها. وهددت خطة الحكومة بربط المستوطنات البدوية غير الشرعية بشبكة الكهرباء بتقويض مفهوم السيادة الإسرائيلية والمساواة أمام القانون.

قد تكون مثل هذه التطورات مثيرة للقلق بدرجة كافية فيما خلا العمليتين التوأمتين "الفلسطنة" والتطرف الإسلامي اللتين عمتا المجتمع البدوي. بالاستفادة من اللامبالاة الإسرائيلية، أنشأت كل من حماس ومنظمة التحرير الفلسطينية مساجد ومدارس دينية في جميع أنحاء المجتمعات البدوية ووفرت المعلمين، وكثير منهم من عرب إسرائيل من الشمال، الذين يدفعون الشباب البدو إلى التطرف. قبل ثلاثين عامًا، بصفتي جنديًا احتياطيًا يخدم في الخليل، دخلت مدرسة دينية تابعة لحماس لأجدها مكتظة بأطفال بدو من النقب. عندما سألتهم عن سبب دراستهم هناك وليس في المنزل، أجاب الأولاد أنهم لم يتلقوا تعليمًا وطعامًا جيدين إلا هناك. ووفقًا لجهاز الأمن الداخلي، فليس من المستغرب أن يتزايد تورط البدو في الهجمات الإرهابية مثل تلك التي قتلت أربعة إسرائيليين في بئر السبع في مارس ٢٠٢٢.

يكمن الحل جزئيًا في الإجراءات التي أوصيتُ بها بالفعل، من بينها تعليم البدو

ودمجهم في المجتمع الإسرائيلي بشكل أفضل. وسيشكل إصدار عدد أكبر بكثير من تصريحات البناء للبدو أيضًا جهودًا تعزيزية مثل تلك الجهود الوطنية لتطوير منطقة النقب وتشجيع اليهود على الانتقال إلى هناك (انظر أدناه). لكن لن تنجح أي من هذه الجهود ما لم تفرض إسرائيل سيادتها قبل كل شيء على كل شعبها وأرضها وبقوة.

أصبح الفشل في تحقيق هذه الجهود جليًا بشكل فادح بين بدو الجنوب وعرب الشمال أيضًا. وقد امتد ليتجاوز منذ فترة طويلة السكان اليهود وبلغ في بعض المناطق، مثل منطقة الجليل الأسفل، نسبة تصل إلى ٢٥٪. يتفشى الاستيلاء غير القانوني على الأراضي والبناء وكذلك نهب الماشية التي يملكها اليهود. وقبل وقت قريب يرجع إلى عام ٢٠١٩، أظهر استطلاع للرأي أن ثلث السكان العرب في الشمال، أي ثلث مساحة البلاد، يدعمون الاستقلال عن الدولة.

ومع ذلك، يقدم وسط الدولة أفضل مثالاً وأكثرهم إثارة للخوف لعدم استعداد إسرائيل في تطبيق سيادتها على المناطق العربية. ستُذكر دائمًا أبو غوش على أنها القرية المتحدثة باللغة العربية والتي ساندت إسرائيل في حرب الاستقلال وتواصل إرسال شبابها للخدمة في جيش الدفاع الإسرائيلي. لقد ذهبت في جنازات أقيمت في أبو غوش للجنود الذين سقطوا في المعركة. لا يقل الموقع الجغرافي لأبو غوش تميُّزًا، إذ تقع أعلى سلسلة من المرتفعات التي تطل مطار بن غوريون وعلى الطريق السريع I، وهو الطريق الرئيسي الذي يربط تل أبيب والقدس، وكذلك مطار بن غوريون. تشكل هذه النقطة المرتفعة الآن موطنًا لعشرات المنازل الجديدة التي تعتبر باهظة الثمن بالنسبة للقرويين، ولكن اشتراها فلسطينيون أثرياء يحملون بطاقات إقامة في القدس الشرقية، وحتى سكان غزة الذين يعملون كوسطاء. سيهيمن هؤلاء الفلسطينيون قريبًا على ما يمكن القول بأنه النقطة الأكثر أهمية من الناحية الإستراتيجية في الدولة بأكملها، والتي يمكن استغلالها لإضعاف إسرائيل في أوقات الأزمات. طالب سكان أبو غوش الأصليون مرارًا وتكرارًا القادة الإسرائيليين بوقف هذه العملية الخطيرة، لكن من دون جدوى.

لا ينحصر نزيف السيادة الإسرائيلية على المجتمعات العربية مثلما رأينا، ولكنه مستوطن في علاقة إسرائيل مع مجتمعاتها الأرثوذكسية المتشددة. يمثل هؤلاء الحريديم، مثلما يُعرفون مجتمعين، ما يقرب من ١٣٪ من إجمالي سكان إسرائيل، ومع ذلك فهم يدفعون أقل من ثلث الضرائب التي يدفعها إسرائيليون آخرون. ومع ارتفاع معدل المواليد لدى الحريديم ليبلغ ضعف معدل المواليد العلمانيين الإسرائيليين، بحلول عام ٢٠٤٨، سيكون نصف أطفال المدارس الإسرائيليين من الحريديم، وستقل هذه النسبة حتمًا. ستصبح البلاد غير مستدامة اقتصاديًا، إن لم يطال ذلك الناحية التكنولوجية والعسكرية.

لقد ألقي الظل على فشل الدولة في إحكام سلطتها على احتفال جبل ميرون مرارًا وتكرارًا إبان أزمة فيروس كورونا. إذ رفضوا اتباع تعليمات الحكومة لمكافحة الجائحة ليطيعوا حاخاماتهم بدلاً من ذلك، فتجمع الآلاف من الحريديم للصلاة وحفلات الزفاف ودراسة التوراة والجنازات، مما أدى إلى إصابتهم وإصابة والآخرين خارج مجتمعاتهم. ترددت السلطات في فرض الإغلاق على مؤسسات الحريديم مما أدى إلى نتائج كارثية. على الرغم من أن حوالي ٦٠٪ من الحالات المصابة بكورونا في المستشفى كانت من الأرثوذكس المتشددين، فقد فُرض الحظر على الأمة بأكملها. كانت التكلفة التي تتحملها الدولة من حيث الرعاية الطبية والبطالة المستمرة لا تُحصى، أما الخسائر في الأرواح البشرية كانت مشينة.

أخيرًا، لا يمكن أن تكون هناك سيادة دائمة بدون إنفاذ للقانون، وقوة الشرطة الإسرائيلية بعيدة كل البعد عن المهمة. ساهمت الرواتب القليلة إلى جانب ساعات العمل الطويلة على مدار الأيام (والليالي) في نقص مزمن في قوات الشرطة من الرجال والنساء. كما تراجعت ثقة الجمهور من العرب في الشرطة، والتي انخفضت بالفعل بين السكان اليهود بنسبة ٣١٪ مقابل ١٣٪ بين السكان العرب. بسبب انهماك الشرطة في محاربة الإرهاب، لا سيما في القدس، غالبًا ما يكون وقت الشرطة الإسرائيلية ضيقًا لمحاربة الجريمة. كما تسبب عدم وجود موظفين مؤهلين إلى تواني الشرطة عن تطبيق قوانين مكافحة الاستقطان والبناء غير القانوني، مما أدى إلى نتائج كارثية في كل من

الجليل والنقب. أما عن تطبيق قيود COVID في مؤسسات الحريديم، فقد حقق نجاحًا جزئيًا فقط في أحسن الأحوال. والأفظع من ذلك أن معدل القتل السنوي بين عرب إسرائيل، الذي يمثل ٧٠٪ من جميع جرائم القتل في البلاد، قد تضاعف خلال العقد الماضي متجاوزًا ١٠٠٪. أخبر قادة الشرطة الحكومة أنهم ببساطة يفتقرون إلى القوة البشرية من أجل مصادرة ٤٠٠,٠٠٠ سلاح ناري غير قانوني مخبأ في المجتمعات العربية. في نهاية المطاف، يعتمد الاختلاف بين السيادة والفوضى على التزام إسرائيل بجعل خدمة الشرطة خيارًا مهنيًا قابلاً للتطبيق وتوسيع صفوفها لتشمل المزيد من الضباط العرب وربما حتى الحريديين.

بالنسبة لإسرائيل، فإن التحول إلى دولة ذات سيادة حقيقية ليس مجرد طموح، بل هي مسألة بقاء. إن عدم تطبيق قوانيننا وبسط سيطرتنا على جميع المناطق والسكان سيؤدي حتمًا إلى خسارتهم. ويبرهن النجاح الأخير الذي حققته البلدية والشرطة في وقف البناء غير القانوني في القدس الشرقية عى إمكانية تحقيق ذلك. وعلينا أن نفعل هذا إن أردنا أن نحتفل بعيد ميلاد إسرائيل المائة على أية حال.

صفقة إسرائيل الجديدة

على الرغم من أن غالبية ضئيلة ولكن متنامية من العرب الإسرائيليين الذين يعربون الآن عن فخرهم بكونهم إسرائيليين، لكن الغالبية العظمى من اليهود الإسرائيليين ينظرون إليهم على أنهم تهديد. ويعزز هذا التصور القادة العرب الإسرائيليون، العلمانيون والمتدينون، الذين يرفضون الاعتراف بشرعية الدولة ويدعمون الأعمال الإرهابية علانية.

ومع ذلك، يشكل عرب إسرائيل ٢١ ٪ من سكان إسرائيل، وهم جزء لا يتجزأ من مستقبل إسرائيل، فهم آخذون في الارتقاء وتزداد قوتهم يومًا بعد يوم. ويشكل راعم، الحزب العربي الإسلامي، حاليًا جزءً من التحالف. يُعتبر معلمو المدارس العرب معتمدون أكثر مقارنة بنظرائهم اليهود، ويُعد العرب المسيحيون أفضل تعليمًا وأكثر ثراءً في المتوسط من اليهود الإسرائيليين. وخلال أزمة كورونا، أثبت الدور الشجاع الذي قام به الأطباء والممرضات العرب أهميته الحاسمة. يجب أن نسأل إذا ما كان هناك طريقة للنظر إلى عرب إسرائيل باعتبارهم فرصة وليس خطرًا؟ هل يمكن لليهود الإسرائيليين أن يتقبلوا جيرانهم العرب على أنهم مواطنين ومواطنات كاملي الأهلية؟

الإجابة هي نعم، ولكن فقط إذا اتخذت إسرائيل قرارًا إستراتيجيًا في السياسة العامة أسميه الصفقة الجديدة. ببساطة، يعني هذا أن الدولة لن تدين التمييز وعدم المساواة فحسب، بل ستشن الحرب عليها علنًا. وبالتالي اسهتداف العنصرية لمحاربتها بقوة في الفصول الدراسية وأماكن العمل وفي وسائل الإعلام وفي السياسة. كما يعني أيضًا تعزيز تعلم اللغة العربية في المدارس اليهودية وتعليم اللغة العبرية في

المدارس العربية مع دمج كليات كلتا اللغتين. إضافة إلى تطبيق القانون وزيادة

تواجد الشرطة بشكل كبير في المجتمعات العربية وسحب الأسلحة من أيدي المجرمين ومحاربة تجارة المخدرات. ويرمي ذلك إلى الاستثمار في البنية التحتية في المدن والقرى العربية وبناء مدارس إضافية وإدخال الصناعة وتوفير الموارد المالية اللازمة لازدهار الأعمال الصغيرة. ويعني ذلك تحديد هدف وطني للاندماج الاجتماعي والاقتصادي والتعليمي الكامل لعرب إسرائيل في التيار الرئيسي للمجتمع الإسرائيلي بحلول عام ٢٠٤٨.

لكن لا يمثل ذلك سوى جانبًا واحدًا من الصفقة الجديدة. ويتطلب الآخر من عرب إسرائيل قبول دورهم كأقلية في دولة قومية يهودية وأن ينظروا إلى أنفسهم كمواطنين في تلك الدولة متساويين في الحقوق والواجبات. ولا يقصد ذلك أن يتخلى العرب الإسرائيليين عن هويتهم الفلسطينية وأن يعبروا عن تضامنهم مع الفلسطينيين في جميع أنحاء الشرق الأوسط، بل شأنهم شأن أي يهودي أمريكي عليه أن يتنازل عن حب إسرائيل حتى يكون أمريكيًا مخلصًا. ومع ذلك، يعني هذا إدانة الإرهاب ودعم جهود إسرائيل للدفاع عن نفسها ورفض المقاطعات ضد إسرائيل. ويفرض إطاعة القوانين الإسرائيلية التي تحظر تعدد الزوجات والتهريب والبناء غير المصرح به.

أن تصبح إسرائيليًا بالكامل ينطوي أيضًا على الخدمة الوطنية. يمكن أن يبدأ ذلك بالخدمة داخل المجتمع العربي نفسه وتعزيز الأمن وتحسين مستوى المعيشة، ولكن لا ينبغي الامتناع عن الأدوار العسكرية. وقد بطلت الحجة القديمة القائلة بأنه لا يمكن مطالبة العرب بمحاربة العرب مع انتهاء الربيع العربي. لا يوجد سبب يمنع عرب إسرائيل من الدفاع عن دولتهم ضد داعش أو سوريا أو إيران. ويرحب اليهود البريطانيون بعلم الاتحاد الذي لا يحمل صليبًا واحدًا فقط بل ثلاثة صلبان، وقد خاضوا حروبًا وماتوا من أجل هذا العلم على مر التاريخ. ويمكن لعرب إسرائيل أن يشعروا بالشعور ذاته تجاه نجمة داوود.

في الوقع، دخلت الصفقة الجديدة حيز التنفيذ ولكن تحتاج إلى إسراع وتيرتها. على عكس الماضي، عندما احتج عرب إسرائيل على تواجد الشرطة في قراهم ، فإنهم الآن يحتجون تأييدًا لتواجد أكبر للشرطة. وكما بينت الانتخابات الأخيرة، فإن السياسيين العرب يسخرون قوتهم المكتشفة حديثًا ليس لنزع الشرعية عن النظام ولكن للتأثير عليه. توفر هذه الاتجاهات فرصًا لا يجب تفويتها من شأنها أن تجعل إسرائيل ٢٠٤٨ دولة متماسكة حقًا إذا حفزت السياسة ذلك.

جميع الإسرائيليين مسؤولون بشكل متبادل

كل اليهود مسؤولون عن بعضهم البعض، إنه الأمر التلمودي لجميع اليهود بتحمل المسؤولية عن العيش الرغد لإخوانهم في الدين. إنه مفهوم قوي وعند ترجمته إلى مصطلحات ذات سيادة، سيُلزم جميع الإسرائيليين بتحمل المسؤولية تجاه إخوانهم المواطنين، اليهود وغير اليهود على حد سواء.

يجب تطبيق هذا المبدأ، المنصوص عليه في نظام الرعاية الصحية الوطني في إسرائيل، بشكل مثالي على المجتمع ككل. ومع ذلك، يُعد التحدي الماثل أمام هذه الجهود هو تحول إسرائيل من دولة زراعية إلى حد كبير ذات تدرج اجتماعي قليل نسبيًا إلى قوة ذات تقنيات عالية في ظل وجود واحدة من أوسع الفجوات الاجتماعية في العالم. يدفع ٢٠٪ فقط من السكان الآن ٩٢٪ من ضرائب الدولة، وهذه النسبة آخذة في التناقص. ويعيش ما يقرب من مليون ونصف طفل الآن تحت خط الفقر في إسرائيل.

ويُعد ذلك وضعًا مستحيلاً بالنسبة لدولة يهودية. في حين أن رأسمالية السوق الحرة ضرورية لتوسيع نطاق السلطة الاقتصادية لإسرائيل وقوتها العسكرية، يجب أن تكون متوازنة مع السياسات الاجتماعية وشبكات الأمان لأولئك غير القادرين على عيش الحلم الإسرائيلي الجديد. في الدولة اليهودية، لا يمكن للمرء أن يتخطى المشردين في الشارع.

سيلزم تحقيق هذا التوازن إسرائيل بالاستمرار في إزالة البيروقراطية التي تعوق النمو الاقتصادي والتخلص منها من جهة، وتخصيص جزء من هذه الأرباح لتوفير فرص

التنمية للجميع من جهة أخرى. وسيشمل ذلك بناء مراكز إضافية للتقنية العالية خارج تل أبيب الكبرى وإنشاء مدارس مهنية تقنية (انظر أدناه). كما يستلزم إعادة النظر في دفع الإعانات المالية للأسر الكبيرة، اليهودية والعربية، التي تعفي أولياء أمور العائلات من الحاجة إلى العمل. يجب تحفيز النساء المسلمات والرجال الأرثوذكس المتشددين وتدريبهم لدخول سوق العمل (انظر أدناه) وضمان حد أدنى للأجور ملائم للعيش.

يجب ألا تصبح إسرائيل دولة رفاهية ولكن لا يمكن أن تكون دولة عديمة الرحمة. في النهاية، لا يمكن تحقيق رؤية إسرائيل المزدهرة والإنسانية في نفس الوقت إلا بالتخطيط الآن لمستقبلنا الاقتصادي والتعليمي والرعاية الصحية.

دولة الكتاب

وضع الجيل الذي بنى إسرائيل التعليم في المقام الأول. وبميزانيات محدودة للغاية، تمكن من إنشاء سبع جامعات ومؤسسات بحثية على المستوى العالمي. أما اليوم، ومع إجمالي الناتج المحلي بقيمة أكبر بعدة مرات مما كان عليه قبل خمسين عامًا وتضاعف عدد السكان بأكثر من ثلاثة أضعاف، تفشل أنظمة التعليم في إسرائيل في مواكبة توسع الدولة ولا ترقى إلى معايير الدول النامية.

في حين تشير الدراسات إلى أن إسرائيل هي الدولة الثالثة من حيث التعليم في العالم، ومع حصول نصف السكان تقريبًا على مستوى معين من تعليم الكبار، فإن المستوى التعليمي لعامة السكان ينخفض بشدة. تحتل إسرائيل الآن المرتبة ٣٩ في العالم في العلوم والرياضيات. وبينما تتجاوز إسرائيل متوسط نسبة منظمة التعاون الاقتصادي والتنمية للناتج المحلي الإجمالي الذي يتم إنفاقه على التعليم ولعدد الأطفال في برامج ما قبل المدرسة، فإنها تنخفض كثيرًا عن معايير منظمة التعاون الاقتصادي والتنمية في الإنفاق على الفرد في التعليم ورواتب المعلمين وعدد الطلاب لكل فصل دراسي. تضم الدولة أربعة أنظمة تعليمية منفصلة، وهي العلماني والديني القومي والحريدي والعربي، على الرغم من أن الخبراء يقولون إن العدد أقرب إلى تسعة. وفقًا للبروفيسور دان بن دافيد من معهد شورش: "إسرائيل هي الدولة الأولى الوحيدة في العالم التي يتلقى فيها أكثر من ٣٠٪ من البلاد تعليمًا بنسبة أقل من العالم الثالث. فهي الدولة الوحيدة في العالم التي تحرم جزءًا من سكانها من المناهج الدراسية الأساسية ".

لا يلزم أن تتوقع هذه النبوءة تقويض تلك الاتجاهات للتفوق التكنولوجي

والاقتصادي لإسرائيل بشكل مطرد وإضعافا دفاعها بشكل متزايد. بإلقاء نظرة ثاقبة على الصورة القاتمة، يتبين أن طرفين من السكان الذين يتزايد عددهم بسرعة، وهم الأرثوذكس المتشددون والبدو، يتلقون الحد الأدنى من التعليم اللازم لدمجهم في القوى العاملة، في حال وُجد أصلاً. ويُحكم على عشرات الآلاف من الشباب سنويًا بعيش حياة الفقر وعدم الإنتاجية والاعتماد على المساعدات من الدولة.

ولعكس سير هذه العملية، يجب على إسرائيل التوقف عن النظر إلى التعليم من منظور تربوي متعلق بالميزانية فقط، بل يجب أن يكون إستراتيجيًا. إن الاستثمار في النظام المدرسي وتعويض المعلمين بشكل مناسب وتقليل حجم الفصل والتأكد من أن جميع الطلاب يتلقون تعليمًا علمانيًا أساسيًا هي جميعها عوامل حيوية لاستمرارية إسرائيل على المدى الطويل. ويجب أن يتلقى الشباب الحريديين المتدينين دروسًا في اللغة الإنجليزية والعلوم والرياضيات. كما يجب توفير تعليم جيد للأطفال البدو، والذين لم يسجل منهم حوالي ٥,٠٠٠ في المدارس على الإطلاق. بدون منهج قوي وموحد ومراقب من قبل الدولة، سوف تتعمق فجوة الدخل في إسرائيل وستقوض أساسها الاجتماعي.

يتعين أيضًا على إسرائيل إصلاح نظام التعليم العالي. ولسد العجز المتفاقم في المهندسين وفنيي الكمبيوتر، يجب عليها أن تتبنى النموذج الألماني للبرامج المهنية لمدة عام أو عامين. وسيكون الهدف هو زيادة نسبة السكان العاملين في مجال التكنولوجيا العالية التي تبلغ ٩٪ لتتجاوز ٥٠٪ بحلول عام ٢٠٤٨.

بالإضافة إلى تداعياته الإستراتيجية، يعد التعليم قضية أخلاقية بالنسبة لإسرائيل. مثلما يجب علينا أن نرتقي إلى مستوى مطالبتنا بأن نكون الدولة القومية للشعب اليهودي، لا بد أن تستمر دولة أهل الكتاب حتى تحصل على هذا اللقب. لطالما كان التعليم قيمة يهودية ويجب أن يكون السمة المميزة للدولة اليهودية.

القضاة في إسرائيل

أصبحت عبارة مناحم بيغن الشهيرة: "يوجد قضاة في القدس" ترمز إلى التزام إسرائيل بأن تبقى دولة القانون. ولا يمكن الوفاء بهذا التعهد إلا من خلال ضمان استقلال القضاء ليكون نظامًا قانونيًا لا أحد فوقه وانعكاسًا الشعب. بيد أن هذا النظام معرض اليوم للخطر.

أصبحت المحكمة العليا في نظر قطاعات كبيرة من المجتمع الإسرائيلي غريبة بل وحتى معادية. وقد انفتحت ثغرة آخذة في الاتساع بين المحكمة والكنيست، مع اقتراح المشرعون قوانين لتجاوز قرارات المحكمة أو التحايل عليها. ومثل هذه القوانين من شأنها إبطال المراجعة القضائية التي تعد إحدى الدعائم الأساسية لأي ديمقراطية.

يقع جزء كبير من اللوم لهذا الوضع الخطير على الطريقة التي يتم اختيار قضاة المحكمة العليا من خلالها. على عكس أي دولة في العالم، باستثناء الهند وتايلاند، يتم اختيار أعلى القضاة في إسرائيل دون أي اهتمام بآراء الشعب تقريبًا. في الولايات المتحدة، لا يتمتع الناخبون بفرصة واحدة فقط بل فرصتين للتأثير في تكوين المحكمة العليا (التصويت لمنصب الرئيس ومجلس الشيوخ)، وهو ما يشكل دائمًا قضية انتخابية رئيسية. لكن في إسرائيل، لم يُذكر ذلك مطلقًا ولسبب بسيط هو أن الإسرائيليين ليس لديهم صوت تقريبًا.

يجري اختيار القضاة الإسرائيليين من خلال عملية معقدة تضم وزيرين وممثلين عن نقابة المحامين وقضاة المحكمة العليا الموجودين في مناصبهم وهذا أمر مثير للاستغراب. وبالتالي يمنح ذلك أغلبية الأصوات للقضاة للتصويت على المسؤولين المنتخبين. بطبيعة الحال، يختار القضاة والمحامون خلفاءهم الأقرب إلى وجهات نظرهم الخاصة تجاه العالم.

وبالتالي، تكون النتيجة هي وجود محكمة عليا، من الناحية القانونية، لا تزال على حالها في نفس المكان الذي كانت عليه قبل عشرين أو حتى ثلاثين عامًا. في غضون ذلك، تحول الرأي العام

الإسرائيلي في العقود الأخيرة إلى اليمين بشكل ملحوظ كما ينعكس في الكنيست. وأصبحت النزاعات بين المؤسستين شيئًا عاديًا، تلك التي كانت نادرة منذ جيل مضى. بل وتعرضت تشريعاتهم للنقض مرارًا وتكرارًا، وبدأ البرلمانيون يسألون القضاة "من انتخبك؟" مشددين على أن أعضاء الكنيست وحدهم من يمثلون إرادة الشعب.

ومما زاد من عمق الفجوة، ذلك النهج الناشط الذي تبنته المحكمة منذ التسعينيات ورئيسها أهارون باراك. تحت شعار "كل شيء قابل للمقاضاة"، حكمت المحكمة في قضايا متنوعة مثل وضع الحاجز الأمني وما إذا كان بإمكان الحكومة بشكل قانوني الاحتفاظ برفات القتلى الإرهابيين (لا تستطيع). كما أعطى باراك الأولوية لطابع إسرائيل كدولة ديمقراطية على وضعها كدولة يهودية. تظل قضية كاتسير عام ٢٠٠٠، التي حكم فيها القضاة لصالح عائلة عربية ممنوعة من شراء منزل في مستوطنة موشاف التي يمولها الصندوق الصهيوني علامة بارزة. وقد أدى ذلك إلى تسريع وتيرة اغتراب المحكمة عن الكنيست ذات النزعة القومية والدينية المتزايدة.

من الواضح أن إسرائيل عام ٢٠٤٨ يجب أن تسحب إسرائيل من على حافة الهاوية القانونية، ولا يمكن تحقيق ذلك إلا من خلال الإصلاح التام لعملية اختيار القضاة. قد يكون المثال الأمريكي غير عملي بالنسبة لمجتمع متنوع وربما ممزق مثل مجتمع إسرائيل، فلا يمكن أبدًا أن تضم المحكمة قاضيًا عربيًا أو قاضيًا حريديًا من المتدينين. من ناحية أخرى، فإن النموذج الأوروبي الذي يختار فيه البرلمان خمسين بالمائة من القضاة يلبي احتياجات إسرائيل بدرجة أقرب. إذ يتمثل الهدف في السماح للكنيست باختيار ثمانية من قضاة المحكمة الخمسة عشر، مما يمنحهم صوتًا حاسمًا، مع السماح لممثلي المؤسسة القانونية باختيار السبعة الباقين. إنها الطريقة الوحيدة للحفاظ على المراجعة القضائية وتأييد دور المحكمة في حماية حقوق الأقليات والأغلبية على حدٍ سواء.

وأخيرًا، يجب تقييد اختصاص المحكمة بحيث لا يكون كل شيء قابل للمقاضاة ولا سيما قضايا الأمن القومي غير الحيوية التي تقع بالكامل تقريبًا على عاتق الحكومة والمؤسسة الدفاعية. ولتخليص نفسها، سيتعين على المحكمة أن تقتصر على مجالات ذات طبيعة قانونية بحتة. يجب أن يكون هناك قضاة في القدس لعام ٢٠٤٨، لكن لا بد أن يكونوا جزءًا لا يتجزأ من الشعب وليس بمعزل عنهم، ويعرفون ما يمكنهم وما لا يمكنهم الحكم عليه.

دولة المساواة بين الجنسين

ترعرعت في أمريكا في الستينيات والسبعينيات من القرن الماضي وبدت لي إسرائيل نموذجًا مثاليًا لحقوق المرأة. كانت هناك صور لنساء يرتدين شورت حاملات مسدس الأوزي بكل فخر، ونساء الكيبوتس المجندات اللاتي يرتدين تنورات ويسيرن بقبعة الكوفا ويعملن في الحقول، والنساء اللواتي ظهرن واثقات من أنفسهن إلى حد الفجاجة. شغلت جولدا مائير إحدى المناصب المهمة. وبدت إسرائيل وكأنها رائدة نسوية. ولكن عندما أتيت إلى هنا فقط، أولاً كمتطوع ثم كمهاجر، بدأت في ملاحظة التناقض العميق بين الأسطورة المحيطة بالنساء الإسرائيليات وواقعهن البعيد كل البعد عن المساواة بكثير.

على الرغم من أن جيش الدفاع الإسرائيلي كان أحد الجيوش الوحيدة في العالم التي قامت بتجنيد النساء، إلا أنه حصرهن بشكل صارم في أدوار غير قتالية وكثير منها أعمال مكتبية. كان الاستغلال الجنسي من قبل الرؤساء الذكور أمرًا شائعًا. وبالمثل، في الكيبوتس، كان عدد قليل نسبيًا من النساء يعملن في الحقول وبالأحرى بقين في المطابخ العامة ومنازل الأطفال. كانت النساء جريئات، ولكن جرأتهن لم تترجم إلى فرص عمل وأجور متساوية. ربما شغلت جولدا منصب رئيسة الوزراء، لكنها كانت واحدة فقط من ثلاث نساء في حزبها الذي يضم ٥٦ مقعدًا. في ظل هذا التفاوت، كان هناك ظلم أكثر قتامة مثل تعدد الزوجات والاتجار بالجنس وجرائم الشرف.

منذ ذلك الحين، أحرزت إسرائيل بالفعل تقدمًا ملحوظًا نحو المساواة بين الجنسين. وابتداءً من عام ١٩٨٧، سُمح للجنديات بأداء أدوار قتالية معينة، بما في ذلك الطيران ولكن بعد عام ١٩٩٥. في عام ٢٠٠٠، تم تعديل قانون جهاز الأمن لتمكين النساء من الخدمة في أي

وحدة عسكرية بحيث تكن مؤهلات لها جسديًا، وفي العام التالي، تم إلغاء قيادة الفيلق النسائي المنفصل. واليوم، هناك بالفعل طيارون وقادة زوارق صواريخ وحراس الحدود وجنود مشاة من النساء. ولكن لا توجد بعد نساء يخدمن في أدوار قتالية في ألوية المشاة النظامية أو وحدات الكوماندوز أو في الغواصات العسكرية. وعلى النقيض من ذلك، يضم الجيش الأمريكي وقوات مشاة البحرية الجنسين، وكذلك جميع فروع البحرية الأمريكية.

من الناحية السياسية أيضًا، قطعت النساء أشواط كبيرة، إذ ارتفعت نسبة عضوات الكنيست بشكل مطرد من ٨٪ في عام ١٩٩٧ إلى ٢٥٪ اليوم. شغلت امرأة منصب رئيس الكنيست ومحافظ بنك إسرائيل ورئيسة للمحكمة العليا. ومع ذلك، فإن نسبة النساء في الكنيست أقل بكثير من نسبة النساء في البرلمانات السويدية والنرويجية والرواندية. لم تنل حتى الآن أي امرأة منصب رئيس الموساد أو جهاز الأمن الداخلي (الشاباك) أو وزيرة للدفاع. ولا يمكن للمرأة أن تكون عضوًا في الكنيست لأي من الأحزاب الأرثوذكسية المتشددة.

ويمتد التفاوت بين النساء والرجال الإسرائيليين ليطال ما هو أكثر من الجيش والمجال السياسي، إذ يتفشى بينهم أيضًا في مكان العمل. وقد كفل القانون المساواة هناك منذ عام ١٩٥٤ وعززتها قائمة من الإجراءات اللاحقة التي بلغت ذروتها في مشروع قانون عام ٢٠٠٨ لتشجيع اندماج المرأة والنهوض بها في مكان العمل. وفقًا لمركز أدفا، كان متوسط الأجر الشهري للمرأة الإسرائيلية في إسرائيل أقل من ٧٠٪ من أجر الرجل، بل إن الفجوة بين الرجال والنساء الحاصلين على تعليم جامعي أكبر. على الرغم من هيمنة النساء حسبما جرت التقاليد على القطاع المصرفي، فإن نسبة النساء في مجالس إدارة البنوك الكبرى تقل عن ٢٠٪، أي أقل من ٢٥٪ لجميع مجالس إدارة الشركات. وتشكل النساء نسبة ١٦,٥٪ فقط من رؤساء صناديق الاستثمار الإسرائيلية، و٩,٤٪ فقط من مؤسسي الشركات الناشئة. وبينما ارتفع عدد النساء اللائي يدرسن المجالات المتعلقة بالتكنولوجيا بنسبة ٦٤٪ في العقد الماضي، إلا أنهن ما زلن يمثلن ٣٠٪ فقط من القوى العاملة في مجال التقنيات العالية. صنفت مجلة الإيكونوميست إسرائيل في المرتبة ٢٢ من أصل ٢٩ دولة في التمثيل النسائي في مجالس الإدارة. هناك امرأة واحدة فقط من بين كل خمسة مديرين في الشركات المدرجة في بورصة إسرائيل.

يجري حاليًا النظر في التشريعات لتصحيح هذا الخلل، لكن التفاوتات ستستمر بلا شك. يتم الآن طرح قوانين مشابهة لتلك الموجودة بالفعل في الدول الاسكندنافية لمطالبة الشركات بالحفاظ على ما لا يقل عن حصة ٦٠-٤٠ من الذكور إلى الإناث في مجالس إدارتها. لكن يجب على إسرائيل أن تحاكي الدول الاسكندنافية في ضمان إجازة والدية متساوية للآباء والأمهات. يعد الافتقار إلى رعاية الأطفال أحد الأسباب الثلاثة الأولى للتفاوت في الدخل والقوة بين النساء والرجال.

وفي الوقت نفسه، وخارج نطاق العمل، لا تزال المرأة تعاني من عدم المساواة إن لم تعاني الظلم. هذا هو الحال بالتأكيد مع أكبر مجموعتين عرقيتين في البلاد، الحريديم والعرب.

في المجتمعات الأرثوذكسية المتشددة، وعلى نحو متناقض، ينشأ هذا الظلم من العمالة الزائدة للنساء. في حين أن نصف رجال الحريديم تقريبًا منهمكون في دراسات التوراة بدوام كامل، يُتوقع من زوجاتهم دعمهم ماليًا. يعمل ثلاثة أرباع النساء الحريديم، ومع ذلك ، فإن رواتبهم لا تتجاوز ٦٦٪ من رواتب النساء من غير الحريديم؛ وهذا برغم الارتفاعات الحادة في عدد طلاب الحريديم في الجامعات، خاصة في المجالات المتعلقة بالحاسوب. إلى جانب متوسط معدل المواليد البالغ ٦،٦ طفل لكل أسرة، وهو ثلاثة أضعاف معدل المجتمع العلماني، ومسؤوليتها عن الأعمال المنزلية والطهي بشكل حصري، يضع هذا عبئًا لا يطاق بشكل متزايد على عاتق المرأة الحريديم.

يُذكر أن مستويات توظيف النساء العربيات قد ارتفعت بشكل ملحوظ في السنوات الأخيرة، جنبًا إلى جنب مع نسب الالتحاق بالجامعات. ومع ذلك، تتفشى سوء المعاملة بين السكان البدو في إسرائيل في صورة تعدد الزوجات. في حين تتم مناقشة الجوانب الديموغرافية

والإستراتيجية لهذه الممارسة في مواضع أخرى، يجب تسليط الضوء على تأثيرها الرهيب على النساء البدويات.

يحلل الإسلام للرجل أن ينكح أربع زوجات، وهو حق ينتفع به ثلاثة أرباع الذكور. وجد تحقيق أجرته القناة ٧ الإخبارية أن ٧٠٪ من البدويات يتزوجن قسرًا ويعشن تحت التهديد المستمر بتعدد الزوجات. إنهن يعانين من مستويات أعلى بكثير من الإساءة والعنف وهن عاجزات عن الطلاق من أزواجهن من دون التنازل عن أطفالهن، بناءً على الاعتقاد بأنهم ينتمون إلى أبيهم وقبيلتهم.

عدم المساواة السياسية والمهنية والقيود الثقافية والدينية، ابتليت النساء في إسرائيل أيضًا بويلات الشرور المجتمعية مثل العنف الأسري والاتجار بالجنس وتشويه الأعضاء التناسلية وزواج القصر. يشهد كل عام تكرار ما يسمى بجرائم الشرف التي تقتل فيها امرأة عربية متهمة بارتكاب مخالفات جنسية على يد أحد أفراد أسرتها الذكور. وتُصنف كل هذه الأعمال كأعمال غير قانونية بموجب القانون الإسرائيلي، لكن العديد من هذه القوانين إما مطبقة بشكل غير كاف أو يتم تجاوزها بسهولة. وعادة ما يتلقى مرتكبو جرائم الشرف أحكامًا مخففة نسبيًا. في الواقع يعاقب القانون على المظالم الأخرى. يجب على المرأة الإسرائيلية التي تطلب الطلاق أن تتصلرف من خلال الحاخامية الكبرى،

التي تحتفظ بالحق في تقديم طلب الطلاق للزوج. وبرفض أزواجهن، أصبحت مئات النساء الإسرائيليات "مقيدة (آغوناه)" وغير قادرة على الزواج مرة أخرى والحصول على النفقة وإعالة الأطفال.

في القطاعات الدينية، يتم استبعاد النساء بشكل متزايد من الأماكن والمناسبات العامة ويتم تشويه صورهن على اللوحات الإعلانية. إن ممارسات التمييز تلك محظورة من قبل قائمة مشاريع قوانين الكنيست وقرارات المحكمة العليا، والتي يتم تجاهلها جميعًا بشكل صارخ. ومن بين حوادث الاستبعاد التي رصدتها شبكة المرأة الإسرائيلية، وقعت ٢٤٪ منها على عاتق الهيئات الحكومية و٦٢٪ منها وقعت تحت إشراف السلطات المحلية. بصفتي سفيراً، استمعت باشمئزاز وخزي إلى وزيرة الخارجية آنذاك هيلاري كلينتون وهي تقارن إسرائيل بإيران معلقة على تزايد حالات البصق بين الرجال الحريديم على النساء.

تفضي إحصائيات النساء المشوهات والقتيلات و"المقيدات" والمستبعدات اجتماعيًا إلى نتائج قاتمة، لا سيما في ضوء صورة المساواة بين الجنسين التي أظهرتها إسرائيل في سنواتها الأولى. في الوقت نفسه، لا ينبغي أن يكون هناك تخفيفًا لتأثير التشريعات المناهضة للتحرش والتي، ابتداءً من عام ١٩٩٨، غيرت بشكل ملحوظ السلوك في القطاعين الخاص والحكومي، جنبًا إلى جنب مع التشهير

بمرتكبي الجرائم الجنسية ومعاقبتهم في بعض الحالات. ووحدها من بين الديمقراطيات ذات النمط الغربي، سجنت إسرائيل رئيس في دورته بتهمة الاغتصاب. وبذلت سلطات إنفاذ القانون جهودًا جادة للقضاء على جرائم الشرف والاتجار بالجنس. ومع ذلك، لا يزال هناك مجال واسع للتحسين.

ينطبق هذا الحال أيضًا على حقوق المثليين ومزدوجي التوجه الجنسي والمتحولين جنسيًا، حيث ستكون أي مناقشة حول المساواة بين الجنسين منقوصة. وفي هذا الصدد أيضًا أبرزت إسرائيل ذات مرة نفسها في صورة الرائدة في مجال حقوق المثليين وموطن لأكبر مسيرة فخر المثليين في آسيا. وعلى مر السنين، لحق العالم الغربي بإسرائيل وتفوق عليها، بينما اتهمها المعارضون لها باتباع إستراتيجية "الغسيل الوردي"، أي استخدام تشريعات مؤيدة للمثليين ومزدوجي التوجه الجنسي والمتحولين جنسيًا لإخفاء السياسات المعادية للفلسطينيين. ولدحض هذه الاتهامات وتحقيق مُثُلها الليبرالية، يجب الارتقاء بإسرائيل إلى المعايير الغربية. لا بد أن يمنح الأزواج من نفس الجنس نفس القدرة على التبني مثل الأزواج من الرجال والنساء والسماح للأمهات المثليات بالإفصاح عن شريكتهن كأب مشارك. يشكل الزواج من نفس الجنس تحديًا أكثر صعوبة نظرًا لغياب مراسم الزفاف المدنية،

ولكن كما تمت مناقشته أعلاه، يمكن معالجة جزء من المشكلة من خلال السماح بمراسم اليهودية الإصلاحية والمحافظة.

هنالك دائمًا ما يذركي بأن إسرائيل عبارة عن إجراءء سار آخذ في المضي قدمًا، وفي مجال المساواة بين الجنسين، تم إحراز الكثير من التقدم ، ولا يزال يتعين إحراز المزيد. ويتمثل الهدف في ضمان أن تبدأ إسرائيل قرنها الثاني مع تمثيل المواطنات تمثيلاً كاملاً في قطاع الأعمال والحكومة والجيش. يجب أن تكون دولة تكافح بلا هوادة التحرش الجنسي والاستبعاد العام، وأن تقضي على ويلات النساء "المقيدة" واللاتي تعرضن لتشويه أعضائهن التناسلية. يجب أن تضع جريمة قتل النساء حفاظًا على شرف أسرتها في مكانتها، إنه قتل مع سبق الإصرار يعاقب عليه بالسجن المؤبد. ويجب على إسرائيل أن ترقى إلى صورتها السابقة، كدولة يمكن لجميع مواطنيها، ذكورًا وإناثًا على حد سواء، تحقيق كامل إمكاناتهم والحصول على تعويضات متساوية مع التمتع بالشعور بالحماية الكاملة من الانتهاكات.

دفاعًا عن جيش الدفاع الإسرائيلي

يمثل جيش الدفاع الإسرائيلي أحد إنجازات إسرائيل العظيمة؛ فهو ثاني أكبر جيش من المواطنين في العالم (بعد كوريا الجنوبية)، يزيد حجمه (مع احتياطياته) عن ضعف الجيشين الفرنسي والبريطاني مجتمعين، كما يحظى بالتقدير على نطاق واسع بسبب براعته الابتكارية وروح العمل الجماعي. إلى جانب حماية البلاد من التهديدات المتعددة الوحشية، أثبت الجيش الإسرائيلي دوره المهم في استيعاب المهاجرين الجدد وتعزيز الشعور بالترابط الاجتماعي وإنقاذ ضحايا الكوارث وترسيخ القيم الإسرائيلية في جميع الجنود، بغض

النظر عن خلفيتهم الدينية أو العرقية أو الإثنية. تتجسد هذه المبادئ بشكل خاص في وحدات الاحتياط التي قادت حروب إسرائيل على مر التاريخ، والتي أضفت النضج وضبط النفس إلى جانب النظرة الأخلاقية على ساحة المعركة.

أصبحت كل هذه الفضائل الآن موضع استجواب. شهدت السنوات الأخيرة ارتفاع الأصوات، بما في ذلك أصوات كبار الضباط السابقين، التي تدعو إلى تحويل الجيش الإسرائيلي إلى جيش محترف لا يختلف عن جيش الولايات المتحدة. وأوضحوا أنه مع استثناء أكثر من نصف السكان من الخدمة أو التنصل منها، ومع وجود عدد أقل من المجندين المتطوعين للوحدات القتالية، أصبح جيش المواطنين أسطورة. بدلاً من التجنيد الشامل الذي يكون في أفضل الأحوال انتقائيًا وفي أسوأ الأحوال مجحفًا، يجب على جيش الدفاع الإسرائيلي تجنيد المجندين الراغبين ودفع أجر محترم لهم. ومع وجود ٢٥٪ فقط من المحاربين القدامى المؤهلين الذين يسجلون في الخدمة الدورية، فلا بد من القضاء على جيش الاحتياط أيضًا.

أظهر استطلاع أجراه معهد الديمقراطية الإسرائيلي مؤخرًا أنه، ولأول مرة، يفضل غالبية الإسرائيليين التخلص من التجنيد.

من شبه المؤكد أن النتائج ستكون كارثية. عبر جيل واحد، سيشغل رتب الجيش الإسرائيلي الأقليات والمحرومين اجتماعيًا، وسيتألف فيلق الضباط إلى حد كبير من خريجي المدارس الدينية الوطنية. علاوة على ذلك، ستنخفض الروح المعنوية والقدرة القتالية لمثل هذه القوات بشكل خطير، مقارنة بالمجندين إجباريًا ذوي الهمم العالية اليوم. لن يخوض جنود الاحتياط الذين لديهم خبرة عشر أو حتى عشرين عامًا المعارك، وإنما الجنود غير المختبرين الذين بالكاد حصلوا على التدريب الأساسي. وعلى هذا النحو، ستختفي تمامًا النزعة العسكرية من شعب إسرائيلي منوط بآبائه وأطفاله.

كما سيتم القضاء على الدور التاريخي لجيش الدفاع الإسرائيلي في استيعاب المهاجرين واستيطان الأرض وتوحيد شرائح متنوعة من المجتمع. وسيكف الجيش عن دور الحاضنة لولادة خبراء كمبيوتر ومهندسين وغيرهم من الخبراء التقنيين. إن أي شخص يعتقد أن إسرائيل تستطيع خصخصة جيشها والبقاء رائدة العالم في الابتكار هو واهم بكل بساطة.

وأواصل التأكيد على أنه بدلاً من تحويل جيش الدفاع الإسرائيلي، يجب على إسرائيل تعزيز التزامها بالخدمة الوطنية. ويقصد ذلك الاستثمار بكثافة في تثقيف الشباب الإسرائيلي حول مزايا وفوائد هذه الخدمة. مما يُترجم إلى فرص أكثر لجميع الإسرائيليين، المتدينين اليهود والعرب والنساء والرجال، لتكريس عامين على الأقل في تحسين مجتمعاتهم. أولئك الذين يعزفون عن حمل الأسلحة يجب أن يكونوا قادرين على العمل بالمدقة في الغابة التي يزرعها الصندوق الوطني اليهودي أو مساعدة كبار السن أو المساعدة في مطعم الفقراء. يمكنهم العمل من أجل تحسين مجتمعاتهم. وبدلاً من تفكيك وحدات الاحتياط، يجب على إسرائيل إعادة بنائها وفتح أبوابها أمام قدامى المحاربين في المشروعات المدنية والإنسانية.

ينطوي تحويل جيش الدفاع الإسرائيلي أيضًا على تعديل معاشات الضباط وضباط الصف التي تُمنح في سن ٤٥، أي عشرين سنة قبل متوسط المدني الإسرائيلي، وتشكل أكثر من ١٥٪ من ميزانية الدفاع. وتُعد المعاشات التقاعدية أعلى من تلك التي يتقاضاها العسكريون المتقاعدون في أماكن أخرى من العالم و٥,٣ أضعاف تلك المقدمة لموظفي الخدمة المدنية في إسرائيل. وعلى سبيل المثال، يتقاضى المدرسون وموظفو النظام الصحي، الذين يتقاعد معظمهم في الستينات من العمر، ٧,٩٠٠ شيكل و ٨,٠٠٠ شيكل، على التوالي، بينما يتقاضى ضباط الصف والضباط السابقون رواتب بقيمة ١٥,٢٠٠ و١٩,٤٠٠ شيكل. جنبًا إلى جنب مع

زيادة متوسط العمر المتوقع والمهارات التي اكتسبوها أثناء الخدمة العسكرية، يمكن للمهنيين في جيش الدفاع الإسرائيلي أن يتطلعوا إلى عيشة هنية في الثمانينيات من عمرهم.

هناك بالطبع حاجة أمنية ملحة إلى تحفيز الأفراد الموهوبين على البقاء في الجيش والتخلي عن مزايا وظيفة مدنية في مجال التقنية العالية. على على ضرورة مكافأة قادة القتال باستمرار على تعريض حياتهم للخطر دائمًا وقضاء وقت قليل للغاية مع عائلاتهم. لكن تأتي التكاليف الحالية لمعاشات جيش الدفاع الإسرائيلي على حساب خدمات الصحة والتعليم والرعاية الاجتماعية ، وتضعف ثقة الجمهور أكثر في القوات المسلحة.

تكمن الإجابة في إعداد عروض جذابة، تنطوي على أجور متزايدة والحصول على شهادات جامعية مجانية، للفنيين والموظفين الأساسيين الآخرين. ويرمي ذلك إلى ترشيد خطط معاشات الجيش وإلغاء مكافآت رئيس الأركان التي تزيد من استحقاقات جميع المتقاعدين تقريبًا بنسبة ٢٠٪ تقريبًا. ويشير إلى استكشاف إمكانية أن يشارك جيش الدفاع الإسرائيلي، مثل جميع الجامعات الإسرائيلية، في أرباح التقنيات التي يطورها جنوده.

يجب أن يظل جيش الدفاع الإسرائيلي هو المدافع عن حدودنا ومستودع قيمنا والأصل في تشكيل مجتمع إسرائيلي مترابط. ولا تكمن الإجابة على التحديات التي تواجه جيش الدفاع الإسرائيلي في اختزال التجنيد في امتياز طوعي وإنما في توسيع نطاقه ليصبح واجبًا مدنيًا إلزاميًا للجميع. ويتمثل الحل في الحفاظ على مكانة الجيش وتعزيزه في المجتمع الإسرائيلي.

أخيراً، هناك تحدي الفجوة الاجتماعية وطرق انعكاسها - وتعميقها - في جيش الدفاع الإسرائيلي. فعلى نحو متزايد، يتم تجنيد أبناء العائلات الثرية الذين تمتع الكثير منهم بمزايا تعليمية كبيرة في سلك المخابرات. ومن هناك، يكتسبون مهارات الكمبيوتر والهندسة التي تمكنهم من الخروج مباشرة من الجيش إلى وظائف تقنية ذات رواتب عالية بالرغم من كونها حيوية لأمن إسرائيل. وعلى النقيض من ذلك، فإن الجنود المقاتلين، وكثير منهم من الأحياء المحيطة، يتعلمون القليل الذي يمكن أن يساهم في حياتهم المهنية اللاحقة. والنتيجة هي اتساع التفاوت الاجتماعي والاقتصادي بين أولئك الذين يخدمون في المخابرات وأولئك الذين يحملون السلاح.

سيتطلب تصحيح هذا الخلل في التوازن تزويد المحاربين القدامى في الوحدات القتالية بوسائل "اللحاق" بأولئك الذين يجلسون خلف أجهزة الكمبيوتر. ويجب توفير الدورات المركزة الخالية من الرسوم الدراسية، جنبًا إلى جنب مع التدريب الداخلي والتوجيه. مرة أخرى، الإجابة لا تكمن في إضفاء الطابع المهني على أجهزة المخابرات والأسلحة القتالية، ولكن في تسوية الملعب التعليمي والمهني لجميع الذين يخدمون.

دولة الأمن

يهتم الإسرائيليون بالأمن أكثر من الإسكان والرعاية الصحية والتعليم وحتى أكثر من تكلفة المعيشة. ولا عجب أن يظهر هذا في كل استطلاعات الرأي التي أجرتها جميع الأحزاب السياسية. إن الدولة التي لم تنعم بلحظة سلام حقيقي منذ إنشائها، ويحدها بها أعداء يسعون إلى تدميرها، وتواجه بشكل دوري تهديدات لا يمكن تصورها في أي مجتمع حديث آخر، سيكون هوسها بالأمن أمرًا مفهومًا. لكن أي نوع من الأمن؟ إلى أي مدى إستراتيجي ودبلوماسي؟ وبأي ثمن؟

يمكن تعريف الأمن من عدة نواحي، أمن تعليمي ومالي وحتى نفسي. وتُعد جميعها ضرورية لقدرة وطننا على الصمود. مع ذلك، لدى الإسرائيليين تعريف أضيق وأكثر شخصية: ما يحافظ على سلامة أطفالنا. تتسم التهديدات أيضًا بالوضوح وتتمثل في الصواريخ والانتحاريين والأسلحة غير التقليدية والهجمات الإلكترونية. لقد بحثت الأقسام السابقة الإجراءات الضرورية لضمان قوة إسرائيل وقدرتها على البقاء في عام ٢٠٤٨. وعلى هذا النحو، يمكن لإسرائيل أيضًا أن تكون دولة الأمن وفقًا لتعريف مواطنيها.

ويمثل الحفاظ على التفوق العسكري لإسرائيل خطوة بديهية. ولا يشمل ذلك فقط القوة البرية والجوية والبحرية، وإنما القدرات السيبرانية بشكل متزايد مع تقدم القرن. والتي تتضمن التقدم المستمر في تكنولوجيا الأسلحة، مثل الأسلحة بدون طيار والفضاء الجوي والليزر، والدفاع المضاد للصواريخ. يحتاج كل هذا إلى حصة كبيرة من الميزانية الوطنية لإسرائيل، ربما تتجاوز نسبة ٥٫٩٪ الحالية. ومن دون تحول جذري في الشرق الأوسط، ستكون هذه النفقات مبررة بما يكفي.

والحقيقة أن كل الطائرات والدبابات في العالم لن تكون ذات قيمة كبيرة لإسرائيل ما لم تتمتع بالوقت والمساحة لتشغيلها. هذه هي النقطة التي تم توضيحها في القسم الخاص بالسياسة الخارجية. حتى تنعم إسرائيل بالأمان حقًا، يجب عليها التوقف عن اعتبار هذا المجال حاسمًا لدفاعنا. يجب أن تفهم أن الكثير من أعدائنا لم يعودوا يعتبرون لبنان أو غزة ساحات القتال الرئيسية، بل يتجهون إلى التلفزيون وشاشات الكمبيوتر التي يمكن أن تصور الجنود الإسرائيليين على أنهم مجرمو حرب والمحاكم الدولية التي سيحاكمون فيها. ولا يقتصر الهدف على قتل الإسرائيليين فحسب، بل الأهم من ذلك، حمل إسرائيل على قتل السكان المدنيين الذين يستخدمهم أعداؤنا كدروع بشرية. ولتحقيق هذا الغرض، سوف يتلاعبون بوسائل الإعلام ويزيفون الأخبار ويثيرون ضجة عامة تدفع القادة الأجانب إلى إدانة إسرائيل في المحافل العالمية. بدلاً من اتباع إستراتيجية عسكرية، لديهم تكتيكات عسكرية تخدم الهدف الصحفي والدبلوماسي والقانوني المتمثل في حرمان إسرائيل من الحق في الدفاع عن نفسها والحق في الوجود في نهاية المطاف.

يجب على إسرائيل تكريس الموارد اللازمة لدرء مثل هذه الهجمات وتدريب الموظفين المناسبين. ولكن بالإضافة إلى تعزيز دفاعاتها،

يجب عليها أن تتصرف بشكل استباقي كما فعلت في الحروب السابقة. يجب ألا يكون هدفنا خوض الحرب باتباع أسلوب إقناع أعدائنا بالتكاليف الباهظة في المقام الأول. ويمكن تحقيق ذلك من خلال وسائل مختلفة يتم تعريفها بشكل جماعي بكلمة "الردع".

حاز الحفاظ على قوة الردع الإسرائيلية على أهمية كبيرة في العقود الأولى للدولة. خاضت إسرائيل الحرب مرتين، في عامي ١٩٥٦ و١٩٦٧، عندما أطلق عدونا الأساسي، مصر، رصاصة واحدة. في كلا النزاعين، خلص القادة الإسرائيليون إلى أن عدم الضرب سيقنع جميع خصوم إسرائيل بأنه يمكن تهديد الدولة اليهودية مع أمن العقاب. سيؤدي ذلك إلى ضربات إرهابية أو حتى هجمات واسعة النطاق قادرة على سحق القوات الإسرائيلية.

وقد توسعت هذه القوات بشكل كبير منذ ذلك الحين، لكن قوة الردع الإسرائيلية تضاءلت في الوقت نفسه. يطلق الإرهابيون آلاف الصواريخ عبر حدودنا، ويشلون حياة الإسرائيليين ويعرضونها للخطر، مطمئنين لمعرفة أن إسرائيل أصبحت شديدة الحساسية بسبب فقدان جنودها والتكلفة التي يتكبدها سكانها المدنيون ورد الفعل العنيف للرأي العام العالمي. وتتعهد إيران علانية بالقضاء على إسرائيل وتهاجمنا من خلال وكلائها الإقليميين واثقة من أن إسرائيل لن تنتقم من إيران بنفسها. قد تقود مثل هذه التصورات قادة آيات الله إلى استنتاج أن إسرائيل ستبقى مكتوفة الأيدي بينما يطغون ويصنعون مئات القنابل النووية.

كيف يمكن إذًا لإسرائيل أن تستعيد قوة الردع؟ تتمثل إحدى الطرق بالتأكيد في الرجوع إلى الوقت الذي لم تكن فيه الأعمال العسكرية الإسرائيلية تظهر بشكل مسبق. عندما سألت الحكومة الإسرائيلية جي سي هورويتز، المتخصص البارز في شؤون الشرق الأوسط، في أوائل الخمسينيات من القرن الماضي عن أفضل السبل للحفاظ على قوت الردع، قال: "باعتبار أنها دولة ضعيفة بدون حلفاء، يجب ألا تكون قابلة للتوقع على الإطلاق". لقد أصبحت إسرائيل قابلة للتنبؤ، مما مكن أعداؤنا من مهاجمتنا وحساب ردنا بدقة. يجب كسر هذا النمط واستبداله بسياسة غرس عدم اليقين والخوف داخل كل أعدائه.

ويتمثل المسار الآخر والأكثر إثارة للجدل في إعادة النظر في تحالفنا الإستراتيجي مع الولايات المتحدة. وقد توسعت تلك العلاقة، التي تعود جذورها إلى حرب أكتوبر عام ١٩٧٣، لتشمل مليارات الدولارات من المساعدات العسكرية السنوية بالإضافة إلى التزام الكونجرس بالحفاظ على التفوق العسكري النوعي لإسرائيل. ويًعد هذا الأخير، الذي يمكّن إسرائيل من "الدفاع عن نفسها بنفسها ضد خصم شرق أوسطي أو مجموعة من الأعداء" أمر بعيد المنال بدرجة استثنائية. لكن اليوم بالفعل، وبالتأكيد بحلول منتصف القرن، لا بد من وضع فعالية هذا التخطيط في موضع تساؤل. هل من مصلحة إسرائيل حقًا أن يُنظر إليها على أنها معتمدة في دفاعها على الولايات المتحدة؟

يصب ذلك بالتأكيد في مصلحة أمريكا. إذ أن هذه المساعدات، التي يجب إنفاق معظمها تقريبًا في الولايات المتحدة وعلى العناصر المعتمدة رسميًا، تدعم صناعة الأسلحة الأمريكية كما أنها تحظى بشعبية سياسية لدى معظم الدوائر الانتخابية. لكنها تخلق أيضًا انطباعًا عن النفوذ، مما يمكّن منتقدي إسرائيل من التهديد بتقليص المساعدات أو إلغائها للإرغام على تقديم تنازلات. لقد كنت المساعدات الأمريكية تمثل حصة كبيرة من ميزانيتنا الوطنية في وقت ما، لكنها باتت الآن تمثل أقل من الخمس. ومع ذلك، فإنها تبقي على التصور بأن إسرائيل لا تزال تعتمد عسكريًا على قوة أجنبية. وهذه ليست بالصورة يمكن لإسرائيل تحملها.

تثير هذه الصورة إشكالية بشكل خاص في وقت تحجم فيه الولايات المتحدة إستراتيجيًا عن معظم أنحاء العالم. أكثر من قيمتها النقدية، كانت المساعدة ترمز إلى التزام أمريكا بالوقوف إلى جانب حلفائها وحماية السلام العالمي. إن تقليص هذا الدور التاريخي، ولا سيما في الشرق الأوسط، يقلل من أهمية المساعدات على الجانب النفسي.

يجب إثارة اعتراضات مماثلة على التوقيع على معاهدة دفاع بين الولايات المتحدة وإسرائيل. لن يمنح مثل هذا الاتفاق إسرائيل تبرعات تذكر أكثر من تلك المخصصة للتفوق العسكري النوعي التي تتلقاها بالفعل من الكونجرس في حين لا تلتزم الولايات المتحدة

بالكامل وربما تكبل يدي إسرائيل. لا يحتاج المرء إلا إلى تذكر فشل أمريكا في الوفاء بتعهداتها بالدفاع عن جنوب فيتنام خلال غزو الشمال عام ١٩٧٥ أو استخدامها حق النقض ضد الإجراءات الاستباقية الإسرائيلية، قبل ذلك بعامين في حرب أكتوبر. يجب على المرء أن يتذكر فقط انسحاب أمريكا من أفغانستان في عام ٢٠٢١. بدلاً من المخاطرة بإعادة النظر في مثل هذه السيناريوهات، يجب على إسرائيل أن تعمل على إقناع أعدائنا بأننا سندافع عن أنفسنا بالفعل ولن نعتمد على أي دولة أخرى للمساعدة.

بالنظر إلى أنها أقدم من أكثر من نصف الدول الأعضاء في الأمم المتحدة ويبلغ عدد سكانها ضعف حجم الدنمارك والنرويج، يجب أن تكون إسرائيل قادرة على الوقوف على قدميها الإستراتيجية. لا يعني هذا أن على إسرائيل التخلي عن علاقتها الإستراتيجية مع الولايات المتحدة أو التوقف بأي شكل من الأشكال عن تقدير دعمها. فلا توجد أمة أخرى تشاركنا قيمنا وتكرم روابطنا الروحية غيرها. لا يشكل بلد آخر موطنًا لمثل هذه الجالية اليهودية الكبيرة والقوية. ولا توجد دولة أخرى تنافس أمريكا في قوتها. يجب أن تكون إسرائيل دائمًا قادرة على الاعتماد على الولايات المتحدة للحصول على الدعم الدبلوماسي وإعادة الإمداد اللوجستي، خاصة في وقت الحرب.

وبرغم كل ذلك ،بحلول عام ٢٠٤٨، يجب أن تكون إسرائيل مستقلة عسكريًا. أولئك الذين يسعون إلى إلحاق الأذى بنا أو تدميرنا لا بد أن يعلموا أن إسرائيل سترد على أي عدوان قوة من دون أي قيود وبطرق لا يستطيع أي منهم توقعها. جنبًا إلى جنب مع المجال الذي وفره لنا دبلوماسيونا، المدعوم أخلاقيًا ولوجستيًا من الولايات المتحدة، يمكن لجيش الدفاع الإسرائيلي أن يضمن أمن إسرائيل، وهي دولة محترمة ومخيفة في نفس الوقت.

إسرائيل بين الأمم

كانت الحركة الصهيونية التي أطلقها هرتزل في الأساس مبادرة سياسية أجنبية تستهدف السلاطين والقياصرة وقادة العالم الآخرين. لقد استند إلى تقليد قديم، كقدم اليهودية نفسها، وحاجة أجدادنا إلى التنقل بين الإمبراطوريات المتنازعة. يشتمل العهد بين الله والشعب اليهودي على مفاهيم ويمكن اعتبار الكتاب المقدس نفسه بمثابة تمهيد لكيفية إدارة الشؤون الخارجية وتسييرها.

تم تسخير هذا الإرث من قبل مؤسسي إسرائيل لتأمين الاعتراف والشرعية للدولة اليهودية، و ضمان بقائها بعد إنشائها. مثل أسلافنا في الكتاب المقدس، كان على القادة الإسرائيليين أن يتنقلوا بحذر بين الكتل المعادية وأن يحافظوا على التحالفات الإستراتيجية. في السنوات الأخيرة، تحولت الجهود المبذولة لتدمير إسرائيل من حملة عسكرية حصرية إلى حملة قانونية إلى حد كبير تهدف إلى نزع الشرعية عن الدولة اليهودية وخنقها بالعقوبات. فلماذا إذن تزدري إسرائيل أهمية العلاقات الخارجية وتتجاهل دورها أحيانًا؟

ويتمثل السبب في وجود تقليد موازٍ يتجلى في الكره الصهيوني ليهود محكمة الشتات (shtatlan) جنبًا إلى جنب مع الاهتمام الشديد الذي يوليه الإسرائيليون للاعتماد على الذات. تجسد أفضل تلخيص للمدرسة الفكرية في الملحوظة الذكية الشهيرة لبن غوريون، "أم شموم" (تعني تقريبًا "الأمم المتحدة، من يبالي؟") عندما كنت سفيراً للولايات المتحدة، أبلغت جيش الدفاع الإسرائيلي وقادة الموساد عن حملة مقاطعة ضد إسرائيل ومعاقبتها، فجاء ردهم: "لا تقلق. ما يهم بصفة رئيسية هو الحفاظ على قوتنا". وكأن

الدبابات والطائرات قادرة على الدفاع عن الدولة من حركة شعبية تسعى لتمرير قوانين تحرمنا أولاً من حق استخدام تلك الأسلحة، ثم من الحق في الوجود لاحقًا.

في خضم السجال الدائر بين التقليدين، وهما احترام الكتاب المقدس للسياسة الخارجية والازدراء الحالي، احرز الأخير انتصارًا. لقد تجردت وزارة الخارجية من الكثير من المسؤوليات المنوطة بها وتقلصت ميزانيتها مرارًا وتكرارًا. تُمارس الكثير من السياسة الخارجية لإسرائيل اليوم من خلال مجلس الأمن القومي وجيش الدفاع الإسرائيلي والموساد على يد أفراد يفتقرون إلى أي خلفية دبلوماسية. تنفق النرويج ضعف إسرائيل اثني عشرة مرة برغم عدم وجود أي من التحديات القانونية والدبلوماسية التي تواجهها إسرائيل. وتمتلك سلطة الفلسطينية ١٢٠ مفوضية في الخارج، بينما تمتلك إسرائيل ٩٦ ومن المقرر إغلاق العديد منها.

ومن المفارقة أن يأتي قرار تقليل تمثيل إسرائيل في الخارج في وقت تحظى فيه توسيع العلاقات مع الدولة اليهودية باهتمام دولي غير مسبوق. في مرحلة ما في السنوات التي تلت الذكرى السنوية الخامسة والعشرين لإسرائيل، كانت الدولة معزولة تمامًا. لا سلام مع الأردن

ولا مصر، وعداء متواصل من الصين والهند والكتلة السوفيتية المكونة من اثني عشر دولة والسفارات في خمس فقط من العواصم الأفريقية الأربع والعشرين. واتسمت العلاقات مع معظم دول أمريكا الوسطى والجنوبية بالتوتر في أحسن أحوالها. واليوم، بعد خمسين عامًا، أصبحت كل هذه الدول، بالإضافة إلى الدول العربية الأربعة الموقعة على اتفاقيات إبراهيم، تربطها علاقات وثيقة بإسرائيل، فلم يسبق لمحفظتنا الدبلوماسية أن كانت أكثر تنوعًا هكذا من قبل. ولا لأفق سياستنا الخارجية أن كان أوسع. ومع ذلك، في الوقت نفسه، نادرًا ما كانت هناك حاجة أكثر إلحاحًا من الآن إلى دبلوماسية إسرائيلية فعالة وإبداعية وناشطة.

ويكمن الحل في أنه يجب على إسرائيل التنقل بين الإمبراطوريات كما كان الحال في الماضي. مع انسحاب الولايات المتحدة، الحليف البارز لإسرائيل منذ تأسيسها، من الشرق الأوسط وأماكن أخرى في العالم، واندفاع قوى أخرى لسد الفجوة، تجد إسرائيل نفسها في مواجهة أمام تحديات تفرضها قوة عظمى جديدة. بعيدًا عن المخاطر التي تشكلها القوات الروسية المتمركزة بالقرب من حدودنا الشمالية، هناك التحدي الذي يلوح في الأفق المتمثل في الصين.

إنها الصين التي بنت حوالي خمسة وثلاثين ميناءً حول العالم، بما في ذلك عند مدخل البحر الأحمر، ويقال إنها تخطط لبناء اثنين على الخليج الفارسي. تهيمن الصين نفسها الآن على إفريقيا اقتصاديًا بينما توسع نطاق انتشارها البحري العالمي بسرعة. كما يتوقع

المحللون أن الصين وحدها القادرة على إعادة بناء سوريا، وهو مشروع تقدر تكلفته بنحو ٣٠٠ مليار دولار. وهذه هي الصين التي قامت بتحديث مينائين رئيسيين في إسرائيل وأنشأت شبكة مترو أنفاق تل أبيب ونفذت العشرات من مشروعات البناء الكبرى في جميع أنحاء البلاد. توجد في آفاق جميع المدن الإسرائيلية تقريبًا رافعات تحمل اللافتات الصينية. ولكن ما ليس تحت الضوء هو الاستحواذ الصيني على شركات التكنولوجيا الفائقة الإسرائيلية وافتتاح مراكز ثقافية وتكنولوجية صينية في الجامعات الإسرائيلية.

من المؤكد أن الصين ليست دولة معادية، لا تسود معاداة السامية بشكل أساسي هناك، لكن الولايات المتحدة تنظر إليها باعتبارها كذلك بشكل متزايد. وطالما حذر المسؤولون الأمريكيون نظراءهم الإسرائيليين مرارًا وتكرارًا من أنه إذا بنت الصين ميناء حيفا، فلن يتردد الأسطولا الأمريكي السادس على الموانئ هناك. عملت واشنطن مرارًا وتكرارًا على منع بيع التكنولوجيا العسكرية الإسرائيلية للصين، لدرجة إثارة أزمات دبلوماسية مع القدس. يتجلى موقف حليفنا في أنه لا يمكن لإسرائيل أن تجمع بين المكاسب الأمريكية والمصلحة الصينية. في النهاية، يجب أن نختار.

لذلك، يجب على إسرائيل حسن إدارة الأمور عن طريق الموازنة بين روابطها الإستراتيجية والاقتصادية والأيديولوجية مع أمريكا وبين مصالحها المتزايدة مع الصين، لتقييم انسحاب أمريكا من الشرق الأوسط مع دخول الصين السريع للغاية، والالتفات إلى علاقات الصين

الوثيقة مع إيران وكوريا الشمالية و الدول المعادية الأخرى. وفي تلك الأثناء، يجب ألا تغفل إسرائيل عن هدف السياسة الخارجية الموازي المتمثل في الحفاظ على حقنا في الدفاع عن أنفسنا، وبعد ذلك، حقنا في الوجود كدولة يهودية ذات سيادة.

تمت مناقشة وسائل ضمان هذه الحقوق في مكان آخر في هذه العمل (انظر عنوان دولة الأمن)، لكن يجدر بنا تكرار أن عدم معالجة التهديد الحقيقي فعلاً لشرعية إسرائيل بشكل يومي، قد يعرض أمننا ووجودنا في النهاية للخطر. يجب محاربة هذا التهديد بكل الوسائل الممكنة، بما في ذلك السياسة الخارجية بالطبع. والسياسة الخارجية كانت وستبقى الاختصاص الرئيسي لوزارة الخارجية.

ومع ذلك، فإن تلك الوزارة بالتحديد هي التي تم تخفيض ميزانيتها ومسؤولياتها بشكل جذري. يتطلب عكس هذا الاتجاه توعية الإسرائيليين بشكل أفضل حول تأثير الشؤون الخارجية على حياتهم اليومية. يجب أن يتعلموا أن الدبلوماسية ليست بمثابة مجرد ربيب مسكين للأمن، ولكنها أداة أساسية لحماية منازلهم وازدهارهم. الدبلوماسيون لا "يحتسون الكوكتيلات"، كما تقول الأسطورة الشعبية، بل يعملون لساعات طويلة مقابل

أجر زهيد، ويخاطرون بحياتهم لتمثيل إسرائيل والدفاع عنها في عالم معادي في كثير من الأحيان. إنهم يوفرون الوقت والمساحة اللازمين لجنودنا للقتال والدفاع ويحمونهم من التداعيات القانونية.

يجب أن تخضع وزارة الخارجية لإصلاحات هي الأخرى. إذ أنها مؤسسة سيئة السمعة تشتهر بعدم الكفاءة والبيروقراطية الطائشة، لذا يجب ضبطها وتحديثها. لقد ولت الأيام التي كان فيها الدبلوماسيون يتبادلون حوالي ١٢٠ برقية من أجل شراء غلاية شاي في النهاية، لقد حدث هذا بالفعل. لذلك، يجب أيضًا تطهير الوزارة من المحسوبية التي أدت باستمرار إلى منشورات غير لائقة بل ضارة في الخارج وتسريبات دائمة للصحافة. في وقت مبكر أثناء ولايتي في واشنطن، عقدت اجتماعًا وجيزًا مع العديد من إدارات وزارة الخارجية، بما في ذلك الوحدة الأكثر سرية، ثم وجدت كل ما قلته منشورًا في صحف اليوم التالي. ولم يوجه بعدها سفير إسرائيل في الولايات المتحدة أي حديث إلى وزارة الخارجية مرة أخرى على مدى السنوات الخمس التالية!

بشكل عام، يجب إجبار الوزارة على التفكير في حقائق القرن الحادي والعشرين. لم يعد بإمكان السفارة في واشنطن توفير دبلوماسي متفرغ مسؤول عن المنظمات الدولية ولكن ليس هناك ملحق سياسي واحد يحلل الانتخابات في أمريكا. لا قبل لدبلوماسي متوسط المستوى بأن يعمل كحلقة وصل إسرائيلية وحيدة مع ١,٤ مليار مسيحي. ولا يمكن للتقسيم القديم للأقسام حسب الجغرافيا (حسب المكتب الآسيوي، المكتب الأوروبي) أن يتوافق مع عالم يربطه بالإنترنت والعولمة الاقتصادية. يجب اختيار السفراء وموظفيهم بناءً على مؤهلاتهم فقط، من قبل لجنة لا تخضع لأي تأثير من وزارة الخارجية، وفصلهم على الفور في حالة حدوث تسريبات. باختصار، يجب تفكيك الوزارة وإعادة بنائها بطرق من شأنها استعادة ثقة الجمهور.

يتمثل الطريق لإعادة وزارة الخارجية إلى المكانة الرفيعة التي كانت تحتلها في السنوات الأولى للدولة، وعلى نطاق أوسع ، في استعادة احترام الشعب اليهودي للدبلوماسية، وهو طريق طويل مليء بالتحديات. ومع ذلك فهو المسار الذي يجب اتخاذه إذا أرادت أن تنجح إسرائيل في اتخاذ موقعها وسط عالم القرن الحادي والعشرين وأن تتنقل بين القوى المتنافسة وتدافع عن نفسها ضد الجهود الرامية إلى نزع الشرعية منها. يمكن لإسرائيل أن تكون نورًا على الأمم ولكن فقط من خلال إسقاط الشعاع والحفاظ عليه.

دولة الكرامة والرخاء

أثناء سفري في جميع أنحاء الولايات المتحدة وأوروبا، التقيت كثيرًا بشباب إسرائيليين، كثير منهم من ذوي التعليم العالي، وكانوا يعيشون في الخارج بشكل دائم. كان تبريرهم موحدًا بشكل ملحوظ. لم يكن الوضع الأمني والسياسي ولا حتى فرص العمل هم الدافع وراء قرارهم. وإنما كان غياب المستقبل الاقتصادي، كقدرتهم على شراء منزل وسيارة وإعالة أطفالهم بشكل كاف. قالوا إن الحياة في إسرائيل ليس لها كرامة. أكثر من الصراع مع الفلسطينيين أو التهديد من إيران، أكثر من الانقسامات بين اليمين واليسار والديني والعلماني، كان أكبر تهديد طويل الأمد لوجود إسرائيل هو الاقتصاد حسب استنتاجي.

كان هذا الإدراك غير عادي بالنظر إلى تاريخ إسرائيل والدولة التي صادفتها لأول مرة قبل خمسين عامًا. من مجتمع اشتراكي وزراعي وأقل طبقية، تحولت إسرائيل إلى سوق حر إلى حد كبير، مجتمع عالي التقنية مع خمس السكان يعيشون في فقر. في العقد الماضي وحده، تضاعف متوسط دخل الأسرة تقريبًا، وتجاوز نصيب الفرد من الناتج المحلي الإجمالي بشكل جيد مثيله في فرنسا وإيطاليا واليابان. مع ٦٫٢ تريليون قدم مكعب من احتياطيات الغاز، من المتوقع أن تجني إسرائيل عشرات المليارات من الدولارات من وفورات الطاقة وعائدات الضرائب والصادرات. باعتبارها رائدة عالميًا في مجال الابتكار، فهي موطن لأكثر من ٥٥٠ شركة تقنية دولية وشركات ناشئة أكثر من جميع دول أوروبا الغربية، ومن المتوقع أن تجني إسرائيل مليارات لا حصر لها في السنوات القادمة. ويُعد معدل البطالة منخفضًا في ظل التعافي من أزمة فيروس كورونا منخفض.

لماذا إذن مع كل هذه المؤشرات المبهرة، تحتل إسرائيل المرتبة الأخيرة في مرتبة

منظمة التعاون الاقتصادي والتنمية للإنتاجية، بينما تتصدر في نفس الوقت القائمة في عدد ساعات العمل الأسبوعية؟ لماذا تتسع فجوة الإنتاجية بين إسرائيل والدول المتقدمة الأخرى؟ لماذا تكلفة المعيشة في إسرائيل أعلى بنسبة ١٠٪ منها في الولايات المتحدة وفي ربع دول منظمة التعاون الاقتصادي والتنمية الست والثلاثين، مع تصنيف تل أبيب على

أنها أغلى مدينة في العالم؟ لماذا تُعد تكلفة سلة المشتريات الأغلى في العالم بعد اليابان، فعلبة رقائق الذرة التي تباع في بولندا بدولارين تساوي ٦ دولارات للإسرائيليين؟ كيف يمكن لمنتج إسرائيلي شهير مثل بامبا أن يكون أرخص في لوس أنجلوس منه في حيفا؟

هناك العديد من الإجابات على الأسئلة، وقد تم بالفعل تناول بعضها. تتأثر الإنتاجية بشدة بالمجموعتين التقليديتين من السكان، حيث تظهر مستويات تعليمية وتدريبية منخفضة وعزوف معظم الرجال الأرثوذكس المتشددين ومعظم النساء العربيات عن العمل، كما تتأثر أيضًا بالضرائب المرتفعة في إسرائيل، والتي تقتضيها ميزانية الدفاع الضخمة وتكاليف الرعاية الصحية الشاملة، مما يثبط الإنتاج. من ناحية أخرى، تُعد ساعات العمل الطويلة سمة من سمات الثقافة الإسرائيلية. بالمقارنة مع أحد أقصر أسابيع العمل في أوروبا، تتصدر فرنسا الرسوم البيانية في الإنتاجية. ثم تليها البيروقراطية الإسرائيلية سيئة السمعة. يمكن بسهولة استغلال الساعات العديدة التي يضيعها الإسرائيليون في الانتظار في الطابور في المكاتب الحكومية ببساطة في إنتاج شيء ما.

لا توجد حلول سحرية في هذا الموقف. ولا يمكن خفض تكلفة المعيشة في إسرائيل دون تفكيك المائة هيئة احتكارية، وهو أكبر عدد في الغرب، التي تهيمن على اقتصادنا. ينطبق هذا بشكل خاص على المستوردين الذين يضخمون أسعار رقائق الذرة وآلاف السلع الأخرى. يجب أن يكون القطاع المصرفي مفتوحًا للمنافسة، وهو الذي تسيطر عليه بالكامل تقريبًا خمسة بنوك تفرض رسومًا على الإسرائيليين مقابل خدمات مجانية في الولايات المتحدة. تتلاعب تحالفات المنتجات المماثلة في الأسعار في أسواق العقارات والتأمين والاتصالات. يمكن للمجتمع المدني أن يساعد في مكافحة هذه الآفة، كما حدث في عام ٢٠١١، عندما قاطع المستهلكون بنجاح صانعي الجبن ومنتجات الألبان الأخرى. في النهاية، على الرغم من ذلك، لا يوجد بديل لتشريع فعال لمكافحة الاحتكار المدعوم من الحكومة والذي يسنه الكنيست.

كما ارتفعت الأسعار أيضًا نتيجة السياسات التنظيمية بعيدة الأثر في جميع القطاعات الاقتصادية، باستثناء قطاع التقنية العالية، المتراوحة بين الحواجز البيروقراطية إلى افتتاح مشروع تجاري (من بين أصعب الأعمال في العالم)، والتعريفات الضخمة المفروضة

على عدد كبير جدًا من السلع. وبشكل مخيب للآمال، تحتل إسرائيل المرتبة ٢٨ في العالم من حيث تعظيم الرسوم التشغيلية والمرتبة ٨٥ من حيث احترام العقود التجارية. ويعرف كل إسرائيلي أن الرسوم المفروضة على السيارات تبلغ نسبة مذهلة تبلغ ٨٥٪ من تكلفة السيارة. مرة أخرى، لن تخف هذه القيود المفروضة عن نمو إسرائيل، ولا أمل للملايين من مواطنيها، من دون إجراءات حكومية منسقة لرفع الرسوم الجمركية التي تجلب عليهم أضرارًا أكثر مما تحميهم وخفضها.

يعد القضاء على البيروقراطية خطوة أساسية أخرى نحو النمو الاقتصادي لإسرائيل في المستقبل. بصفتي ممثل إسرائيل في جمعية منتدى بيانات D5، رأيت بنفسي كيف نجحت دول مثل كوريا الجنوبية والمملكة المتحدة ونيوزيلندا وإستونيا على وجه الخصوص في تحويل جميع الخدمات

الحكومية تقريبًا إلى أرقام. في المقابل، في إسرائيل، يتم تبادل ٥٥٪ فقط من معلومات المواطنين بين الوزارات. وبتحويل معظم المعلومات إن لم يكن كلها، ستوفر التعاملات بين المواطنين والحكومة عبر الإنترنت عددًا لا يحصى من ساعات العمل والكثير من التأزمات.

يجب على إسرائيل أن تستثمر على نطاق أوسع في تفوقها التكنولوجي. في حين أن البلاد تتصدر العالم من حيث نصيب الفرد من الاستثمار الوطني في الابتكار، إلا أنها تتراجع من حيث النسبة المئوية للعاملين في مجال التقنية العالية الذين توظفهم الشركات المحلية. وهذا بالكاد من شأنه منافسة الشركات العالمية العملاقة مثل آبل ومايكروسوفت وإنتل من حيث تعويض الموظفين. وتكون النتيجة هي نزيف داخلي في المعرفة يتدفق فيه كل استثمار إسرائيل في تخريج مهندس، بدءًا من رياض الأطفال وانتهاءً بالكلية، إلى خارج البلاد ولا يمكن استرجاعه. وفي الوقت نفسه، تعاني الشركات المحلية من نقص في المواهب الفنية من الدرجة الأولى. لإيقاف هذا التدفق، يجب على الحكومة تحفيز المهندسين وغيرهم من الموظفين المهرة للعمل في الشركات الإسرائيلية. وفي الوقت نفسه، يجب على الدولة أن تشجع الشركات الإسرائيلية على مقاومة الرغبة في الخروج وأن تظل علامات تجارية وطنية، كخلق النموذج الإسرائيلي من شركة نوكيا الفنلندية.

يمكن اتخاذ الكثير من التدابير الأخرى من توفير التعليم المجاني قبل المدرسة لأطفال الأمهات العاملات إلى فرض خمسة أيام عمل فقط في الأسبوع. ويجب توسيع نطاق برامج التدريب في القطاعين العربي والحريدي بشكل كبير ورفع قيود الهجرة للمهندسين والفنيين غير اليهود من الخارج. بصفتي عضوًا في الكنيست، قدمتُ قانونًا يسمح للأجداد، وكثير

منهم من العاملين في الأربعينيات والخمسينيات من العمر، بأخذ إجازات مرضية لرعاية أحفادهم المرضى حتى لا يغيب آباؤهم الأكثر إنتاجية عن العمل. فقد تعلمت أن خطوة صغيرة كهذه يمكن أن تؤثر بشكل جوهري على الاقتصاد.

مع ذلك، يكمن التحدي الأكبر، والذي يهتم به الشباب الإسرائيلي أكثر من غيره، في الإسكان. كانت تلك هي القضية الأساسية التي تناولها الحزب السياسي الذي انضممت إليه عام ٢٠١٥ والذي مثلته في الكنيست. اكتشفت أن الإسكان لا ينطوي مشكلة واحدة بل عشرات المشاكل. يبدأ الأمر بارتفاع معدل المواليد في إسرائيل ويستمر مع ارتفاع تكلفة مواد البناء وندرة العمال المهرة والعقبات البيروقراطية التي لا نهاية لها ومحدودية مساحة الأرض التي تعتبر كلها مملوكة للدولة تقريبًا. لعبت السياسة النقدية أيضًا دورًا في رفع تكلفة متوسط الشقة بنسبة ١٢٠٪ في أقل من عقد من الزمان.

مرة أخرى، لا يوجد حل نمطي. بينما يمكن إبطاء معدل الأسعار المتضخمة وتوزيع المزيد من الأراضي وتقليل أوقات البناء، فمن المرجح أن تستمر أزمة الإسكان في إسرائيل. سيظل تعاني إسرائيل من عجز في عشرات الآلاف من الشقق كل السنة، ويكلف كل منها حصة أكبر من

الدخل السنوي للعملاء. ويتمثل الحل الوحيد، في نهاية المطاف، في تغيير الطريقة التي يفكر بها الإسرائيليون بشأن الإسكان. تعتبر ملكية المنزل جزءًا مهمًا من الهوية الإسرائيلية، وخاصة للأزواج الشباب، ومؤشرًا على المكانة ومصدرًا رئيسيًا للثروة الفردية. ومع ذلك يتغير كل ذلك من خلال اعتماد نموذج المستأجر المشهور في ألمانيا ودول أوروبية أخرى. في تناقض صارخ مع تكاليف الإسكان، فإن الإيجارات في إسرائيل أقل بكثير من متوسطات منظمة التعاون الاقتصادي والتنمية ومتوسط الإيجارات في أمريكا. يجب تشجيع الإسرائيليين على الاستئجار بدلاً من الشراء. إن القيام بذلك لن يؤول فقط إلى تحفيز مجالات أخرى من الاقتصاد، وإنما سيؤدي أيضًا إلى خفض أسعار المساكن بسبب قلة الطلب. يجب تقديم حوافز جدية لاستئجار أو شراء شقق في الجليل والنقب.

حُرم الكثير من الإسرائيليين من إمكانية تحقيق عيش كريم وتوفير الطعام والمأوى لعائلاتهم، فيلوذون بالفرار في آخر الأمر. أولئك هم بالفعل السكان الذين يدفعون الضرائب ويخدمون في جيش الدفاع الإسرائيلي. إذا هاجرت ١٠٪ من القوى العاملة التي تعمل في مجال التقنية العالية و ٤٪ من العاملين في في مجال الرعاية الصحية والبحث، فلن تكون الدولة قادرة على الصمود من الناحية المالية أو قادرة على الدفاع عن نفسها. ولتفادي هذا الاحتمال الوجودي، لا بد من تغييرات تاريخية في السياسة الاقتصادية، منها الإلغاء

التدريجي لإعانات الأطفال والدراسات الدينية مع تقليل التعريفات والضرائب وإنهاء الاحتكارات وتوسيع التدريب المهني والاستثمار في النقل الجماعي وإلغاء الضوابط. تتسم قائمة الإصلاحات بأنها مهولة، لكن كلها ضرورية لضمان أن تكون إسرائيل عام ٢٠٤٨ دولة مزدهرة تحترم كرامة مواطنيها.

دولة ذات صحة جيدة

أكتب هذا القسم في ظل ذروة جائحة كوفيد-١٩ وأنا معزول في منزلي. بالمقارنة مع دول أخرى في العالم، تشتهر إسرائيل بأنها تعاملت مع الأزمة بنجاح، وسرعان ما فرضت الحظر على السكان وعزلت المرضى وألغت التجمعات العامة وأغلقت الأعمال غير الضرورية. لكن التكاليف الاقتصادية والاجتماعية كانت باهظة. أكثر من مليون إسرائيلي أصبحوا عاطلين عن العمل والعديد منهم أصيبوا بصدمة نفسية. وقد يستغرق التعافي سنوات.

تبرر المصادر الرسمية هذه الإجراءات الوحشية بضرورة إنقاذ الأرواح، وهو أمر مفهوم تمامًا. لكنهم يحذرون أيضًا من أن تعصف الجائحة بالمستشفيات الإسرائيلية بسهولة، وليس ذلك من الواقع بشيء. بصفتي عضوًا في الكنيسيت (٢٠١٩-٢٠١٥)، ذهبت في زيارة للمستشفيات في جميع أنحاء البلاد، في المناطق الحضرية والريفية، في الشمال والجنوب، لخدمة السكان الفقراء والأثرياء. وبصفة عامة، شهدت الوضع متكررًا: تعاني المستشفيات من نقص في التمويل ومن نقص مزمن في الطاقم الطبي وتعمل

بكامل طاقتها أو بما يفوق قدرتها. حتى خلال الفترات الإيجابية، كانت الردهات ممتلئة بشكل روتيني بأسرة المرضى التي غالبًا ما تصطف في الممرات. وتشارك جميع مديري المستشفيات الذين قابلتهم في التنبؤ ذاته: من دون تدخل سريع وواسع النطاق، سينهار النظام بأكمله.

وبإلقاء نظرة سريعة على الإحصائيات، سيزاح الستار عن السبب. إذ تتخلف إسرائيل بشكل كبير عن دول منظمة التعاون الاقتصادي والتنمية الأخرى في عدد الأسرة والأطباء والممرضات للفرد. لا عجب أن تضاعف معدل الوفيات من العدوى خلال العشرين عامًا

الماضية، متجاوزًا متوسط منظمة التعاون الاقتصادي والتنمية بنسبة ٧٣٪. كما ينخفض نصيب الفرد من الإنفاق على الصحة إلى ما دون المستويات المتوسطة لمنظمة التعاون الاقتصادي والتنمية.

غالبًا ما يتم التعتيم على خطورة الوضع بجودة الرعاية الصحية المتوفرة في إسرائيل ونظام الرعاية الصحية الشامل وقاعدة البيانات الوطنية وتميز طاقمها الطبي. تقدم المستشفيات نموذجًا للتعايش، حيث يعمل الأطباء العرب واليهود جنبًا إلى جنب بأعداد تتناسب مع حجم مجتمعاتهم. والأكثر إثارة للإعجاب، توجد إسرائيل على قائمة الدول الرائدة من حيث طول العمر، ٨٢,٦ سنة والثامنة في العالم، على الرغم من أنه من المتوقع أيضًا أن يتراجع هذا الترتيب.

تتجلى صورة نظام لا يستطيع مسايرة المعايير الدولية أو احتياجات الدولة المتزايدة، على الرغم من حرصه على التميز وضمان الرعاية للجميع. ويدور أحد الأسباب الرئيسية حول النمو السكاني، الذي يزيد عن ٢٪ سنويًا ، وهو ثلاثة أضعاف متوسط منظمة التعاون الاقتصادي والتنمية. من خلال الإعانات العائلية، تحفز إسرائيل معدل المواليد السريع هذا ولكنها تفشل في توسيع نطاق خدماتها الصحية بشكل متناسب. والنتيجة هي نسبة إشغال حرجة للمستشفيات تبلغ ٩٤٪ مع انخفاض متسارع في العدد النسبي لمقدمي الرعاية. ولا يوجد سوى خمس كليات طب في إسرائيل، يتخرج منها سنويًا أقل من سبعة أطباء لكل ١٠٠٠ نسمة، وهو ثاني أدنى مستوى بين الدول الصناعية.

ولكن بالإضافة إلى أوجه القصور الشديدة تلك، يعاني النظام الإسرائيلي من مرض مزمن أكثر. بدلاً وجود من شبكة مركزية من المرافق التي ترعاها الدولة وتشرف عليها، تنقسم المستشفيات الإسرائيلية إلى مجموعة مذهلة من الفئات، ومنها المملوكة للحكومة (١٩) والمملوكة لصندوق الرعاية الصحية (١٢)، والباقي (١٣) تديرها الشركات الخاصة والجماعات الدينية والمنظمات غير الحكومية. لا تدخل الدولة سوى تعديلات ضئيلة لتلبية احتياجات السكان الذين يتم خدمتهم، والتي تختلف بشكل ملحوظ وفقًا للعرق والتعليم ومستويات الدخل. لكن يقف المرء مشدوهًا أمام مقدار الإسراف والنقص التابعين لذلك الوضع.

للتخطي الأزمات المستقبلية بنجاح والوصول إلى عامها المئة كدولة ذات صحة جيدة، يجب على إسرائيل معالجة هذه العيوب الآن. ولا بد بناء

واعتماد كليتين جديدتين للطب على الفور، إلى جانب تطوير برامج لتدريب الممرضات والفنيين الطبيين. وثمة ضرورة لزيادة العدد الإجمالي للأسرة من ٣٥,٠٠٠ إلى ٥٠,٠٠٠.

ومع ذلك، ستثبت مثل هذه الإجراءات كونها مجرد مسكنة في ظل غياب إصلاح

شامل لنظام المستشفيات بأكمله. يجب إخضاع الجميع لسلطة وطنية واحدة تكون مسؤولة أمام وزارة الصحة، بحيث يتم تنظيمها وتقييمها لتلبية احتياجات كل مجموعة من السكان يستفيدون من خدماتها. من الضروري توحيد هيكل الإدارة وتنسيق عملياتها للقضاء على التكرار. سواء في كريات شمونة أو أشدود، يجب أن يتلقى المريض نفس الرعاية الجيدة، وإذا لزم الأمر، نفس شروط الاستشفاء. ويأتي كل ذلك في إطار دولة واحدة ونظام واحد يعمل بكفاءة وشفافية ورحمة.

ويجب على إسرائيل أن تأخذ الأهبة من الآن استعدادًا لحالات الطوارئ المستقبلية من خلال تخزين أجهزة التنفس الصناعي ومعدات الحماية والأدوية. يجب صياغة خطط طوارئ مشتركة بين الوزارات للأوبئة والكوارث الطبيعية الأخرى. قد تكون الإجراءات الصارمة ضرورية مرة أخرى، ولكن فقط لإنقاذ الأرواح وألا يكون نظام محكومًا عليه بالموت. على العكس من ذلك، فإن الرعاية الصحية المناسبة للإسرائيليين ستساعد في ضمان ألا يؤدي العلاج إلى مضاعفات أسوأ من التي قد يسببها المرض نفسه.

يمه وكدما وتسافونت ونجبا

هكذا بدأت العبارة التوراتية والأغنية الحسيدية الكلاسيكية التي تبنتها الحركة الصهيونية لاحقًا، باتجاه البحر والشرق والشمال والجنوب. كانت هذه رؤية الشعب اليهودي الذي عاد إلى وطنه واستوطنه بالكامل. لكن عندما عاد الشعب اليهودي، باتت الأرض غير مستقرة إلى حد كبير وخطير.

وبدلاً من التوسع في كل اتجاه، احتشد الإسرائيليون في وسط البلاد بتل أبيب الكبرى (غوش دان). حيث يعيش حوالي ٤٥٪ من سكان إسرائيل على ١٧,٥٪ من الأراضي خارج يهودا والسامرة ومرتفعات الجولان. إنها واحدة من أكثر المناطق اكتظاظًا بالسكان في العالم، وتتفوق كثيراً على غزة وحتى هونغ كونغ. ويتركز الجزء الأكبر من الصناعة الإسرائيلية هناك، وتجتمع الغالبية العظمى من القوة العاملة التكنولوجية فيها. فهي تشكل المركز المالي والثقافي لإسرائيل، وتضم جامعتين رئيسيتين وعدد متزايد من الكليات الخاصة. كما يقع كل من كيرياه، مكافئ البنتاغون في إسرائيل، والمطار الإسرائيلي الرئيسي في تل أبيب الكبرى.

وقد تم تناول المخاطر المترتبة على هذا التكدس بوضوح أعلاه، في التحديات التي يمثلها تضاؤل عدد السكان اليهود في الجليل والنقب. ولكن هناك أيضًا نقطة ضعف إستراتيجية تتمثل في المخاطرة بوضع كل "الموارد" الإسرائيلية، الديموغرافية والاقتصادية والتكنولوجية والأكاديمية واللوجستية والعسكرية، في محيط جغرافي واحد. ويعرف أعداؤنا ذلك جيدًا. وعليه، بدلاً من استهداف البلدات الحدودية كما في الماضي، يوجه الإرهابيون ضرباتهم الصاروخية الآن نحو تل أبيب الكبرى.

أدى تكدس أعداد كبيرة من الإسرائيليين، خاصة أولئك الذين يستطيعون تحمل

تكاليف السيارات الخاصة والتنقلات، إلى اختناقات مرورية لا نهاية لها. على مدى الأربعين عامًا الماضية، تضاعفت كثافة حركة المرور في إسرائيل أكثر من ثلاثة أضعاف وهي اليوم أعلى بـ٣,٥ مرات من متوسط منظمة التعاون الاقتصادي والتنمية، أي تساوي أربعة أضعاف مثيلتها في الولايات المتحدة. وتؤدي عمليات الاختناق المرورية المتفاقمة إلى زيادة مستويات التوتر بين الشعب الإسرائيلي المتوتر بالفعل، ومن حيث ساعات الإنتاج المهدرة، تكلف الاقتصاد الإسرائيلي أكثر من ٤٠ مليار شيكل سنويًا.

ولعل الأمر الأكثر تدميرًا يتمثل في أن ازدهار تل أبيب الكبرى أدى أيضًا إلى شعور سكان "الأطراف"، في الشمال والجنوب، بالتخلي عنهم. ويتعمق الشعور بالظلم من خلال الانقسام العرقي، حيث تعود جذوره إلى الخمسينيات من القرن الماضي، بين يهود الأطراف الذين يغلب عليهم الطابع الشرقي (المزراحي) وتل أبيب التي يسود فيها اليهود الأشكيناز. خلال أوقات النزاع، على وجه الخصوص، يدعي سكان الأطراف، وهناك ما يبرر ذلك، بأن الدولة لا تتفاعل إلا عندما يتم استهداف تل أبيب الكبرى.

يكمن حل هذه الأزمة في العودة إلى الرؤية الصهيونية الأصلية. وعلى وجه التحديد، يتطلب الأمر من الدولة إنشاء ما لا يقل عن ثلاثة مراكز حضرية جديدة، واحد في الشمال واثنان في النقب، ويكون لكل منها قاعدة صناعية مستدامة. ويرمي هذا إلى توسيع بئر السبع وتنشيط حيفا وتطوير مدن منكوبة لكنها ذات موقع إستراتيجي مثل اللد والرملة. وسيعمد أيضًا إلى تحفيز الشركات والأفراد على مغادرة تل أبيب الكبرى إلى المناطق الطرفية وبناء مطارات إضافية ونقل منطقة الكيرياه والاستثمار بكثافة في البنية التحتية. إن بناء شقق فقط ليس بالأمر الكافي، ولكن لا بد أيضًا من المدارس والمستشفيات والمؤسسات المجتمعية. وقبل كل شيء، يتناول ذلك إنشاء الطرق الحديثة وأنظمة السكك الحديدية عالية السرعة اللازمة لربط حتى أبعد المدن بالمحاور الإقليمية.

لن يكفل استدامة إسرائيل الاقتصادية والاجتماعية والإستراتيجية في عام ٢٠٤٨ سوى إصدار قرار وطني بتوزيع سكان إسرائيل ومواردها بدرجة أكثر إنصافًا. ولا يمكن تحقيق ذلك من خلال إعطاء الأولوية لتل أبيب الكبرى أو مستوطنات يهودا والسامرة، وإنما بالتشديد على حصول كل منطقة على الموارد اللازمة للتطوير والازدهار. واستكمالاً لذلك، يجب على الدولة أن تتوسع نحو البحر والصحراء، شمالاً وشرقًا، ليس فقط بالأناشيد وإنما على أرض الواقع.

الدولة والأرض

تعود أرض إسرائيل لآخر ملليمتر فيها إلى ملك دولة إسرائيل. إنها ملك للدولة اليهودية لأنها ملك للشعب اليهودي. تستند ركائز أمتنا إلى ذلك ويستند حقنا في الأرض إلى التاريخ والقانون الدولي، وقبل كل شيء إلى الإيمان. وهي ملكية غير قابلة للتجزئة. لا يمكننا أن نقول إننا نمتلك هرتسليا وحيفا، ولم ترد أي منهما في الكتاب المقدس، دون الخليل وبيت إيل اللتان وردتا في الكتاب المقدس. لن يسمح لنا انتماؤنا اليهودي للوطن على مر ثلاثة آلاف سنة، مهما كانت الضرورة الدبلوماسية، بأن نقرر التخلي عنه.

لقد كان هذا هو المبدأ التوجيهي للحركة الصهيونية منذ بدايتها في القرن التاسع عشر والسبب في اعتراف المجتمع الدولي بكامل فلسطين، بما في ذلك ما يعرف اليوم بغزة والضفة الغربية والأردن، كإرث يهودي. ولهذا، تُستخدم الأسماء العربية للكثير من المدن الفلسطينية كطرس للغة العبرية الأصلية. وليس من قبيل الصدفة أن تستمد الأردن، المملكة العربية الهاشمية، اسمها من الكتاب المقدس.

بصفتنا دولة يهودية، من واجبنا الدفاع عن أرضنا واستيطانها. من الناحية اليهودية، فإن المقاول رفيع المستوى في ريشون لتسيون والمستوطن الذي يسكن المقطورة على تل السامري يحملان نفس المبررات بالضبط. إن أولئك الإسرائيليون الذين يشيرون إلى احتلال اليهود لمنطقة يهودا متهمون بالطوطولجيا (تكرار الكلام نفسه)، لأنه لا يمكن لشعب أن يحتل وطنه. أما الذين يشيرون إلى ضم يهودا يقعون عليهم نفس القدر من اللوم، إذ لا يمكن لشعب أن يضم وطنه. على العكس من ذلك، فإن العيش تحت مظلة قانوننا وتوسيع نطاقه ليشمل أرض إسرائيل بأكملها هو واجبنا القومي والأخلاقي.

لا يمكن المساس بهذا الحق في المناطق غير المأهولة في يهودا والسامرة وخاصة في مرتفعات الجولان. وجرت العادة باعتبار مرتفعات الجولان جزءً من أرض إسرائيل وموطنًا لثلث المعابد اليهودية القديمة ومنطقة حيوية لأمننا. ومع أنها غنية اقتصاديًا، لكنها لا تزال غير مستثمرة بشكل مأساوي. على الرغم من مرور أكثر من نصف قرن على تحرير إسرائيل لها، وأربعين عامًا منذ أن أخضعت إسرائيل المرتفعات لقوانينها، إلا أن الجولان اليوم هي موطن لـ٢٢،٠٠٠ يهودي فقط. إن الفشل في استيطان هذه الأرض المهمة، التي تعادل في حجمها ٤،٥٪ من مساحة إسرائيل قبل عام ١٩٦٧، لا يمكن تبريره سواء من المنظور الصهيوني أو اليهودي، بل هو فشل صارخ بشكل خاص في ضوء اعتراف أمريكا بالسيادة الإسرائيلية على الجولان. وكما علمنا التاريخ مرارًا وتكرارًا، يجتر الفشل في استيطان أجزاء من الأرض ضغوط دولية للتخلي عنها.

ولكن، وهو بالأمر الجلل، ثمة فرق بين الحفاظ على حق وبين تقديسه والتشديد عليه بشكل أعمى. في حين أنه من الذكاء دائمًا بناء

ناطحات السحاب في ريشون و/ أو في مدينة الجولان الجديدة، فليس من الحكمة دائمًا وضع مقطورات سكنية على كل منحدر في تل السامري. إلى جانب الإخلاص للأرض، تحترم الصهيونية أيضًا الحفاظ على الشعب اليهودي وأمن دولتنا. إذا عرضنا مستقبل الدولة للخطر من خلال الاستيطان وتوسيع نطاق القانون الإسرائيلي ليشمل المناطق التي يسكنها ملايين الفلسطينيين، فنحن مذنبون مثل أولئك الذين تنازلوا عن المطالبة بالأرض. بحلول عام ٢٠٤٨، يمكن أن نعيش في إسرائيل تضم أرض الميعاد بأكملها، غير إسرائيل الدولة التي لم تعد ديمقراطية ولا يهودية.

لا يمكن دحض التهديد الديموغرافي المحيق بدولة قومية قائمة على الحفاظ على أغلبية وطنية واحدة. وكذلك لا يقبل الثمن الذي تدفعه إسرائيل على صعيد اقتصادها وعلاقاتها الخارجية الجدل فيه. لكن الاعتراف بوجود شعب آخر له مطالبات بالأرض يتعدى كونه مجرد ضرورة إستراتيجية. ثمة عنصر أخلاقي قوي في علاقاتنا مع الفلسطينيين. بينما لا يمكن لإسرائيل، كما قلت، أن تحتل أرضها، بإمكانها احتلال شعب آخر. إن هذا الاحتلال، خلافًا للصورة التي غالبا ما تروج لها وسائل الإعلام، بعيدًا عن الوحشية، كما يتضح من أي زيارة لوسط مدينة رام الله أو نابلس. ومع ذلك، فإنه ينزف أخلاقيا. إذ تنقسم جمهور الناخبين لدينا ويوضع جنودنا في مواقف عصيبة من الناحية الأخلاقية ومنهكة في كثير من الأحيان. إنه يزرع شكًا فتاكًا في عدالة قضيتنا.

ومع ذلك، تم تخفيف هذه التحديات الأخلاقية من خلال إخفاقات الفلسطينيين المتسلسلة في انتهاز عروض تعايش الدولتين واحترامهم العميق للعمليات الهجومية

وهويتهم التي تستند بالكامل تقريبًا إلى إنكار هويتنا. إنهم بالفعل شعب محطم منتشر في جميع أنحاء الشرق الأوسط ويعتمد على الوكالات الدولية المشبوهة. لقد سرق قادتهم الفاسدون وغير المنتخَبين مليارات دولارات المساعدات منهم وقادوهم إلى مسارات كارثية. لقد عانوا بكل تأكيد. ولكن، على سبيل المقارنة، فإن الشعب اليهودي، الذي تشرد ليس فقط في المنطقة ولكن العالم ونجا من مذبحة ثلث عدده، قبل عرض الأمم المتحدة بدولة رديئة خالية من الموارد، وأسس دولة ديمقراطية ودافع عنها ضد نزاعات لا تحصى وخلق قوة عظمى مصغرة.

هناك أدلة بسيطة على أنه حتى لو عُرضت الدولة على الفلسطينيين، فلن يكونوا قادرين على الحفاظ على استدامتها. لم تتمكن حماس حتى في غزة، الصغيرة من الناحية الإقليمية والمنغلقة بإحكام، من الحفاظ على حكمها الخاص. وبينما يتم تكريم أولئك الذين يغتالون اليهود، فإن الفلسطينيين في الضفة الغربية وغزة يحاربون بعضهم البعض، ولا يهتمون طوال الوقت بآلاف الفلسطينيين الذين شردهم النظام السوري وذبحهم. ويُعد ذلك النقيض من القول المأثور حول المسؤولية المتبادلة التي تشكل ركيزة تماسك إسرائيل. وقد أخبرت

وزير خارجية أمريكي قائلاً: "لا تكمن مشكلة إسرائيل في أن الفلسطينيين ليسوا شعبًا، وإنما في أنهم ليسوا شعبًا على حق." ومع ذلك لا يمكننا أن نسمح بانقسام الفلسطينيين وإدمانهم لتبني ثقافة الضحية بأن يدمر رؤيتنا لإسرائيل الديمقراطية. يجب علينا بالطبع أن نؤكد حقنا في كل الأرض دائمًا، كردة فعل لإصرار الفلسطينيين أنفسهم، لكن لا يجدر بنا جعل هذه الحقوق واقعية من خلال طرق قد تجتر نتائج عكسية. يجب أن نسعى جاهدين للحفاظ على أقصى مستوى من السيادة الإقليمية لأرضنا من دون التضحية بسلامتنا الديموغرافية والنزاهة الأخلاقية كدولة يهودية. نادرًا ما سيطر اليهود على مدار ثلاثة آلاف عام على أرض الميعاد بكاملها، ولكن لم ينقص ذلك من حقنا ولا بد أن يشهد عام ٢٠٤٨ تحققه.

وضع الدولتين

في عام ٢٠١٥، قمت بنشر مقال رأي في جريدة وول ستريت جورنال تحت عنوان "وضع الدولتين". هاجم المقال عملية السلام لاتباعها "النموذج الوستفالي" الذي يعود إلى القرن السابع عشر للمحادثات المباشرة بين القادة والمعاهدات الرسمية والحدود الدائمة والذي لم تعد وستفاليا تطبقه ، ناهيك عن الشرق الأوسط. في المقابل، في منطقتنا، تعتبر الاتفاقات غير مباشرة وغير رسمية وقائمة على تفاهمات ضمنية. ومن غير الملائم أكثر أن تطلب عملية السلام من الجانبين، الفلسطيني والإسرائيلي، تقديم تنازلات مستحيلة. لقد طُلب من إسرائيل إعادة تقسيم القدس والتنازل عن معظم منطقة وادي الأردن، لاقتلاع عشرات الآلاف من المستوطنين، وإسناد أمنها للفلسطينيين. وطُلب من الفلسطينيين التخلي عن مطلبهم بعودة اللاجئين، ودعمهم للإرهابيين في السجون الإسرائيلية، والاعتراف بإسرائيل كدولة قومية شرعية للشعب اليهودي. وبدلاً من التوجه إلى صيغة غريبة غير مجدية، جادلت بأنه يجب على المفاوضين تبني إستراتيجية أصلية في الشرق الأوسط تستند إلى ما في وسع الطرفين القيام به بدلاً مما لا يخطر في بالهم أصلاً.

لقد دارت الكثير من الأحداث منذ عام ٢٠١٥، ولكن الأكثر إثارة للدهشة هي اتفاقيات إبراهيم التي وقعتها إسرائيل مع البحرين والمغرب والسودان والإمارات العربية المتحدة. لقد قلبت هذه الاتفاقات تمامًا الافتراضات السائدة حول عملية السلام، المنطوية على أنه كان على إسرائيل أن تدفع مقابل السلام مع الأراضي واقتلاع القرى من جذورها وإعادة تقسيم القدس، وخلقت نموذجًا جديدًا لا بد من محاكاته في جميع الاتفاقات المستقبلية.

بدلاً من الأمل في أن يتمخض السلام عن التطبيع، سيتأتي السلام نتاج التطبيع في حالة مصر والأردن بكل أسف.

على الرغم من إدانة الفلسطينيين الشديدة لهذه الاتفاقيات، إلا أنها وفرت أيضًا أفضل فرصة حتى الآن لتحقيق السلام بينهم وبين إسرائيل. وعن طريق توضيح العقوبات التي سيتعرضوا لها بدلاً من تحفيزهم من خلال مغادرة طاولة المفاوضات، وبالكشف عن أن ذلك ليس في صالحهم وأن الشرق الأوسط سوف يمضي قدمًا بدونهم، فمن المرجح أن تزيد مشاركة الفلسطينيون أكثر من أي وقت مضى. سيبقى السؤال إذن: الانخراط من أجل تحقيق ماذا؟ ما هي طبيعة ونطاق أي ترتيب عملي ودائم وشرعي؟

لم تتغير إجاباتي على هذا السؤال بمرور الوقت. وعلى العكس تمامًا، لقد أسهمت المشاركة في الجولة الأخيرة من محادثات السلام مع الفلسطينيين والانخراط في دبلوماسية رفيعة المستوى بشأن يهودا والسامرة وغزة والوصول إلى معلومات سرية حول القضية الفلسطينية في تعزيز وجهات نظري. لقد جئت لأتعلم أن الصراع لا يتعلق بالمكانة والحدود بقدر ما يتعلق بالهوية. إن رفض الاعتراف بشعب يهودي له مطالبات تاريخية بالأرض مثلاً هو أمر مهم للهوية الفلسطينية بقدر أهمية تحقيق قدس موحدة للإسرائيليين تحت قبتها. من المستحيل التسوية بين الكثير من الادعاءات، لذلك لا بد إما تجاوزها أو إعادة صياغتها. لا يوجد دليل، اليوم أو في الماضي، على قدرة الفلسطينيين على الحفاظ على دولة قومية أو حتى إرساء الدعائم التأسيسية لإنشائها. ولا على أن الفلسطينيين سوف يؤيدون المبدأ الأمريكي والإسرائيلي لـ"دولتين لشعبين"، لأنهم لا يعترفون بوجود الشعب اليهودي. ويلزم هذا الاعتراف المتبادل لتحقيق سلام دائم. ومن دونه، ستكون دولة واحدة شرعية وهي الفلسطينية، والأخرى عابرة مقتلعة الجذور التاريخية، وهي إسرائيل. وعلى هذا النحو، سيفضي الأمر إلى دولة وحدوية لا حد لوضعها.

وحتى إذا كان من الممكن إنشاء دولة فلسطينية، فسوف تنهار بسرعة لصالح حماس في أحسن الأحوال، أو في أسوأ الأحوال، لصالح داعش أو إيران. حتى لو وقعّت على الاتفاق، فلن يكون لرئيس السلطة الفلسطينية غير المنتخب محمود عباس سوى القليل من النفوذ لتنفيذه، وبمجرد انسحاب القوات الإسرائيلية، سيتم اغتياله.

في ذلك الوقت، مثلما هو الحال الآن، كنت أعتقد أن الإجابات لا تكمن في حل وضع الدولتين الذي لا يمكن تحقيقه، ولكن في الاعتراف بوضع الدولتين القائم بالفعل. هناك فعلاً دولة فلسطينية بحكومة تجمع الضرائب وتحتفظ بقوات شرطة ويمكنها، إذا وافق قادتها، إجراء انتخابات. يرفرف علمها بوضوح إلى الشرق من طريق إسرائيل السريع ٦. علاوة على ذلك، تعترف بهذه الدولة حوالي ١٣٥ دولة وعشرات الوكالات

الدولية. لقد فكرت حتى في تداعيات اعتراف إسرائيل بفلسطين. في كلتا الحالتين، فإن الجدال بأكمله

حول دولتين أو دولة واحدة هو موضع نقاش. وتتعلق الأسئلة الوحيدة بمدى سيادة تلك الدولة وقدرة إسرائيل على الدفاع عن نفسها وتشكليات أو مضمون أي اتفاقيات. مرة أخرى، تنبثق الإجابات من الواقع على الأرض. يعيش أكثر من ٤٠٠,٠٠٠ إسرائيلي في مجتمعات في يهودا والسامرة وأكثر من ٣٠٠,٠٠٠ في القدس الشرقية ويشكلون غالبية السكان اليهود في المدينة. تتركز حوالي ٨٥٪ من المستوطنات الإسرائيلية في المنطقة ج، حسب تعريف اتفاقيات أوسلو لها في التسعينيات، والتي تضم عددًا قليلا نسبيًا من الفلسطينيين. أما المنطقتان "أ" و "ب"، وكلاهما تحت الإدارة الفلسطينية، محظورتان على المدنيين الإسرائيليين. حتى في الخليل، وتعد ثاني أكثر مدينة مقدسة في اليهودية، لا تشكل المستوطنة اليهودية سوى جزءً صغيرًا للغاية. لكن إسرائيل تحتفظ بالسيطرة الأمنية على جميع مناطق يهودا والسامرة، بما في ذلك المجال الجوي وعرض النطاق الترددي، وتحتفظ بالحق في ملاحقة الإرهابيين حتى في المنطقتين أ و ب. ويتمتع الفلسطينيون، من جانبهم، بحكم ذاتي واسع في مناطقهم، مع تدخل قليل من الإسرائيليين أو مع وجود لا يذكر. وعلى الرغم من عدم وجود عاصمة لها في وسط القدس الشرقية، فإن السلطة الفلسطينية تحكم فعليًا الأحياء الواقعة خارج الحدود الأمنية للمدينة، والتي تضم ٨٠,٠٠٠ ألف فلسطيني.

في غضون ذلك، يدخل حوالي ١٧٠ ألف عامل فلسطيني إلى إسرائيل يوميًا ويعمل ٣٠ ألف منهم في المستوطنات. يرتبط الفلسطينيون والإسرائيليون على الصعيد البيئي والتجاري. على سبيل المثال، تأتي معظم منتجات حجر البناء والورق الإسرائيلية من الخليل. هذا واقع قائم على دولتين أثبت استقراره في ظل المحاولات المتتالية من حماس لتدميره على يد انتفاضة ثالثة. ولا يدرك الإسرائيليون الذين يتحدثون عن "تطليق" الفلسطينيين مدى الضرر الذاتي الذي قد ينتج عن ذلك أو الفوائد العظيمة لتعايشنا الفعلي. إنها حقيقة يستطيع الإسرائيليون والفلسطينيون البناء عليها بمساعدة الولايات المتحدة والعديد من الدول العربية.

بطبيعة الحال، لن تتوافق هذه الدولة الفلسطينية مع التعريف الفيبري لدولة ذات سيادة تحتكر القوة وتبسط سلطتها على جميع سكانها وأراضيها. لكن، مرة أخرى، حتى في ظل خطط السلام المتطرفة لإدارات كلينتون وأوباما، لن تكون الدولة الفلسطينية ذات سيادة كاملة، كما أنه لن يحدث أن تمتلك جيشًا أو أن تكون قادرةً على توقيع معاهدات دفاع مع أنظمة أجنبية. بدلاً من ذلك، كان يُنظر إلى الدولة الفلسطينية دائمًا بصفتها كيانًا مستقلاً ذي مظهر سيادي ولكنها محصورة في المنطقة وغير قادرة على

تهديد جيرانها. وبالمثل، لم تصبح الدولة الفلسطينية ذات مدن متجاورة أبدًا، بل ستكون منقسمة بين إسرائيل وغزة، فضلاً عن تركيز كبير من فلسطينيي الضفة الغربية وبربط بينهم أنفاق وجسور. تربط مثل هذه البنيات القدس اليهودية بالفعل بمستوطنات كتلة عتصيون التي تخضع لإدارة بيت لحم الفلسطينية بسلام.

كانت تلك هي الرؤية التي تناولتها في مقالي في جريدة وول ستريت جورنال، والمنطوية على إسرائيل آمنة تعيش جنبًا إلى جنب مع دولة فلسطينية منزوعة السلاح ومستقلة على أساس الوقائع الإقليمية القائمة وتتمتع بدعم مالي هائل من الخارج. على الرغم من إمكانية توقيع العديد من الاتفاقيات المحددة بشأن استصلاح المياه أو تراخيص التصدير، فإن التفاهمات الرئيسية ستظل غير مكتوبة ومدعومة ضمنيًا من الدول العربية المؤثرة. وهذا من شأنه تمكين تلك الدول من دمج مواردها التي لا حصر لها مع التكنولوجيا الإسرائيلية وتحويل المنطقة وحتى العالم والانضمام إلى إسرائيل في تحالف صريح ضد إيران. كما أنها ستمنح الفلسطينيين كرامة اقتصادية وأفقًا دبلوماسيًا. لقد كان ترتيبًا مؤقتًا من الممكن أن يتحول ليصبح مستدام، حتى يتم ذلك، من شأنه تعزيز التنمية الاقتصادية والتعاون والسلام.

تضمنت خطة السلام من أجل الرخاء لعام ٢٠١٩ العديد من هذه المفاهيم وليس هذا من المستغرب. في وقت مبكر من عملية الصياغة، قدمت فكرة "وضع الدولتين" إلى البيت الأبيض. وقد تحولت فكرة دولة فلسطينية منزوعة السلاح تستند إلى حد كبير على الحقائق الديموغرافية وممارسة درجة كبيرة من الحكم الذاتي قيد الحفظ. ستكون الدولة متجاورة بفضل العديد من وصلات الأنفاق والجسور، وبمجرد نزع السلاح من جماعة حماس، سيتم ربطها بالسكك الحديدية بغزة. وستمتلك الدولة عاصمة في أحد أحياء القدس الشرقية المنعزلة. ستحتفظ إسرائيل بالسيطرة الأمنية الكاملة على يهودا والسامرة، بما في ذلك وادي الأردن، ولن تضطر إلى اقتلاع أي مستوطنات. ستبقى القدس والأماكن المقدسة مثل الحرم الإبراهيمي وقبة راحيل تحت السيادة الإسرائيلية.

كما بدا أن الفريق الدبلوماسي الأمريكي يستوعب نصيحتي بعدم التركيز كثيرًا على ما يمكن أن يكون مقبولاً لدى الفلسطينيين. لقد حطموا الرقم القياسي العالمي في رفض خطط السلام، بما في ذلك تشكيلات الدولتين التي قدمتها لهم بريطانيا (عام ١٩٣٧)، والأمم المتحدة (عام ١٩٤٧)، وإسرائيل (عامي ٢٠٠٠ و٢٠٠٨)، والولايات المتحدة (عامي ٢٠٠٠ و٢٠٠١)، في أغلب الأحيان كانت ردود أفعالهم عنيفة. حتى لو تم التنازل عن تل أبيب، كنت أخمن أن ذلك سيقابل بالرفض من تجاههم أيضًا. افتقر قادتهم إلى الشرعية للتوقيع على مثل هذه الاتفاقيات فضلاً عن تنفيذها وكانوا يستخدمون مناصبهم فقط لنقض أي اقتراح

للوضع النهائي. وبدلاً من ذلك، اقترحت أن يستهدف مهندسو الخطة الجمهور الإسرائيلي والعالم العربي السني. إن الحصول على تأييد هذين العنصرين على من شأنه أن يمكّن الولايات المتحدة من تنفيذ خطتها بطريقة قد يرفضها الفلسطينيون في البداية ولكن لن يلبثوا إلا أن يقبلوها ضمنيًا بشكل تدريجي.

تجاوزت بعض بنود الخطة مبدأ "وضع الدولتين" وعلى نحو موفق. إذ دعت الخطة إلى تعويض الدولة الفلسطينية بأجزاء من إسرائيل قبل عام ١٩٦٧، وهي عمليات مقايضة الأراضي ذاتها التي رفضتها إسرائيل في ظل حكم أوباما. وقد افترضت أيضًا أن السلطة الفلسطينية ستعود يومًا ما إلى غزة، وهو تطور عارضه الكثير من صانعي السياسة الإسرائيليين الذين عملت معهم. وأكثر ما يدعو للتشجيع هو أن الخطة تناولت ضخ ٥٠ مليار دولار في الاقتصاد الفلسطيني، مما خلق عددًا لا يحصى من فرص العمل والبنية التحتية الحديثة. من ناحية أخرى، فقط احتفظت الخطة بنحو خمسة عشر مستوطنة إسرائيلية تقع داخل حدود الفلسطينيين بدلاً من اقتراح طرق يمكن من خلالها إعادة توطين تلك المجتمعات، في بعض الحالات تقوم على بعد أميال قليلة فقط.

واستكمالاً لذلك، يكمن أكبر حياد عن "وضع الدولتين" في صيغة الخطة والالتزام بالوضع النهائي. مرة أخرى، كان من المتوقع أن يجلس الطرفان على الطاولة ويوقعان على الوثائق والخرائط. وبحضور الدول العربية أيضًا، وسيصطف قادتها أمام الكاميرات. سيتعين على الفلسطينيين التخلي عن "حق" عودة اللاجئين والتوقف عن دعم المسجونين من الإرهابيين والاعتراف بإسرائيل كدولة يهودية. من ناحية أخرى، ستكون إسرائيل قادرة على ضم معظم المنطقة (ج) في الضفة الغربية ووادي الأردن بالكامل. وبما أن الفلسطينيين لن يوافقوا أبدًا على الحل الأول، فإن إسرائيل ستمضي قدمًا في الحل الأخير، وتضع يدها على الأرض ولكن ليس تحت مظلة السلام مع الدول السنية التي كان من شبه المؤكد أنها ستعارض.

من غير المرجح أن تتغير طبيعة السياسة والدبلوماسية في الشرق الأوسط بحلول عام ٢٠٤٨، ولا النسياسات والثقافة والمواقف التاريخية للإسرائيليين والفلسطينيين. على الرغم من أن إرساء مبدأ سلام جيد التمويل وذي نفوذ قد لا يزال ماثلاً في واشنطن، في الجامعات ووسائل الإعلام، لا يزال الادعاء بأن "الجميع يعرفون ما سيبدو عليه ترتيب الوضع النهائي" قائمًا، ولكن لا قبل لأحد بإرسائه ولا لديهم الرغبة لذلك. وبدلاً من ذلك، فإن المسار الواقعي الوحيد هو ذلك الذي يتكيف مع المنطقة ويتم التفاوض عليه بحذر ويجري تنفيذه بهدوء وتظل اتفاقياته الرئيسية غير مكتوبة. فهو يبني على الوضع الراهن بدلاً من تفكيكه، ويعزز مبدأ التعايش من دون عرقلته. كما أنه يمنح الفلسطينيين نفس

الفرصة التي أتيحت للصهاينة ذات يوم لبناء دولة تدريجية ومستدامة على مدى عقود. في عيد ميلادها المائة، نأمل أن تنظر إسرائيل بفخر إلى وضع الدولتين الذي يلبي احتياجاتها الأمنية، ويعزز مكانتها الدولية، مع الحفاظ على هويتها الديمقراطية واليهودية.

الدولة المستدامة

كان من دواعي فخرنا دائمًا أن نصرح بأن إسرائيل هي الدولة الوحيدة التي هل عليها القرن الحادي والعشرين بعدد أشجار أكثر مما كانت في القرن العشرين. كما أن النسبة الأكبر من أراضيها مخصصة للمتنزهات الوطنية والمحميات الطبيعية. نحن نؤمن بأن الصهيونية صديقة للبيئة. قد يكون كل هذا صحيحًا، لكن إسرائيل هي أيضًا دولة مليئة بالنفايات، إذ تتناثر القمامة على جانبي العديد من مساراتنا، كما أنها تمتلك جودة هواء متدهورة. تنحسر شواطئنا ومنحدراتنا البحرية بسبب تغير المناخ، وتدمر الحرائق غاباتنا سنويًا. لم يعد نهر الأردن أكثر من مجرى مائي والبحر الميت في طريقه إلى الموت حقًا، حيث ينخفض منسوب المياه فيه مترًا كاملاً كل عام. تسخن منطقة الشرق الأوسط بوتيرة أسرع من مناطق العالم الأخرى، ومع ارتفاع درجات الحرارة بمقدار درجتين مئويتين تقريبًا، بحلول عام ٢٠٤٨، يمكن أن تصبح الدولة اليهودية غير صالحة للسكن تقريبًا.

وجدير بالذكر أن إسرائيل قد انضمت إلى اتفاق باريس للمناخ والتزمت بالقضاء على استخدام الوقود الأحفوري بعد فترة وجيزة من عيد ميلادنا المائة. وتعمل العديد من منظمات المجتمع المدني على رفع مستوى الوعي حول المخاطر التي تتعرض لها بيئتنا وتعزيز سياسات الاستدامة. ولكن يتعين بذل المزيد بشكل كبير وعلى وجه السرعة.

يجب على إسرائيل استكشاف طرق جديدة لإدارة نفاياتها. على عكس معظم دول منظمة التعاون الاقتصادي والتنمية الأخرى التي تستخدم أنظمة حرارية لإزالة النفايات، لا تزال إسرائيل تعتمد بالكامل تقريبًا على مدافن النفايات. بصرف النظر عن المخاطر التي تشكلها هذه الممارسة على طبقات المياه الجوفية، فإن مدافن النفايات تشغل أيضًا

قدرًا كبيرًا من المساحة المحدودة للغاية لإسرائيل. مع زيادة معدل إنتاج النفايات، سيتم استنفاد المناطق المخصصة لصالح مدافن النفايات قريبًا. لذا يجب اعتماد البدائل الحرارية. على الرغم من وجود حل إعادة التدوير، لكنه لا يزال في مهده في إسرائيل. يمكن تحويل النفايات غير القابلة للتحلل إلى مواد بناء وتحويل المواد النباتية إلى سماد. يجب التخلص من المنتجات البلاستيكية التي لا تزال موجودة في كل مكان في الدولة اليهودية. ويحظر إلقاء أي شيء في البحر المتوسط.

يجب على إسرائيل استكشاف طرق جديدة لإدارة نفاياتها. **وفقًا لعضو الكنيست ألون تال، ينتج الإسرائيليون قمامة أكثر بكثير من الأوروبيين، ومع ذلك، على عكس معظم دول منظمة التعاون الاقتصادي والتنمية الأخرى التي تستخدم أنظمة حرارية لإزالة النفايات، لا تزال إسرائيل تعتمد بشكل كامل تقريبًا على مدافن النفايات.** ولمن، بصرف النظر عن المخاطر التي تشكلها هذه الممارسة على طبقات المياه الجوفية، فإن مدافن النفايات تشغل أيضًا قدرًا كبيرًا من المساحة المحدودة للغاية لإسرائيل. ومع زيادة معدل إنتاج النفايات، سيتم قريبًا استنفاد المناطق المخصصة لمدافن النفايات. ويجب اعتماد البدائل الحرارية. أما إعادة التدوير، فلا تزال في مهدها في إسرائيل على الرغم من وجودها. ويمكن تحويل النفايات غير القابلة للتحلل إلى مواد بناء والمواد النباتية إلى سماد. يجب التخلص من المنتجات البلاستيكية، التي لا تزال موجودة في كل مكان في الدولة اليهودية. لا شيء يجب أن يُلقى في البحر الأبيض المتوسط.

يمثل الميثان تحديًا مزعجًا بنفس القدر، وهو غاز دفيئة أقوى بعشر مرات من ثاني أكسيد الكربون، والمسؤول عن ٢٠٪ من الاحتباس الحراري. ستتحمل إسرائيل نصيباً غير متناسب من المسؤولية عن هذا الضرر بسبب استخراجها للغاز الطبيعي بمستويات عالية من الميثان وبيعه. في حين أنه من غير الواقعي اقتصاديًا توقع تقليل إسرائيل لعمليات التنقيب البحري، وبوسعها أن تفعل الكثير لتقليل تسرب غاز الميثان. يمكنها أيضًا الاستثمار بشكل أكبر في مصادر الطاقة البديلة، وخاصة الطاقة الشمسية، وبناء البنية التحتية اللازمة لتخزين تلك الطاقة. سيساعد تطوير النقل الجماعي والمركبات ذاتية القيادة الفعالة أيضًا في تقليل انبعاثات غازات الدفيئة الضارة.

لا تزال التحديات التي تواجه البيئة الإسرائيلية شاقة، ولكن يتعين ألا نظل سلبيين في مواجهتها. يجب تثقيف الجمهور حول الخطوات اللازمة للحفاظ على شواطئ إسرائيل والمنحدرات الساحلية والحفاظ على نظافة حدائقنا الوطنية. إن تحقيق مبادرة شبيهة بحملة "كل قطعة قمامة مؤذية" التي شنت في الولايات المتحدة في الستينيات من القرن الماضي في الوقت الحالي من شأنها أن تدفع أي شخص يرمي القمامة في أي مكان خارج

الصناديق إلى الخجل. يمكن للقنوات القادمة من البحر الأبيض المتوسط والبحر الأحمر، ما يسمى بقنوات البحر المتوسط الميت والبحر الأحمر الميت، أن تساعد في تجديد مياه البحر الميت. كذلك، يمكن زيادة تدفق المياه المحلاة إلى بحيرة طبريا والأردن. بينما لا يمكننا اتخاذ قرار بشأن سياسات جيراننا الملوثين في الشمال والجنوب، يمكننا التأثير ماديًا على جودة أراضي إسرائيل وشواطئها وهوائها ومسطحاتها المائية والحفاظ على صحتهم جيدًا في القرن الثاني لنا.

الدولة الديمقراطية

منذ ما يزيد قليلاً عن ثلاثين عامًا، أثناء سقوط الكتلة السوفيتية، جرى تداول الحكمة التقليدية بأنه في الصراع الهائل بين الشيوعية والديمقراطية الليبرالية، حققت الأخيرة سطوتها بشكل حاسم. ولكن ليس بالضرورة أن يحدث هذا بشكل مؤكد في وقتنا الحالي. غالبًا ما تبدو الحكومات الاستبدادية والديكتاتورية الديمقراطية الهجينة مجهزة بشكل أفضل لإدارة تقلبات الشؤون الإنسانية والكوارث الطبيعية، مع مخاطبة المشاعر الشعبية. هذا صحيح في البلدان في جميع أنحاء العالم، حيث تجد الديمقراطيات الليبرالية نفسها بشكل متزايد في موقف دفاعي، ولم تعد افتراضات عام ١٩٨٩ قائمة.

وفي إسرائيل أيضًا، اهتزت الديمقراطية بفعل الاعتداءات السياسية على ركائزها القضائية والتشريعية. إن مثل هذه الهجمات تتعارض بشكل خاص مع نظام ديمقراطي يقوم تاريخياً على أسس ضعيفة. على عكس حكومتي بريطانيا العظمى أو الولايات المتحدة، وهما نتاج ٨٠٠ عام من الفكر الديمقراطي، كانت الديمقراطية في إسرائيل عبارة عن خلق من العدم، ناشئة عن لا شيء تقريبًا. باستثناء العدد الصغير نسبيًا من المهاجرين من البلدان الناطقة باللغة الإنجليزية وأوروبا الغربية، جاء معظم الإسرائيليين من خلفيات شرق أوسطية وأوروبية شرقية مجردة من التقاليد الديمقراطية. وبينما يحتوي التاريخ اليهودي على مؤسسات مؤيدة للديمقراطية من السنهدرين إلى كاهيلوت الطائفية، فقد سقطت الأرثوذكسية منذ فترة طويلة في ظل الاستبداد الحاخامي. أقل من كونها فضيلة مستنيرة، بدأت الديمقراطية في إسرائيل ما قبل قيام الدولة كضرورة سياسية، وهي الطريقة

الوحيدة التي يمكن أن يتحد بها مجتمع فكري أيديولوجي حول أهداف وطنية. فهي ليست أداة للتحفيز وإنما للتسخير.

ومع ذلك، على مدى عقود، ترسخت الديمقراطية ونجت من الحروب والأزمات التي طغت حتى على الجمهوريات الأكثر نضجًا. تعد مستويات مشاركة الناخبين في إسرائيل، حتى خلال الانتخابات التسلسلية لأعوام ٢٠٢٠-٢٠١٩، من أعلى المستويات في العالم، ومع وجود عدد أكبر من المنظمات غير الحكومية للفرد مقارنة بأي دولة أخرى، فإن المجتمع المدني يعد مجتمعًا نشطًا. في الكنيست، شاركت في جلسات استماع لم يكن من الممكن تصوره عقدها في الكونجرس الأمريكي، حول رهاب المثلية الجنسية في نظام الرعاية الصحية، على سبيل المثال، أو الحاجة إلى توعية المراهقين بالتحول الجنسي. كانت الغرفة المحترمة المجاورة لمكتبي هي مسجد الكنيست.

لكنني سمعت أيضًا أعضاء متعنتون من حزبي اليمين واليسار يوجهون لبعضهم البعض اتهامات بتهديد الديمقراطية الإسرائيلية ونددت المحكمة العليا بزعم القيام بانقلاب. حتى وقت كتابة هذه السطور، احتج مئات الآلاف من المتظاهرين على حكم رئيس الوزراء المزعوم المناهض للديمقراطية، بينما دافع عنه عدد متساوٍ ضد ما يعتبرونه انقلابًا للشرطة والقضاء. إن الاستماع إلى الصحافة الحرة الفجة في إسرائيل أو الجلوس في برلمانها المنتخب يُعد بمثابة الاستماع إلى ما ينم عن بتر الطرف الديمقراطي الذي ترتكز عليه كل يوم.

يتعرض المرء أيضًا لنقص واضح في المعرفة بشأن سير عمل الديمقراطيات. كانت الادعاءات القائلة بأن القانون الذي يطيح بأعضاء الكنيست بتهمة الخيانة أو اعتبار اللغة العبرية كلغة وطنية كان مجحفة بشكل جلي (انظر دستور الولايات المتحدة، المادة الأولى، القسم ٥، البند ٢ ومؤيدو الكونغرس لقانون وحدة اللغة الإنجليزية). كما أن الإصرار على أن الدولة ملتزمة ديمقراطياً بدعم الفنون كان غير صحيح، وخاصة أولئك الذين ينتقدون الدولة بشكل مفرط. يبدو أن القليل من أعضاء الكنيست يفهمون أن الديمقراطية ليست مفهومًا مجردًا بل نظامًا ملموسًا مهده الولاء المبدئي. لم يفشل عدد قليل منهم في فهم القول المأثور المنسوب إلى أبراهام لينكون بأن "الديمقراطية ليست اتفاق انتحار".

ومع ذلك، مهما كانت سطحية أو أسيء فهمها، فإن الديمقراطية هي إحدى الإنجازات السامية لإسرائيل. على الرغم من الاضطرابات شبه المستمرة ووجود قوات مسلحة محترمة من أعداد ضخمة، لم تنهار هذه الديمقراطية مرة واحدة ولا لفترة وجيزة. يصدر الكنيست تشريعات أكثر من أي برلمان آخر في العالم تقريبًا. فهو سهل الوصول إلى الجمهور بشكل كبير، وتذاع جلساته على مدار الساعة، وتزدحم قاعاته بالزوار من جميع الأعمار. مع ذلك

، تبقى الديمقراطية في إسرائيل ضرورة إستراتيجية، لا تقل مما كانت عليه في فترة تكوين الدولة. فهي توفر مساحة لفصائل التي لا مجال للتوفيق بينها للتعبير بصوت عالٍ عن مظالمها وحتى للتعاون عبر مسارات متعددة. إنها يخلق مُثلًا مشتركة مع الحلفاء الأقوياء، وقبلهم جميعًا، الولايات المتحدة. الديمقراطية هي السلاح السري لإسرائيل لتوحيد أمة عنيدة وسريعة الغضب وحشدها للدفاع عنا.

ولكن، مثل أي نظام ديمقراطي آخر، فإن النظام الإسرائيلي تشوبه عيوب مترسخة. لقد حقق في تصنيف منظمة فريدوم هاوس ٧٦/١٠٠ درجة فقط، بعيدًا عن السويد والنرويج التي سجلت ١٠٠، وعلى قدم المساواة مع ناميبيا والبرازيل. في مجال الحريات المدنية، حصلت على ٤٣ درجة من أصل ٦٠، جنبًا إلى جانب المجر وصربيا. لقد انخفض ترتيب إسرائيل بسبب احتياجاتها الأمنية وعلاقتها المعقدة مع الفلسطينيين، ولكن حتى بدون هذه العوائق، فإن الديمقراطية الإسرائيلية تعاني من عيوب هيكلية عديدة.

يتعلق العيب الأول بطول عمر الهيئات الحاكمة في إسرائيل أو بالأحرى قلتها. منذ عام ١٩٤٨، كان لإسرائيل ٢٣ مجلس كنيست و٣٤ حكومة ولم يستمر أي منها تقريبًا لمدة أربع سنوات مقررة له. يتكبد النظام ثمنًا باهظًا، إذ تكلف الانتخابات ما يقدر بقيمة ٤ مليار شيكل، كما تتسبب في زعزعة الاستقرار، لكنه يتعارض أيضًا مع الحكم الفعال. وبحكم الخبرة، يستغرق عضو الكنيست سنوات حتى يبدأ في فهم السياسة التشريعية. كان هذا معقولاً في الماضي عندما كان يتم استبدال ما يقرب من ربع أعضاء الكنيست في كل مرة انتخاب، ولكن اليوم تقترب نسبة الاستبدال من النصف. إن الوضع أشبه بإرسال ستين جنديًا من أصل ١٢٠ إلى القتال من دون تدريب ليوم واحد. أكد انتخاب مجلسي كنيست في ٢٠٢٠-٢٠١٩ وسقوطهما على ضرورة الإصلاح الانتخابي الذي يضع عقبات هائلة أمام إجراء انتخابات مبكرة. سترفع الأحكام المماثلة من نسبة التصويت التي تصل حاليًا إلى ٪٣،٢ واللازمة للفوز بمقعد واحد في الكنيست. سيؤدي هذا إلى تقليل عدد الأحزاب الصغيرة، ومعها، المفاوضات المهينة التي تسبق كل تحالف.

وبصورة معكوسة، ومع تمديد إسرائيل لفترات حكوماتها ومجالس الكنيست، يجب عليها تقييد فترات رئيس الوزراء في دورته. كما اعترف جورج واشنطن وواضعو التعديل الثاني والعشرين، فإن القادة السياسيين الذين بقوا في السلطة لفترة طويلة من المرجح أن يحققوا المزيد من أجلها. ولن يتمكن الزعماء من اتخاذ القرارات الصعبة التي لا يمكن أن يتخذها سوى زعيم غير معرض للإطاحة به في الانتخابات. تقول الحجة المعارضة إنه، مثلما يختار المريض جراح مخ يتمتع بخبرة خمسة عشر عامًا بدلاً من جراح من دون أي خبرة، فإن المواطنين كذلك سيختارون الذين يهتمون بسلامة أسرهم ويفضلون زعيمًا متمرسًا

على مبتدئ سياسي. في حين أن هذه الحجة منطقية، يجب على المرء أيضًا مقاومة الرغبة في وصف الديمقراطية بالنفعية. بالطبع هناك مخاطرة في تحديد منصب رئيس الوزراء على فترتين مدتهما أربع سنوات، ولكن هناك خطر إستراتيجي أكبر في رئيس الوزراء الذي يضعف الديمقراطية من خلال الخدمة اللامتناهية.

يجب أن تتناول الإصلاحات أيضًا الطريقة التي يتم من خلالها انتخاب جميع المسؤولين الإسرائيليين ورئيس الوزراء أيضًا. بدلاً من الممارسة الحالية المتمثلة في التصويت على قوائم المرشحين، التي يتم اختيار بعضها من خلال الانتخابات التمهيدية والبعض الآخر من قبل رئيس حزبهم، يجب أن يكون الناخبون الإسرائيليون قادرون على التصويت لجميع المرشحين بشكل فردي، كما هو الحال في بريطانيا العظمى. كما سيتم انتخاب رئيس الوزراء بشكل مباشر، كما حدث في أواخر التسعينيات، ولكن هذه المرة مع جميع الوزراء وأعضاء الكنيست. يدعو الإصلاح الأكثر شمولاً، والذي تدعمه المنظمات غير الحكومية في كثير من الأحيان، إلى إنشاء كنيست من مجلسين، يتم اختيار نصف أعضائه من قوائم على مستوى الدولة بينما يتم انتخاب النصف الآخر من قبل الدوائر. مرة أخرى، هذا أقرب إلى النظام البريطاني الذي يلجأ فيه المواطنون إلى ممثلي حزبهم الوطني وكذلك نائبهم المحلي في البرلمان.

ومع ذلك، يجب أن يكون الإصلاح الأعمق والأكثر أهمية هو فصل السلطات. على النقيض من النظام الأمريكي الذي يتألف من فروع حكومية متكافئة، يعمل كل منها لفحص وموازنة الآخرين، لا يعمل النظام الإسرائيلي بشكل سوي. بدلاً من العمل كقوة موازنة للحكومة، يقوم الكنيست فقط بتمرير التشريعات التي توافق عليها أو تطرحها الحكومة، ويصوت بشكل جماعي على القوانين المقررة مسبقًا بموجب اتفاق التحالف. حتى أن مشروع قانون حديث يتعلق بأزمة كورونا سمح للحكومة بسن تشريع من جانب واحد، متجاوزًا الكنيست تمامًا. لذلك قد يبدأ المنحدر الزلق للحكم الاستبدادي.

يُعد الوضع خطيرًا وسخيفًا في نفس الوقت. قبل دخولي إلى جلسة الكنيست كل أسبوع، قيل لي بالضبط كيف أصوت وما هي العقوبات التأديبية، كالإيقاف من اللجان مثلاً، التي كنت سأخضع لها إن لم أفعل. وانطلاقًا من هذا، فإن كونك عضوًا في الكنيست، لا يتطلب ذلك أي مهارات بخلاف القدرة على تمييز المربع الأخضر "نعم" على شاشة الكمبيوتر عن المربع الأحمر "لا" وإبقاء إصبعك مرفوعًا في إشارة إلى التأييد. كان الأمر الأكثر إزعاجًا هو النقص المزمن في أعضاء الكنيست الذين ليسوا وزراء أو نواب وزراء، ولا يمكن لأي منهم الانضمام إلى اللجان. قبل أن أصبح نائبًا بنفسي، انضممت إلى أعضاء مقاعد البدلاء الآخرين أثناء انتقالي من لجنة إلى أخرى،

جاهل فيما يتعلق بأسمائهم وقضاياهم، وتلقيت تعليمات حول كيفية التصويت أثناء عمليات انتقالي تلك.

ولوضع حد لهذا الوهم، يجب على الكنيست أن يحظى درجة كبيرة من الاستقلال عن الحكومة. وبما أن الأخيرة تستمد قوتها من الأولى، فلا يمكن أن يستقيم الإصلاح إلا من خلال انتخابات مباشرة للجميع والتنفيذ التام "للقوانين النرويجية" التي تسمح للوزراء بالاستقالة من الكنيست والتركيز على وزاراتهم. يجب تمرير تشريع يحمي البرلمانيين الذين يصوتون بضميرهم من التعرض لعقوبات حزبية أو حكومية. يجب أن يكون الكنيست قادرًا على الوقوف في وجه الحكومة وفي بعض الأحيان قلبها، بدلاً من مجرد الانصياع لها بشكل أعمى.

يمكن أن يأخذ الدستوي الإسرائيلي كل التوصيات التي قدمتها في اعتباره، بما في ذلك تلك المتعلقة بالقضاء. كان هذا هو موقف الكثير من زملائي الأكاديميين الذين خلصوا منذ فترة طويلة إلى أن النظام الحالي للقوانين الأساسية، على غرار نظام بريطانيا العظمى، لم يعد يلبي احتياجات إسرائيل المتغيرة. لقد اعترضت بشدة على هذه الفكرة وما زلت حتى اليوم.

لقد جادلت بأن الديموقراطية الإسرائيلية ستبقى بسبب أنه ليس لهذا الدستور نظير تمامًا. لا يمكن معالجة متطلبات مجتمع متنوع للغاية، ومتعارض سياسيًا ودينيًا وعرقيًا، إلا من خلال القوانين الأساسية التي يتم إنفاذها تدريجيًا. شبهت ذات مرة الوضع بالسيارة الجيب التي كنت أقودها في الجيش، دائمًا ما تسير فوق التضاريس الوعرة. وتذكرت أنه إذا كانت مسامير الإطارات مشدودة أكثر من اللازم، فإن المحاور ستنكسر. وهذا هو الحال في إسرائيل حيث لن يتمتع الدستور الصارم بالمرونة اللازمة لتغطية المشهد السياسي المتعرج. على سبيل المثال، أي دستور يفرض على جميع المدارس الإسرائيلية رفع علم نجمة داوود سيواجه مقاومة واسعة النطاق قد تصل إلى العنف. في حين أنه من أجل البقاء، يجب على إسرائيل تطبيق قوانينها على جميع مواطنيها، يجب عليها أيضًا أن تفعل ذلك بذكاء وحساسية، بقيادة "سيارة جيب قانونية"، مثلما كانت فعلاً، قوية بما يكفي لاجتياز جميع التضاريس الأرضية ولكن بعجلات تدور بمرونة.

تُعد الديمقراطية أمرًا حيويًا في إسرائيل من أجل دفاعنا وتماسكنا الاجتماعي وصمودنا. لكنها أيضًا قيمة مقدسة. بينما لا يزال الجدل محتدمًا حول ما إذا كان يجب أن تكون الدولة أكثر ديمقراطية ويهودية أو العكس، كنت دائمًا أرى أن الدولة اليهودية يجب أن تكون ديمقراطية بحكم التعريف. إن نفس المثل الديمقراطية، المتمثلة في القيود على السلطة المطلقة والاهتمام بالضعفاء والفقراء والسعي لتحقيق العدالة، التي استمدها مؤسسو أمريكا من الكتاب المقدس نمت من أرضنا الوطنية. بحلول عام ٢٠٤٨، يجب أن

تكون تلك الجذور أعمق وأقوى. وليس السؤال ما إذا كان ينبغي لإسرائيل أن تكون دولة ديمقراطية أم يهودية، بل كيف يمكن أن تصبح كليهما بشكل متعمق أكثر.

الدولة الصالحة

أثناء انتظاري ذات مرة لحضور مقابلة في برنامج إخباري حول قضايا مستقلة، تحدثت مع القائد السابق لوحدة مكافحة الفساد في الشرطة الإسرائيلية. وسألته: "هل إسرائيل أكثر فسادًا من الدول ذات النمط الغربي الأخرى، وإذا كان الأمر كذلك، فلماذا؟" كانت إجابته "نعم" بشكل لا لبس فيه، لكن جنحن تفسيره إلى الناحية قانونية بدرجة أقل من الناحية التاريخية. ظل اليهود محصورين لقرون في أحياء يهودية وشتتل، ونجحوا في النجاة عن طريق خداع غير اليهود. وأوضح الضابط: "لا يوجد الكثير من غير اليهود هنا، لذا فإن اليهود يخدعون بعضهم بعضًا".

ثمة سبب آخر مقترح غالبًا وهو تأثير الثقافات المعرضة للفساد في الشرق الأوسط وأوروبا الشرقية. لكنه لن يأخذ في الحسبان إدانات الكسب غير المشروع والاختلاس لوزير المالية أو اتهام رئيس وزراء في منصبه بثلاث تهم الرشوة والاحتيال وخيانة الأمانة، جميع الثلاثة ولدوا من رحم اليهود الأشكيناز. كما حوكمت شخصيات وقضاة رفيعو المستوى في مجال إنفاذ القانون على جرائم مالية وجنسية. أيا كان السبب، يبدو أن الفساد يملأ إسرائيل.

تدعم الإحصائيات هذه الصورة المتصدرة المشهد العام. بالمقارنة مع الديمقراطيات الأخرى ذات النمط الغربي، تحتل إسرائيل مرتبة متواضعة على مقياس الفساد على نفس المستوى مع البرتغال وبولندا وليتوانيا. أعطى مؤشر مدركات الفساد الذي نشرته منظمة الشفافية الدولية لعام ٢٠٢١ إسرائيل أدنى درجة على الإطلاق، ٥٩ من ١٠٠. ويرى ثلث الإسرائيليين أن القضاء فاسد و٥٠٪ منهم ليس لديهم ثقة بالشرطة. لا تتجاوز ثقة

الجمهور في الحكومة ٣٠٪ وهو نصف ما كانت عليه في عام ٢٠١٣، بينما هبطت الثقة في الأحزاب السياسية إلى أدنى مستوى لها على الإطلاق ووصلت إلى ١٤٪ فقط.

هبطت هذه الثقة إلى الحضيض من جديد مؤخرًا بانتخاب الحكومة الخامسة والثلاثين التي تضم ستة وثلاثين وزيرًا وستة عشر نائبًا للوزراء وهو أكبر عدد في تاريخ إسرائيل. بما أن الوزراء والنواب لا يستطيعون تطوير القوانين أو التصويت في اللجان، فإن هذه التعيينات تجرد الكنيست فعليًا من الكثير من صلاحياته التشريعية. استلزم التناوب بعد ثمانية عشر شهرًا على رئاسة الوزراء والمناصب الوزارية الرئيسية الأخرى حدوث تغييرات جوهرية في القوانين الأساسية لإسرائيل مع إنشاء حكومتين منفصلتين. إن تعيين الوزراء والدبلوماسيين رفيعي المستوى عديمي أي مؤهلات يقوض أكثر نفوذ تلك المناصب. كل هذا على حساب مئات الملايين من الشواقل في ظل الكارثة الاقتصادية التي تعاني منها البلاد. اختفت آخر بقايا ما أسماه بن غوريون مملشتيوت، أي التصرف بطريقة ويكأنها الدولة.

يمثل تضعضع الروح المعنوية العامة وضعف الثقة خطرًا كبيرًا على الدولة. من بين جميع التحديات الوجودية التي تواجه إسرائيل يوميًا، قد يكون الفساد هو الأكثر فتكًا، لأنه يضعف قدرتنا على الصمود أمام البقية. لن تكون استعادة تلك القدرة على الصمود أمرًا سهلاً، لكن لا يوجد عدد كبير من الإجراءات الموصى بها هنا أيضًا. وكما هو الحال مع كل هذه التحولات، يبدأ الأمر بالاعتراف بالمشكلة على ماهيتها، المتمثلة في تهديد لمستقبل إسرائيل.

تبدأ الجهود بسن تشريع لتوضيح المفاهيم الغامضة مثل "خيانة الأمانة"، ومنع السياسيين المدانين من الترشح في المناصب العامة أو السياسيين المتهمين من البقاء فيها. ثم يتبع ذلك حملة وطنية لتثقيف الإسرائيليين حول العديد من أشكال الفساد وعواقبها. وبالنسبة لأصحاب المناصب، يعني هذا وضع الخطوط الحمراء الأخلاقية والقانونية بوضوح. لقد شغلت العديد من الأدوار الدبلوماسية والسياسية، ولكن لم يتم إطلاعي مرة واحدة على قيود تلقي الهدايا وتقديمها، على سبيل المثال، أو على نطاق تضارب المصالح.

في خضم كل هذه المبادرات، يؤدي رئيس إسرائيل دورًا حاسمًا. على الرغم من أن هذا المنصب يشوبه الفساد أيضًا، فقد أطيح بأحد الرؤساء من منصبه بسبب مزاعم بتلقيه رشوة وسُجن آخر بتهمة الاغتصاب، إلا أنه لا يزال يلقى احترام الغالبية العظمى من الإسرائيليين واليهود والعرب على حدٍ سواء. يمكن للرئيس أن يعقد تجمعات لزعماء

دينيين وثقافيين ورجال أعمال لمناقشة سبل مكافحة الفساد وتعميق وعي الجمهور بأضراره.

إليكم وباء آخر بقدر فيروس كورونا إلى حد كبير يمكن أن يجمعنا معًا ومن أجل الصالح العام على المدى الطويل. يمكن أن تكون إسرائيل في عام ٢٠٤٨ دولة أكثر صحة من الناحية المادية والسياسية. ثمة حاجة الآن إلى خطوات ملموسة لضمان نزاهة المشرعين والمنفذين، وظهور قادة يكن لهم المواطنون الذين يخدمونهم احترامًا أكبر.

المسؤولية والإرادة والرؤية

لسنوات عديدة، طلبت مني الكثير من الجماهير تعريف الصهيونية مرارًا وتكرارًا. كانت إجابتي مفاجئة في كثير من الأحيان مختصرة في كلمة واحدة، "المسؤولية". تعني الصهيونية ببساطة أن يتحمل اليهود المسؤولية عن أنفسهم وبنيتهم التحتية وصحتهم وتعليمهم ودفاعهم. وطالما أضفت أن إسرائيل هي الدولة الوحيدة التي يمكن لليهود فيها تحمل هذه المسؤولية كشعب حر وذي سيادة.

كانت إسرائيل على مر السنوات الأخيرة تتنصل من هذه المسؤولية. وبدلاً من معالجة القضايا الحرجة مثل تدهور مستشفياتنا أو انحدار مستوى مدارسنا أو انهيار الثقة في مؤسساتنا، فضلنا التركيز على أزمة التحالف الأخيرة أو التعليقات المثيرة للجدل لهذا الوزير أو ذاك. ومع ذلك، فإن القيام بذلك يمثل خيانة لكل من سبقونا، الذين ضحوا بالكثير لتأسيس الدولة وتعزيزها وحمايتها من أي شيء يضعفها.

وأكرر مرة أخرى ضرورة تحملنا المسؤولية. قد يبدو بكل تأكيد من الصعب التغلب على حجم تحديلا بهذا العدد والتي تواجه إسرائيل قبل عيد ميلادها المائة، وستكون التغييرات اللازمة لتجاوزها هائلة. سيكون من غير الواقعي الاعتقاد بأن أي سياسي أو حتى حكومة قادر على تغيير علاقة الدولة مع شرائح السكان الأرثوذكس المتشددين والعرب، على سبيل المثال ، تطوير المناطق الطرفية وإعادة بناء علاقاتنا الخارجية. قد تستغرق مثل هذه التحولات سنوات، وستلقى بالتأكيد معارضة شديدة. لكن لا يمكن التغلب على أي من هذه العقبات ما لم نواجهها أولاً ونقرر التصرف بشكل حاسم.

أما المكون الثالث والأكثر أهمية هو الإرادة. ستمكن السلطة المطلقة إسرائيل

من استيعاب ما يقرب من مليون يهودي سوفيتي، ونقل الجالية اليهودية الإثيوبية جوًا وإنشاء أول مدينة ناطقة بالعبرية في العالم على الكثبان الرملية. كانت الإرادة هي التي شجعت بن غوريون على إعلان استقلال إسرائيل في الوقت الذي أكد فيه القادة الأجانب وحتى قادته أن القيام بذلك سيكون بمثابة انتحار. وتبرز إسرائيل كدليل لا نظير له على قوة الإرادة التي لا تقهر.

تحمل المسؤولية وتوضيح الرؤية وتطبيق إرادتنا، تلك هي المفاتيح لجعل إسرائيل دولة أكثر رشدًا وتماسكًا وسيادة وأمانًا، دولة يهودية وديمقراطية أكثر، إنه السبيل لاستعادة دولة قومية. ليس من الواجب الحفاظ على بقاء إسرائيل فحسب، بل يجب إصلاحها بشكل أساسي وحازم. لا بد من تجديد إسرائيل. يمنحنا تاريخنا أسبابًا لا حصر لها للتفاؤل ويأتي المستقبل محملاً بالأمل. وبالعمل من الآن، يدًا بيد على نحو حاسم، ستكون إسرائيل في عام ٢٠٤٨ مستعدة تمامًا لمواجهة المائة عام الثانية من عمرها واقتناصها.

شكر وتقدير

لم يكن لعملنا هذا أن يصبح حقيقة لولا شراكة ورؤية رواد ٢٠٤٨، بما في ذلك: مؤسسة دهان الخيرية، وعائلة كرافت، ومؤسسة بول إي سينجر، وإدوارد ميسراهي، وإيتس أبلباوم، وريان جيلبرت، وديفيد جاكس والدكتورة جيسيكا فراهي وإيليا سوخار وليزلي ورفائيل إدلمان ومؤسسة بنيامين وسوزان شابيل وغيرهم. كما نشكر شركة إيميت على دعمها.

نتوجه بالشكر إلى ناتان شارانسكي ويوسي كلاين هاليفي على تشجيع السفير أورين لكتابة العمل. ونعبر عن شكرنا أيضًا لمؤسسينا: في إسرائيل: آلان جيل، ومايكل جرانوف، وإسحاق حسن، ويوسي كلاين هاليفي، ونيتا كورين، وراشيل مور، وإيلي أوفيتس، وجيل تروي وآخرين.

في الولايات المتحدة: مارك كوهين، وعمري وجاكي دهان، ووارن مازر، وآر في دبليو ويلث وآخرين.

ويقود فريقنا البحثي الموهوب يوفال بيرتس ومساعدوه ستيفاني مانوبلا وبنيامين روس وسار نيري، ودار النشر The Toby Press LLC ومترجمونا نداف ألموغ (العبرية) ومؤسسة سغير للترجمة Sagir International Translations (العربية).

إسرائيل ٢٠٤٨ - الحركة

يعمل هذا الكتاب على تعزيز الوعي بالقضايا الحرجة التي تواجه مستقبلنا المشترك. كما أنه يشكل الأساس للمجتمع المدني والمناقشات الموجهة نحو السياسات. انضم إلى المحادثة من خلال استضافة اجتماع مفتوح ومشاركة بياننا مع الآخرين ودعم مهمتنا. اكتشف المزيد على: www.israelin2048.com

عن مؤلف الكتاب - السفير مايكل أورين

كرس رجل الدولة والمؤرخ والبرلماني السفير مايكل أورين كرس حياته لخدمة إسرائيل والشعب اليهودي في جميع أنحاء العالم. وبصفته عضوًا في الكنيست ونائب وزير في مكتب رئيس الوزراء ، تعامل مع قادة أجانب ودافع عن إسرائيل إسرائيل في الإعلام. وقد تولى زمام الجهود الرامية إلى تعزيز العلاقات بين إسرائيل والشتات وتطوير مرتفعات الجولان والتصدي لحركة المقاطعة وسحب الاستثمارات وفرض العقوبات. كرئيس للجنة فرعية سرية، تعامل مع بعض القضايا الأمنية الإسرائيلية الأكثر حساسية.

قبل ذلك، شغل أورين منصب سفير إسرائيل لدى الولايات المتحدة لما يقرب من خمس سنوات. وكان له دور ناجع في الحصول على المساعدة الدفاعية الأمريكية، وخاصة لنظام القبة الحديدية، وضمانات القروض الأمريكية للاقتصاد الإسرائيلي. لقد بنى جسورًا مع مجتمعات متنوعة في جميع أنحاء البلاد، وكتب العشرات من مقالات الرأي وأجرى المئات من المقابلات الإعلامية، مما عزز التحالف بين الولايات المتحدة وإسرائيل.

تخرج الدكتور أورين من جامعة برنستون وكولومبيا، وكان أستاذاً زائراً في جامعة هارفارد وييل وجورج تاون. وهو حاصل على أربع درجات دكتوراه فخرية وحصل على وسام رجل الدولة للعام من معهد واشنطن لسياسة الشرق الأدنى وجائزة الدكتور مارتن لوثر كينغ ليجاسي للخدمة الدولية. استطاعت كتبه الثلاثة الأخيرة، *Six Days of War* *Power, Faith, and Fantasy* و *Ally: My Journal Across the American-*

Israel Divide، أن تحرز مكانة في قائمة نيويورك تايمز للكتب الأكثر مبيعًا. وحصل على جائزة كتاب لوس أنجلوس تايمز التاريخي للعام، وجائزة الميدالية الإنسانية الوطنية، وجائزة الكتاب اليهودي القومي.

أجرت الصحافة الأمريكية والدولية مقابلات معه بشكل متكرر، واستضافه بعض مقدمو البرامج في برامجهم مثل ستيفن كولبير وبيل ماهر وبرامج *60 Minutes* و *The View*، وأكثر من ذلك بكثير. كان محلل شؤون الشرق الأوسط في سي بي إس وسي إن إن.

نشأ مايكل أورين في نيوجيرسي، وقد عاد إليها في السبعينيات، وكان مبعوثًا إلى الرافضين اليهود في الاتحاد السوفيتي وفاز بميداليتين ذهبيتين في ألعاب المكابيا. وخدم في جيش الدفاع الإسرائيلي كجندي وحيد في جنود المظلات وكمتحدث باسم جيش الدفاع الإسرائيلي، وشارك في عدة حروب ووصل إلى رتبة رائد. أسس لجنة الجندي الوحيد في الكنيست.

تم اختيار مايكل أورين من قبل مؤسسة الراديو الوطني العام كأحد أفضل المتحدثين الجامعيين على الإطلاق، ومن قبل صحيفة بوليتيكو كواحد من أكثر خمسين مفكرًا مؤثرًا في أمريكا، ومن قبل صحيفة فوروارد كواحد من أكثر خمسة يهود مؤثرين في أمريكا، ومن قبل صحيفة جيروساليم بوست كواحد من بين العشرة اليهود الأكثر تأثيرًا في جميع أنحاء العالم.

تم ترشيح أحدث كتبه وهو *The Night Archer and Other Stories* لجائزة الكتاب اليهودي الوطني. يُعد ميخائيل أبًا لثلاثة أطفال وجدًا لخمسة أبناء ويعيش في يافا.